2010

Transition

Transition

Redéfinir la dualité

Kryeon, le Haut Conseil de Sirius, Gaia

Invités spéciaux :

le collectif Ashtar et Anna, grand-mère de Jésus

Propos recueillis par Martine Vallée

Titre original anglais :
TRANSITION, redefining duality
Copyright © 2009 Éditions Ciel et Terre Inc. / Heaven and Earth Publications Inc.
963 Hartland, Outremont, Québec,
Canada H2V 2X9

© *2009 Ariane Édition Inc.*
1209, av. Bernard O., bureau 110, Outremont, Qc,
Canada H2V 1V7
Téléphone : 514-276-2949, télécopieur : 514-276-4121
Courrier électronique : info@ariane.qc.ca
Site Internet : www.ariane.qc.ca
Tous droits réservés

Traduction : Louis Royer
Révision linguistique : Monique Riendeau
Révision : Martine Vallée
Graphisme et mise en page : Carl Lemyre
Première impression : août 2009

ISBN : 978-2-89626-068-3

Dépôt légal :
Bibliothèque et archives nationales du Québec, 2009
Bibliothèque et archives nationales du Canada, 2009
Bibliothèque nationale de Paris

Diffusion
Québec : ADA Diffusion – (450) 929-0296
www.ada-inc.com
France et Belgique : D.G. Diffusion – 05.61.000.999
www.dgdiffusion.com
Suisse : Transat – 23.42.77.40

Gouvernement du Québec — Programme de crédit d'impôt
pour l'édition de livres — Gestion SODEC

Imprimé au Canada

Table des matières

Dédicace

Ce livre est dédié à ma grande amie Nancy Lessard,
qui a effectué sa transition le 6 mai 2009.
Elle était une femme exceptionnelle
qui a vécu avec son cœur, travaillé avec passion
et aimé ses amis, sa famille et l'humanité inconditionnellement.

Présentation aux lecteurs

Chers amis,

Je suis très heureuse de vous retrouver dans le cadre de ce quatrième tome. J'avoue recevoir vos courriels et vos lettres avec grande humilité et appréciation non seulement pour le courage dont plusieurs font preuve devant les multiples défis que cette grande transformation leur fait vivre, mais aussi pour la confiance que vous me témoignez en partageant vos expériences. À la lecture de tout ce courrier, je vois à quel point votre engagement est fort.

Transition

Lorsque je développe un thème, celui-ci est habituellement relié à ce que je vis. J'essaie ensuite de le comprendre afin d'en développer divers aspects. Je pose des questions et, si nécessaire, je complète les enseignements par des informations tirées du site Internet de chacun des auteurs, véritable trésor d'information.

Actuellement, nous entrons dans une phase transitoire, et elle est très puissante. Je considère que la grande transformation (l'année 2009) a été et continue d'être le passage qui mène chacun de nous vers une transition importante. L'aspect énergétique de l'année 2009 est beaucoup plus personnel que celui de 2010, qui me paraît beaucoup plus planétaire, même si, dans les faits, on ne peut séparer ces deux aspects.

La prochaine étape vers cette transition demeure notre capacité, en tant qu'individus et citoyens du monde, à bien ancrer les nouvelles bases d'évolution. Autant la transformation signifiait pour moi une préparation, autant cette transition est synonyme d'action. Nous allons vers une conscience supérieure à un rythme accéléré, et chaque fois que nous posons un geste concret en ce sens, le processus est encore plus dynamisé.

Un bon exemple d'un geste concret est l'élection présidentielle de Barack Obama. Cela n'était pas seulement l'élection d'un nouveau président, mais également l'élection d'un événement sans précédent, celui d'une conscience supérieure qui a provoqué une élévation de la conscience partout sur la planète. À ce propos, j'ai lu une information tout à fait fascinante concernant l'anagramme du nom Barack Hussein Obama. En effet, selon Richard Lederer, spécialiste des énigmes, mystères et anagrammes, si l'on réorganise toutes les lettres d'un mot ou d'un nom, souvent on obtient un énoncé susceptible d'en dire long sur l'individu en question. Eh bien, il semble que si l'on réorganise les lettres de son nom, on peut obtenir, entre autres, l'énoncé suivant : *Abraham is back. One U.S.* Ici, on réfère à Abraham Lincoln, lequel a été une grande source d'inspiration pour M. Obama toute sa vie durant. Abraham Lincoln, rappelez-vous, est celui qui a non seulement mis fin à l'esclavage en 1863, mais aussi à la guerre civile de son pays. De plus, cet homme est né en février 1809 et Barack Obama est entré en fonction en janvier 2009, soit exactement 200 ans plus tard. Symboliquement, on ne peut faire mieux. Toute sa vie, M. Lincoln s'est battu pour les droits de son peuple. D'ailleurs, dans son discours à Gettysburg, il disait ceci : « *Un gouvernement du peuple, par le peuple et pour le peuple.* » Et le président américain actuel s'est servi de cette citation à plus d'une reprise. Tout un clin d'œil, vous ne croyez pas ! En outre, ces deux hommes ont été avocats et ont commencé leur carrière politique dans l'Illinois.

Si je vais bien au-delà du personnage chaleureux et sympathique qu'est Obama, il est clair maintenant, à mon avis, que nous exigeons en tant que membres de cette humanité des *leaders* à l'image de cette conscience qui s'élève. *Yes, we can* (oui, nous pouvons), cette phrase que ce sénateur répétait sans cesse lors de ses discours à l'investiture américaine, était une flèche d'intention dirigée vers les consciences de chaque individu. Il a visé juste, et le résultat a été la victoire de la conscience sur l'inconscience. Pour moi, cet énoncé représente non seulement l'intelligence et la grâce de la conscience même, mais la confiance dans le pouvoir de création. Il y a une force collective à l'œuvre ici… et c'est le début de la plus grande transition qui soit. N'oublions pas une chose : en tant que groupe de lumière, nous sommes peut-être les précurseurs de cette transition, mais nos enfants et petits-enfants compléteront la plus importante transition que cette planète a jamais connue.

L'autre aspect de cette transition, qui s'annonce fort intéressante, aura trait à la capacité des femmes à établir un pont entre l'ancien et le nouveau. Les femmes portent cette responsabilité en elles. Non pas une responsabilité pesante sur les épaules, mais celle d'avoir bien compris l'envergure de cette grande mission et d'y prendre une part active. Alors que notre monde se réorganise, se refait une beauté, les femmes s'avèrent indispensables. Leur énergie consciente porte le pouvoir de l'amour, lequel, à lui seul, peut transmuter et recréer toute chose. C'est ce qui nous est demandé en cette heure d'action.

Mes invités

Dans ce tome, trois auteurs exceptionnels partagent leurs enseignements : Kryeon, le Haut Conseil de Sirius, et Gaia.

Kryeon et Lee Carroll. Lee est le seul à faire partie de cette série d'un tome à l'autre. Que dire de lui aujourd'hui ? Après treize ans à le publier, je suis encore aussi emballée par ses écrits qu'au premier jour. Il m'incite à me dépasser et à poursuivre mon exploration de la connaissance. J'ai cheminé avec lui – et Kryeon – comme avec personne d'autre. Plusieurs auteurs canalisent, mais peu ont autant de crédibilité à mes yeux. En ce qui me concerne, ses informations sont une dose parfaite de science, de spiritualité, d'ésotérisme, de conscience, etc. À nouveau, je partage avec vous certaines de mes expériences personnelles, car elles me semblaient intéressantes par leurs aspects énergétiques. Mais je partage aussi avec vous l'expérience d'une de mes amies. C'était un exemple si puissant de pardon que je trouvais important de le faire. Et Kryeon les commente encore une fois.

Le Haut Conseil de Sirius et Patricia Cori. Patricia, je l'adore! C'est une femme de cœur et d'action. Les êtres de Sirius ont été si importants dans l'histoire de la planète que je leur ai demandé de participer une fois de plus.

En outre, Patricia dirige des voyages initiatiques dans divers lieux de la planète, dont l'Égypte. En janvier 2009, j'ai participé au voyage en Égypte, certainement, à ce jour, l'un des voyages marquants de ma vie. L'un des moments remarquables fut une méditation dès le début. D'ailleurs, je parle de cette méditation avec le Haut Conseil.

Gaia et Pepper Lewis. Depuis un bon moment déjà, je surveillais les informations de Pepper. L'année dernière, j'ai été si inspirée par son article sur les abeilles que j'ai voulu l'inclure dans le tome *2009, la Grande Transformation* et que je lui ai demandé de participer à ce quatrième tome, *2010, redéfinir la dualité*. Ses informations sont toujours très précises et ses enseignements, inédits.

Mes invités spéciaux

Simon Leclerc / *Le collectif Ashtar*

Par le passé, j'ai eu l'occasion d'avoir quelques entretiens avec Simon et le collectif Ashtar. J'ai bien aimé mon interaction avec eux. À ma demande, ils ont accepté avec grande gentillesse de répondre à quelques questions. Vous pouvez prendre connaissance du travail de Simon et de ses conférences au Québec et en France à la page 259.

J'ai toujours beaucoup de reconnaissance pour tous ces auteurs qui ont tant fait pour mon cheminement personnel. Par leurs écrits, ils m'ont permis de vivre ma passion. Quelle belle équipe nous formons tous ensemble !

Claire Heartsong, *Anna, grand-mère de Jésus*

Il y a quelque temps, on m'a parlé de ce livre. Puis, Edna Frankel, une auteure publiée chez Ariane, m'a téléphoné un jour et m'a dit : « *Martine, tu dois publier ce livre.* » Je lui ai répondu que je le regarderais attentivement, tout en lui mentionnant qu'il y avait quand même pas mal de livres déjà publiés sur Marie Madeleine – dont *Le manuscrit de Marie Madeleine*, Tom Kenyon et Judi Sion, Éditions Ariane 2008 – ou sur d'autres figures historiques. Elle a alors ajouté : « *Celui-là est différent.* » Quelques mois se sont écoulés sans que je prenne une décision, car je m'interrogeais sur la justesse des informations contenues dans ce livre. Puis, un soir, je me suis installée pour écouter une série de cassettes de l'archange Raphaël. J'en ai pris une « au hasard »… À un certain moment, les participants enregistrés sur cette cassette étaient invités à poser quelques questions et, là, une participante a posé la question suivante : « *Les informations contenues dans le livre* Anna, grand-mère de Jésus, *de Claire Heartsong, sont-elles exactes ?* » L'archange de répondre alors : « *Sur une échelle de 1 à 10, j'accorderais la cote 9. Seules quelques petites erreurs sans importance s'y sont glissées.* » J'ai bien ri, car j'avais la réponse à ma question… comme quoi l'univers s'arrange toujours pour mettre sur notre route, à un moment ou l'autre, les réponses aux questions que nous nous posons.

Ayant eu un immense plaisir à lire ce texte qui a pris la forme d'un roman initiatique, j'ai demandé à Claire de bien vouloir répondre à quelques questions dans le cadre de cet ouvrage, afin que nous puissions mieux la connaître. Elle a accepté avec grand enthousiasme.

CD de sons vibratoires avec Tom Kenyon, Louis Lachance (*Mémoire cellulaire* et *Gaia*) et les nonnes de Gyantsé

Après la publication de *2009, la Grande Transformation*, j'ai reçu une grande quantité de demandes concernant le CD *Immunity*, dont l'histoire était racontée dans ce livre. Devant l'engouement des lecteurs, j'ai demandé à Tom Kenyon la permission d'inclure trois extraits de CD différents afin que vous puissiez constater l'originalité de son travail. Il a accepté. Vous avez d'abord *Voices of Iona*, tiré de l'album *Voices from Other Worlds*. En fait, cette pièce musicale est ma préférée. Pour une raison inconnue, chaque fois que je l'écoute, je vois des images de l'océan et de vastes espaces verts d'une grande beauté. Je ne reconnais pas ces paysages, mais je me sens enveloppée d'une belle énergie et cela me touche profondément. Un jour, je me suis décidée à demander à Tom d'où provenait l'inspiration de cette pièce. Judi [Judi Sion, sa femme et collaboratrice] m'expliqua que Tom avait été inspiré à la suite d'un voyage en Écosse sur une petite île nommée Iona. Il semble que les ancêtres de Tom soient des Écossais. J'ai alors compris mon lien avec ses sons puisque j'ai moi-même des ancêtres écossais. Étant donné que nos ancêtres font également partie de notre ADN, notre résonance avec eux demeure présente.

La deuxième pièce s'intitule *Arcturian Apparition* (Apparition arcturienne). Il s'agit d'un extrait de l'album *Starship*. Cette pièce, d'une durée de plus de onze minutes, n'est pas présentée dans sa totalité. L'histoire de ce CD est encore une fois fascinante… au point que j'ai demandé à Tom de nous la raconter. Vous lirez donc à la page 239 la rencontre qui en a permis la production.

Et la dernière pièce est un extrait d'un autre album, *Sound Transformations*. Tom lui-même a choisi cette pièce pour que vous ayez une meilleure idée du genre de sons qu'il peut émettre lors d'un atelier. Cette pièce s'intitule *Journey of the Ka*.

Mon deuxième invité sur le CD est mon ami Louis Lachance. Louis fait partie de cette série depuis le début. C'est un artiste de grand talent qui travaille à partir du cœur. Il a créé deux pièces spécialement pour cette édition. La première s'intitule *Mémoire cellulaire* et l'autre, *Gaia*, en honneur de notre merveilleuse planète.

J'ajoute que les tomes *2010, 2011 et 2012* auront également une dimension humanitaire. En effet, j'ai décidé de donner une voix à ceux qui n'en ont pas. Trop de femmes et d'enfants sont ignorés, gardés sous silence, abusés et maltraités. Au lieu d'être élevés dans un espace de pouvoir, nombre d'entre eux sont réduits à vivre avec presque rien, et dans la peur. En association avec Tom Kenyon et Judi Sion dans cette première édition humanitaire, vous pourrez entendre un extrait d'un CD des nonnes de Gyantsé. Ces dernières vivent isolées dans un monastère situé très haut dans les montagnes. Comme vous le savez, la situation entre la Chine et le Tibet est très tendue. À cause de cela, elles vivent dans des conditions très difficiles. Tom et Judi ont pu enregistrer les voix de ces nonnes et, depuis, tous les profits vont directement à ces dernières. D'ailleurs, au moment où j'écris ces lignes, Tom et Judi tentent de se rendre dans cette région afin de leur remettre tous les profits en mains propres. Je vous demande donc de prendre le temps d'écouter leurs incantations. Ce sont des prières qui visent à faire régner la paix dans tous les règnes. Ces femmes n'ont jamais été entendues en dehors de leur monastère. Ce CD est donc pour moi l'occasion de leur donner une voix afin qu'elles soient écoutées par un public averti. Vous lirez également le récit de Judi à ce propos.

Si le cœur vous dit d'aller un peu plus loin dans votre démarche, l'achat de l'album sur le site internet www.tomkenyon.com est le meilleur moyen de les appuyer. Si cela n'est pas possible, alors une pensée bienveillante, dirigée dans la conscience et l'amour, les aidera grandement.

Événements à venir

Au Québec

Un automne « chaud » aux Éditions Ariane
Deux événements majeurs

Le 17 octobre 2009 – Le premier rassemblement

Ce premier événement rassemblera trois channels d'exception. Patricia Cori et le Haut Conseil de Sirius amorceront la journée. Celle-ci se poursuivra ensuite avec Pepper Lewis et Gaia, puis se terminera avec Lee Carroll et Kryeon. Une journée exceptionnelle à ne pas manquer. Vous trouverez l'horaire de cette journée à la page 236.

Le 14 novembre 2009 – La grande triade

Ce deuxième événement se tiendra avec Tom Kenyon et les Hathors.

J'ai participé à deux ateliers de Tom Kenyon et j'avoue avoir été « flabbergastée ». Il n'y a pas d'autres mots pour décrire cette expérience. D'ailleurs, c'est le seul auteur pour lequel j'ai employé ce qualificatif. L'homme est impressionnant et différent. Participer à l'un de ses ateliers, c'est réellement comprendre le sens véritable du pouvoir du son. On a l'impression d'être dans une bulle vibratoire très puissante.

Tom fait très peu d'ateliers dans l'année. De l'avoir à Montréal est donc tout à fait exceptionnel. La première fois que je lui ai demandé de venir, il m'a avoué qu'il aimerait bien, mais qu'il était débordé de travail. J'étais évidemment déçue, mais pas découragée pour autant, sachant fort bien mon intention de revenir à la charge sous peu. Puis, quelques mois plus tard, me revoilà, tentant par tous les moyens de les convaincre, lui et Judi, de venir. Tous deux déclinent de nouveau, me disant qu'ils viendront bien un jour. Vous dire ma déception, alors… Puis, deux ou trois jours plus tard, une dame québécoise écrit à Tom, lui demandant de venir parce qu'elle est certaine que les sons auront des effets très positifs sur la santé de sa petite fille malade. À ce moment, Tom et Judi non pas pu refuser. Leur grand cœur – et j'ajouterai une petite intervention divine (*sourire*) – a eu raison de tout le reste… Ils m'ont alors contactée, me disant que si mon invitation tenait toujours, ils viendraient! Vous dire cette fois mon excitation…

La version présentée lors de cette journée sera une version plus courte du dernier atelier de Seattle, sauf qu'à Montréal, l'atelier durera une seule journée au lieu de deux jours et demi. Cette journée s'annonce donc très puissante, puisqu'il s'agira d'une version concentrée. Voilà pour vous une occasion unique de faire la rencontre vibratoire des sons et de leurs pouvoirs transformateurs.

Vous trouverez les détails de cette journée en page 237.

Octobre 2011 – Le Grand Rassemblement

Un événement majeur se tiendra à Montréal en octobre 2011. Plusieurs des *channels* qui auront participé à cette série se réuniront pour un week-end. Ces deux jours serviront à mettre en place toutes les énergies nécessaires à l'arrivée de 2012. Ce sera non seulement un rassemblement de grands auteurs, mais aussi une occasion de célébrer tous ensemble ce moment tant attendu qu'est 2012. Chants, musique et joie seront au rendez-vous.

Automne 2012

Le 21 décembre 2012, mon rêve serait de me retrouver avec un groupe d'amis sur un site exceptionnel, quelque part dans le monde, pour accueillir nos frères et sœurs de lumière. Je travaille là-dessus.

En Europe

Mai 2010, dans la région de Toulouse

Nos amis européens ne seront pas en reste. Un grand événement se prépare dans cette région. Plusieurs invités de marque, tels que Gregg Braden, Patricia Cori et d'autres encore, seront présents. Les informations concernant cet événement sont données aux pages 262 et 263.

Le Grand Rassemblement à Genève, au printemps 2012

Nous sommes bien loin de cette date encore. Toutefois, l'événement de l'automne 2011 voyagera jusqu'à Genève. Vous retrouverez Lee Carroll, Patricia Cori et plusieurs autres lors de ce week-end.

Témoignage

La vie nous réserve bien souvent des surprises, et celle-ci est de taille. Après sa lecture du tome *2009, la Grande Transformation*, une Française m'a écrit pour témoigner de sa mémoire cellulaire d'Alexandrie. En somme, cette dame me demandait pardon pour sa participation à l'incendie de la bibliothèque d'Alexandrie. Évidemment, je lui ai répondu que je lui pardonnais sans problème, mais elle demandait également pardon à tous ceux qui, de près ou de loin, avaient subi des préjudices à la suite de son action. Connaissant la puissance des mémoires cellulaires, j'ai décidé d'inclure son témoignage pour que nous puissions tous, en tant qu'êtres de lumière, participer à cette grande occasion de pardon qui nous est offerte. Vous trouverez son témoignage intégral en page 138

Fondation Passion Compassion

Faire un monde de différence un cœur à la fois.

Depuis longtemps, je rêve d'établir un réseau d'entraide, un réseau conscient de compassion rassemblant des êtres de lumière. Certains d'entre vous, qui avez assisté à la conférence de Patricia Cori en octobre 2008, ont pu visionner une petite présentation de ce que je voulais établir plus tard. C'est chose faite aujourd'hui.

Évidemment, je vois grand, et mon but est d'atteindre au moins 10 000 personnes ! Cette fondation, je la considère comme un investissement dans la conscience et la compassion. Elle comporte deux volets importants pour changer les choses.

Le premier volet est un *investissement dans la conscience.* Il signifie pour moi la création d'un réseau si puissant de lumière, d'un groupe quantique si efficace que nous pourrons influencer le cours des événements et ainsi augmenter la conscience planétaire. Ne sommes-nous pas les mieux placés pour bien comprendre comment l'énergie fonctionne ? C'est cela, le nouveau *leadership...* le leadership conscient. Je ne doute absolument pas de la puissance d'un tel réseau. D'ailleurs, vous pourrez lire ce que Kryeon dit à ce sujet.

Le deuxième volet est un *investissement dans la compassion,* d'où le nom *Fondation PassionCompassion,* par la création de notre propre économie. Ici, il s'agit d'être dans l'action, de faire un geste concret et d'offrir une aide financière directe pour accélérer le processus de changement. Seule la compassion nous réunira, et la solution aux problèmes humanitaires se joue entre nous... dans l'humanité au service de l'humanité.

D'ailleurs, en ce sens, au moment où j'écris ces lignes, une bonne amie à moi vient tout juste de partir en mission au Congo pour mettre en place mon premier projet humanitaire. En 2007, j'ai lu un reportage à ce sujet et j'en ai été transformée à jamais. Depuis dix ans, une guerre terrible sévit dans ce pays, et les femmes en sont les premières victimes. Un grave problème de terrorisme sexuel a pris une telle ampleur dans ce pays qu'on calcule, à ce jour, que près d'un million de femmes y ont été violées et mutilées. En novembre, lors de la venue de Tom Kenyon, je présenterai, si cela est possible, un minidocumentaire sur ces femmes. Mon but est qu'elles puissent retrouver leur pouvoir et ainsi bâtir un avenir meilleur pour elles et leurs enfants. Il existe plusieurs façons de s'y prendre, mais l'une d'elles est le microcrédit.

Nos sœurs de partout dans le monde sont en péril comme jamais auparavant, et cela est tout simplement inacceptable. Nous devons tous comprendre que ce qui arrive aux femmes de n'importe où dans le monde arrive à toutes les femmes du monde. Que ce qui arrive aux enfants de n'importe où arrive à tous nos enfants. Le jour où on comprendra cela, tout changera. Ma vision actuelle de la vie est que l'on devrait tous se soucier les uns des autres, et ce, peu importe la race, la religion ou l'endroit où l'on vit. En tant qu'individus conscients et intègres, nous devrions nous lever et agir.

Il y aura également un volet « compassion sans frontières », où certains projets que je juge importants seront appuyés par ma fondation. Ce seront mes coups de cœur humanitaires. Vous savez, certaines personnes sont douées d'un grand cœur et ont des idées extraordinaires, et, parfois, un apport financier au bon moment leur permet de faire décoller ou avancer des projets qui sont d'une grande utilité pour ceux qui en bénéficient. Je pense ici au docteur Gilles Julien à Montréal, avec qui je travaille depuis plusieurs années. Un homme admirable qui a changé le cours de la vie de centaines d'enfants. À l'époque, ses idées étaient jugées pas mal révolutionnaires, mais aujourd'hui elles sont reconnues par les gouvernements.

Je pense aussi à Kenro Izu, photographe de métier, qui est allé au Cambodge pour photographier son célèbre temple et qui a ensuite décidé d'y bâtir un hôpital pour enfants. Une histoire extraordinaire en elle-même. Un autre projet extrêmement inspirant est celui de Sangduen (Lek) Chailert. Cette femme remarquable a créé un parc naturel pour venir en aide aux éléphants de la Thaïlande. On dit d'elle qu'elle « chuchote » aux éléphants et que sa mission est de les protéger et de les retourner dans leur habitat naturel. Les éléphants sont les gardiens des dossiers de la Terre comme les baleines le sont pour les océans. Ils sont importants pour l'équilibre de la planète, elle le sait, et elle fait tout en son pouvoir pour qu'ils retrouvent leur souveraineté... un éléphant à la fois.

Ces projets seront aidés, parce qu'ils sont dirigés par des êtres de cœur qui auront fait leurs preuves. Plusieurs autres volets s'ajouteront au fur et à mesure que la fondation s'épanouira. Ce dont je peux vous assurer, c'est que mes projets seront choisis avec amour et minutie, à l'instar de mes livres. L'inspiration ne manque pas. Surveillez le site Internet www.passioncompassion.org. Pour tout ce qui concerne la fondation Passion Compassion, vous pouvez m'écrire à l'adresse suivante : martine@passioncompassion.org

En terminant, je tiens de nouveau à vous exprimer toute ma gratitude pour votre fidélité à cette série. Le bouche à oreille a été remarquable. D'ailleurs, cette aventure littéraire semble avoir désormais le vent dans les voiles. Au début, lorsque j'ai eu l'inspiration de créer cette série, je n'ai jamais pensé qu'elle irait un jour au-delà des frontières francophones. Son but premier était de permettre à ma « tribu » francophone de mieux naviguer durant cette période énergétique importante pour l'humanité. Puis, tout doucement, le vent a soufflé dans ses voiles et cette série s'est dirigée vers d'autres ports afin de desservir un plus grand nombre de navigateurs de la lumière. Depuis le 1er février, *2009 la Grande Transformation* est publié en anglais aux États-Unis. Éventuellement, cet ouvrage sera disponible en plusieurs autres langues, dont l'espagnol et le russe en passant par le coréen et le turc. Il y a quelques années, on m'avait dit, lors d'une canalisation : « Martine, sois prête pour quelques surprises dans ta vie. » Celle-là est de taille. J'ai toujours souhaité que ceux qui ressentaient une affinité avec ces écrits puissent les lire, mais jamais je n'aurais pu imaginer ce que signifiait le pouvoir de l'intention à l'œuvre.

Chers amis, même si je n'ai pas eu l'occasion de vous rencontrer en personne, je pense souvent à vous, sachant fort bien que vous êtes en résonance avec la même note de musique et le même chant du cœur que moi. Je suis souvent touchée par votre gentillesse, votre générosité et surtout votre grande détermination à changer les choses. Cela me donne un espoir sans fin...

En toute amitié.

Martine Vallée
27 mai 2009

Première partie

Kryeon

TRANSITION

2010 : Redéfinir la dualité

La dualité sera toujours présente,
mais plusieurs d'entre vous réussissent
à l'invalider si parfaitement qu'elle devient
tel un vieux soulier laissé dans un coin
et qu'on ne porte plus.

Message de Lee Carroll

Ce livre que vous avez entre les mains est le dernier-né de la belle série créée par Martine et qui remporte un énorme succès. Il contient encore plus d'informations ésotériques que les précédents. De toute évidence, le changement que vit actuellement la Terre commence à devenir manifeste. Les grands médias en font part et les gens qui suivent une démarche spirituelle s'en rendent compte également. Le monde entier se réjouit de ce qui s'est produit aux dernières élections présidentielles américaines… On dit que les Américains ont fait « quelque chose de bien » ! Il s'est enfin passé quelque chose !

En quoi les prochaines années seront-elles différentes des toutes dernières ? J'y répondrai en disant qu'il est de plus en plus difficile de mesurer la spiritualité et la croissance. Il en est ainsi parce que nous commençons à puiser dans une énergie interdimensionnelle tout en vivant dans un monde tridimensionnel. Le seul moyen d'avancer, c'est d'étudier les attentes de l'Esprit, de fusionner mentalement avec cette autre réalité qui permet de sentir l'invisible.

Lorsque tout un gouvernement est remplacé, on sait qu'il y aura du changement. Quand on évacue la cupidité de l'économie, c'est un peu comme si on évacuait le sang du corps humain… Autrement dit, la cupidité était le réel fondement de bien des choses et certains affirment même qu'elle est partie intégrante du système ! C'est cependant ce qui s'est produit. Au risque de détruire tout le système, on épure enfin l'économie américaine. La transfusion d'un sang nouveau va prendre un certain temps et il est probable que le patient survivra (qu'il échappera à la mort).

Cette analogie vaut pour toute l'économie mondiale, à commencer par celle des États-Unis. Voilà ce qui s'est produit depuis le livre précédent.

Joignez-vous à Martine alors qu'encore une fois elle vous présente des énergies et des auteurs qui vous aideront à clarifier le sens des événements actuels et à vous adapter au changement que nous ressentons tous profondément. La situation évolue rapidement et ce livre est peut-être le meilleur guide qui puisse vous aider à la connaître davantage.

Notre nature holographique

Je pense que le prochain « grand pas » que nous devrons tous faire sera de comprendre notre nature holographique. Les hologrammes sont supérieurs à toute « information recueillie ». Ce qui me fascine le plus, c'est que si nous découpons un hologramme en morceaux, chaque fragment renferme toujours toute l'information contenue dans l'ensemble. Quelle que soit la grosseur des fragments, l'information demeure intégrale. Le tout se trouve dans chacune des parties. Par conséquent, puisque nous sommes des « fragments » de l'univers, nous devrions aussi avoir accès à toute l'information qu'il recèle.

— *Je sais que ma description de l'hologramme est probablement assez simpliste, car sa compréhension est sans doute beaucoup plus complexe, mais est-elle quand même exacte ?*

Salutations, très chère.

Encore une fois, nous venons répondre à tes questions par l'entremise de celui qui est mon partenaire humain depuis vingt ans. Nous t'offrons ces réponses avec amour et du mieux que nous le pouvons malgré le voile qui sépare encore les dimensions.

Tu me demandes si ta définition de l'hologramme est juste. Elle l'est autant qu'elle peut l'être dans la dimension où tu es. Voyez-vous, chers lecteurs, vous définissez votre hologramme quantique comme la partie de Dieu que vous portez sur la Terre, mais vous ne pouvez le comprendre

5

vraiment et ne le devez pas non plus. Il vous faut plutôt le reconnaître et en user le mieux possible dans votre existence tridimensionnelle.

Vous ne pouvez comprendre vraiment ce que la nouvelle énergie vous apporte. Nous sommes conscients de la tendance de l'esprit humain à croire qu'il peut tout concevoir, mais celui-ci est réellement limité à la dimension dans laquelle il croit se trouver. Donc, malgré votre haute opinion de vos capacités intellectuelles, vous ne pouvez pas concevoir ce qu'il vous est impossible de concevoir. Pourtant, on vous demande d'utiliser certaines réalités que vous ne pouvez pas concevoir et de leur trouver un sens.

C'est exactement comme lorsque vous vous servez des appareils d'une haute technologie sans en comprendre parfaitement le fonctionnement. Vous utilisez votre énergie librement, mais la plupart d'entre vous n'ont aucune idée de son mode de production. Vous voyez les machines et les installations électriques, mais combien d'entre vous comprennent vraiment ce qu'est l'électricité multiphase? Elle vous a été offerte par un très grand penseur qui fut le seul sur cette planète à réfléchir en dehors des sentiers battus pour trouver ce concept du courant multiphase. Cette idée binaire n'étant pas linéaire, il fallait un penseur conceptuel pour la concevoir. On a beaucoup utilisé ce type d'électricité depuis, mais la plupart d'entre vous n'en connaissent pas la signification ni le mode de fonctionnement. Néanmoins, cela ne vous empêche pas d'en faire un usage constant. Vous en êtes même devenus dépendants.

Il vous faut donc maintenant prendre conscience de l'existence de l'hologramme humain, ou du Soi divin, mais l'Esprit ne vous demande pas de le comprendre parfaitement. Nous exhortons plutôt chaque personne qui lit ces lignes à en reconnaître l'existence et à l'utiliser. C'est plus difficile que vous ne le croyez, car vous devez faire confiance à votre intuition et à une énergie intérieure dont vous ignoriez l'existence. C'est vraiment là le défi des travailleurs de la lumière de ce nouvel âge. Ils doivent modifier leur propre conscience de ce qu'ils pensent être.

— Manque-t-il quelque chose d'important à ma définition ?

Oui, quelque chose de très important manque en effet. Votre hologramme humain comporte les parties de « vous » qui existent de l'autre côté du voile et qui sont conçues pour interagir avec un système quantique. Même dans votre ignorance de ce qu'est réellement un hologramme, vous pensez qu'il est toujours autour de vous, sur cette planète. Dans un état quantique, il n'y a pourtant aucun « espace » pour quoi que ce soit. C'est l'existence pure. Par conséquent, vous n'êtes pas conscients de la partie de vous qui s'est détachée quand vous êtes venus sur la Terre et qui demeure toujours de l'autre côté du voile. C'est une partie très active de tout le système qui est « vous » et vous n'êtes pas encore prêts à la concevoir.

Cela m'amène à la question suivante…

Sortir de l'illusion par la compréhension de notre nature holographique

Le monde physique dont nous faisons l'expérience d'une manière si substantielle est un mirage créé par la nature holographique de la matière. À titre de comparaison, je dirais que notre conscience est comme un rayon laser de lumière cohérente et que nous avons tous choisi, soit l'humanité dans son ensemble, de tenir la « lentille » de notre conscience de manière à « voir » tous ensemble la même chose au moyen de cette lumière.

S'il en est ainsi, nous pouvons changer le foyer de notre « lentille » pour sortir de cette illusion. Nous n'avons pas à voir la même chose que tout le reste du monde. Ces illusions sont créées et maintenues par notre façon de tenir le foyer de notre conscience. Mais je ne pense pas que nous puissions y parvenir simplement en « concevant » un moyen d'en sortir. Je suis d'avis que cela doit venir du plus profond de la conscience et qu'il faut pour cela une intention très précisément dirigée ou, peut-

être, en fait, une combinaison des deux, c'est-à-dire une conscience par-
faitement alignée.

— *Kryeon, je peux comprendre ce dont nous avons besoin pour y parvenir,*
mais j'ai de la difficulté à voir clairement comment. J'ai l'impression
que le cerveau et le système nerveux doivent participer. Avons-nous
besoin d'entraîner notre système nerveux à percevoir cet état de percep-
tion modifié ?

Absolument. Tu manifestes là une profonde intuition. Cela doit commencer par une modification de la pensée tridimensionnelle, fondée sur
l'invisible et sur l'incompris. Pour certains d'entre vous, le début de ce
voyage dépassait tout ce qu'ils avaient pu imaginer d'après ce qu'on leur
avait dit. Vous avez dû entraîner votre cerveau et votre système nerveux à
« sentir » certaines énergies, dont une énergie « parente » de Dieu qui se
trouvait non seulement à l'intérieur de vous, mais aussi à l'extérieur. Ces
deux énergies attendaient d'être reconnectées, ce qui ne pouvait s'accomplir que par votre intention de dépasser ce que vous pensiez être la « réalité ».

Rappelez-vous que vous ne ressentiez rien quand vous avez commencé à méditer. Plusieurs personnes de votre entourage s'élevaient à un
niveau supérieur et en revenaient avec des perceptions particulières et une
grande paix, mais pas vous. Admettez-le : vous n'obteniez pas grand-chose
et vous ne vouliez l'avouer à personne. Souvenez-vous ! Je sais qui lit ces
lignes !

Cependant, après un certain temps, vous avez commencé à « ressentir » l'énergie de l'Esprit autour de vous. En fait, vous entraîniez votre perception (votre cerveau et votre système nerveux) à laisser cette énergie
exister dans votre réalité. Vous avez modifié l'hologramme afin qu'il inclue
dans votre sphère de conscience des choses qui ne s'y trouvaient pas auparavant. Que s'est-il donc passé réellement ? Cette énergie était-elle nouvelle ? L'avez-vous créée ? Absolument pas. Elle a toujours été là. Par
conséquent, vous êtes en mode découverte chaque fois que vous méditez

ou que vous lisez des livres comme celui-ci. Vous êtes-vous déjà demandé si autre chose avait échappé à votre perception ? Et qu'en est-il de la maîtrise ? C'est ce qui survient quand vous laissez enfin paraître votre divinité.

— À ce stade-ci, pouvons-nous même le faire ? Si nous pouvions progresser, nous pourrions évidemment sortir de la dualité, n'est-ce pas ?

Nous devons d'abord définir ce que signifie « sortir de la dualité » pour les besoins de ce livre puisque c'est là le titre et l'énergie des propos tenus ici.

La dualité est la dichotomie énergétique avec laquelle vous êtes nés. Elle est intentionnelle, conçue pour une fonction précise, et elle constitue l'essentiel du test qui dure toute votre vie. Elle représente les attributs lumière/obscurité de tout humain, établis par l'histoire vibratoire de la planète telle que celle-ci a été créée par les humains au cours des âges. La dualité est appropriée pour vous tous et ses proportions vibratoires ont toujours été très stables, mais elle cède maintenant peu à peu le pas à la raison pour laquelle vous êtes ici dans cette nouvelle énergie de changement. Elle commence à changer elle aussi, acquérant de nouvelles proportions d'obscurité/lumière.

En 1989, nous vous avons parlé de la capacité d'invalider votre empreinte karmique. C'était le début de la « sortie d'une vieille dualité ». Le karma est le processus de création d'énergie dans la vie humaine qui s'occupe de ce qui n'est pas terminé, qui vous procure motivation et passion, et qui crée les difficultés appropriées. Tout cela vous fournit des occasions de grandir et de résoudre les énigmes énergétiques. Mais c'est un très vieux processus et il est automatique. Il ne laisse aucun choix à l'individu une fois que celui-ci est rendu ici.

Plusieurs de vos anciens systèmes de croyances traitent du karma et de sa fonction dans l'existence. Le karma fait partie d'un très ancien système qui a fonctionné pendant plusieurs milliers d'années.

Voici maintenant le nouvel humain dans un nouvel âge où l'hologramme dynamique de la Terre se transforme. La Grande Transformation, comme vous l'appelez, est une reprogrammation de l'hologramme de la Terre, des humains, de la nature humaine et du futur même de la planète. Par conséquent, le système change. Mais ne vous y trompez pas : le karma constituera toujours l'énergie de départ de chaque humain. La dualité est présente également, mais chacun de vous a le choix d'éliminer ce karma, de dépasser la dualité et de passer à autre chose.

Je l'avoue, quand j'ai commencé à parler par l'intermédiaire de mon partenaire, il a été question de quelque chose qui s'appelait « l'implant ». Mon partenaire m'a alors dit que ce mot était inapproprié et qu'il fallait en employer un autre, mais nous l'avons tout de même employé volontairement, car il signifiait « la permission de s'implanter à soi-même l'énergie d'une conscience humaine libérée du karma et celle d'une dualité qui avait changé ». Ce processus profond ne devait pas être entrepris à la légère. Nous avons donc commencé à en parler il y a vingt ans, et vous savez maintenant pourquoi, car il représente « la sortie de la dualité de la vieille énergie ».

La dualité sera toujours présente, mais plusieurs d'entre vous réussissent à l'invalider si parfaitement qu'elle devient tel un vieux soulier laissé dans un coin et qu'on ne porte plus. Elle vous appartient toujours et elle fera beaucoup de bruit à l'occasion, vous demandant de la reprendre, mais vous avez appris qu'elle ne peut pas vous gouverner et vous savez la faire taire. Cependant, la plus grande partie de l'humanité ne le sait pas et est donc, en fait, guidée et même contrôlée par celle-ci.

Vous apprenez donc en effet à invalider une dualité qui fut créée pour faciliter l'expression de votre vieille empreinte karmique. La plus grande partie de l'humanité se trouve toujours dans cette vieille énergie et elle peut y demeurer. C'est son droit et son choix. Cependant, moins de la moitié de un pour cent de l'humanité peut créer, en invalidant cette dualité, de la lumière pour le reste du monde. Cela aura des répercussions sur tout, car quand la lumière brillera, même ceux qui seront dans la vieille énergie « verront » ce qui a été caché durant des siècles.

Il en est ainsi de la conscience humaine de masse : tous n'ont pas à croire ce que vous croyez, mais vous ne pouvez jamais remettre le démon dans sa boîte, pour ainsi dire. En d'autres mots, une fois que l'humanité aura entrevu une meilleure route à suivre, elle tendra à créer sa propre énergie de changement. Voyez la chose ainsi : quand le phare fait briller sa lumière, des centaines de navires changent alors de route. Aucun de ces navires n'a besoin d'être un phare. Ils dépendaient tous du phare pour trouver leur route, mais la présence de la lumière a tout changé et ils ont tous localisé la bonne route pour échapper aux écueils. Un seul phare suffit à plusieurs navires.

— *Peut-être aussi que l'Univers a besoin d'un lieu comme celui-ci pour évoluer. De votre côté du voile, avez-vous besoin de nous pour faire l'expérience de votre véritable nature ? Cette expérience fait-elle partie de la création d'un nouvel hologramme de l'Univers ?*

Encore une fois, tu démontres là une profonde et sublime intuition. Vos actions humaines ont-elles des effets sur ce qui est plus grand que vous ? Le travail que vous accomplissez ici, sur terre, pourrait-il être le prélude à une action susceptible de réellement transformer l'univers ? Absolument. Il y a plus de vingt ans que je vous le répète : ce que vous faites ici agit sur tout. Si cette planète est « la seule planète du libre arbitre », vous êtes-vous déjà demandé pourquoi ? Avez-vous déjà envisagé la possibilité qu'elle existe pour quelque chose de plus grand qu'elle ? Disons que l'hologramme qui est maintenant créé est lié à l'énergie quantique. Disons également que puisque cette énergie est quantique, on ne peut séparer les choses de l'univers de celles d'un être humain divin. Par conséquent, disons que tout ce qui se produit sur cette planète change quelque chose que vous ne pouvez concevoir, mais qui est partout. Bien sûr, certains diront : « *Dites-nous quoi, Kryeon ! Pourquoi tourner ainsi autour du pot ?* » Quand votre chien est triste parce que vous quittez la maison, vous pourriez lui expliquer que vous sortez seulement pour faire des courses et vous pourriez aussi lui donner les noms des magasins où vous irez, puis lui dire à quelle heure vous rentrerez, mais le chien ne possède pas l'intellect nécessaire pour comprendre ce que vous allez faire et quand vous allez revenir. Tout ce qu'il veut, c'est votre énergie. Quand vous revenez, il se comporte comme si vous aviez été absent des années durant ! Telle est la simplicité de compréhension de son intellect.

Les humains ont l'impression de posséder le meilleur intellect possible. Ils disent : « *Nous sommes les seuls animaux de la planète capables de contempler leur propre existence. Par conséquent, nous avons une capacité de pensée illimitée.* » Ce n'est tout simplement pas vrai. Vous ne possédez que l'intellect le plus évolué de cette planète, qui n'est pas du tout le meilleur intellect possible. C'est souvent là votre faiblesse, l'idée que vous pouvez, par la pensée, sortir de votre cage intellectuelle. Vous ne le pouvez pas davantage que le chien. Son processus mental est limité, tout comme le vôtre. Il est évident qu'il existe autour de vous plusieurs niveaux d'intellect, mais votre propre processus n'est pas inclus dans tous les niveaux de conscience. Vous le considérez comme le sommet suprême, le plus élevé de tous, mais il est simplement à un niveau particulier.

Quand vous vous en rendrez compte, vous pourrez vous poser la question suivante : « *Comment puis-je accélérer l'évolution de mon existence et mon processus de perception ?* » Vous entamerez alors un voyage quantique, car la prochaine étape de votre quête intellectuelle sera celle qui réunit les diverses dimensions.

Passer du cerveau gauche au cerveau droit

J'ai lu récemment dans un livre que « les cerveaux droits vont diriger le monde ». En y réfléchissant, je suis entièrement d'accord. Nous entrons dans une ère nouvelle où les qualités du cerveau droit, tels le talent artistique, la musique, l'empathie, l'imagination, le but supérieur et la mission de vie, deviendront beaucoup plus importantes dans notre vie. Plus linéaire et plus rationnel, le cerveau gauche, associé à la comptabilité, à la loi et à l'ingénierie, sera moins crucial au cours des prochaines années que le cerveau droit.

L'ère conceptuelle dans laquelle nous entrons est beaucoup plus « notre » époque. Pendant très longtemps, les gens du cerveau droit ont été considérés comme « hors de la réalité », vivant la tête dans les nuages, à l'instar des hippies. Plusieurs croyaient qu'il était impossible de se faire une vie quand on était du cerveau droit. Mais on nous prend enfin au sérieux. Je vois de la créativité partout. Moi-même, j'ai tellement d'idées que j'ai toujours un magnétophone sur moi pour les enregistrer. Ça coule de source...

De plus, ces qualités ne peuvent s'exporter à rabais dans d'autres pays. La créativité, la passion ou le don de guérison ne peuvent être reproduits facilement, car c'est quelque chose d'unique à chacun. D'après ce que je vois, plusieurs emplois du cerveau gauche sont perdus au profit de la Chine ou de l'Inde ! De nombreuses personnes perdent leur emploi.

Nos désirs ont désormais un sens. Par exemple, nous ne voulons plus uniquement avoir un emploi ; nous en voulons un où il sera possible de donner le meilleur de nous-mêmes et de nous dépasser au profit de l'organisation pour laquelle nous travaillons. Nous ne voulons plus uniquement partager notre abondance ; nous voulons aussi le faire avec conscience et avec les bonnes personnes ou les bonnes organisations.

— *Est-ce là une image fidèle de ce qui arrive actuellement à notre cerveau ? Cela est-il relié à l'énergie, à la modification de notre ADN, ou à autre chose ? Quelle en est la cause exacte ? Je pense que notre cerveau vit aussi sa propre transition.*

La meilleure façon de voir comment cela fonctionne, c'est d'observer votre scénario nord-américain. Alors que votre civilisation s'est développée jusqu'à atteindre la maturité, elle est passée du cerveau gauche au cerveau droit sur le plan de la production et du commerce. Par exemple, il fut un temps où vous fabriquiez vous-mêmes votre acier, mais d'autres le font pour vous aujourd'hui. Il en est ainsi pour presque tous les produits manufacturés. D'autres pays fabriquent à ce jour vos vêtements, vos voitures et d'autres objets qui étaient auparavant les plus importants produits de votre industrie. Que fabriquez-vous maintenant ? Des « propriétés intellectuelles ». Les logiciels, les idées, les recherches et les articles qui améliorent la vie humaine. Les emplois manufacturiers ont disparu et les cerveaux droits ont peu à peu émergé.

C'est là un macrocosme de ce que vous dites au sujet du microcosme de votre existence interne. Vous passez de la quantité à la qualité, de la routine à l'utilité, en quête d'une raison de vivre. Voilà ce qui distingue réellement la nouvelle énergie de l'ancienne. Vous ouvrez le portail interdimensionnel.

Ce qui m'amène au sujet suivant…

L'un des meilleurs exemples que j'aie vus en ce qui concerne ces qualités fut l'élection de Barack Obama à la présidence des États-Unis en novembre 2008. Cet homme est certainement l'un des meilleurs « conteurs » que j'aie entendus dans ma vie.

Il y a tellement d'informations disponibles partout que ce qui compte désormais, ce n'est pas seulement le moyen par lequel nous recevons l'information, mais aussi comment cette dernière est transmise, sans compter l'effet émotionnel important qu'elle exerce sur nous. Pour moi, la plus grande qualité du nouveau président, c'est cette « connexion » qu'il a établie non seulement aux États-Unis, mais dans le monde entier. Nous nous sommes tous sentis connectés à son rêve et nous pensons réellement pouvoir l'atteindre. Barack Obama a si bien livré son message, que nous l'avons cru. Il a inspiré des millions de gens. Le monde entier a adopté sa vision. « Oui, nous pouvons… » Ce slogan est un message puissant. Ce ne sont pas là uniquement des mots, mais des mots qui ont un sens, qui donnent un pouvoir au peuple. Pour une fois, il semble que les États-Unis ont un président qui travaille pour ses citoyens, non pour le gouvernement.

— Kryeon, j'aimerais connaître l'impact de cette élection d'un point de vue multidimensionnel plutôt que tridimensionnel. Je suis sûre que sa force a élevé la conscience planétaire.

Revenons en arrière un instant. Tout d'abord, disons que l'Esprit ne se soucie guère de votre vie politique. Ce n'est pas l'Esprit ni nous de l'autre côté du voile qui avons fait élire ce président, mais la population des États-Unis, avec un libre arbitre total. Ce faisant, les Américains ont violé toutes les règles de la vieille énergie de leur propre société. Depuis les débuts des États-Unis, la question raciale a prédominé. Elle a fait l'objet d'une guerre civile et, il y a quarante ans, la ségrégation raciale est devenue illégale. Malgré tout cela, les vieilles coutumes, loin d'avoir rapidement disparu, se perpétuent de génération en génération. Demandez à n'importe quel individu de couleur. Le préjugé racial est toujours présent et il est tenace.

Quelque chose s'est cependant produit, qui reflète une certaine conscience de masse. En fait, nous l'avions prédit. Il n'y a aucune autre explication possible à l'élection d'un Noir à la présidence de ce pays. Son élection fut honnête et incontestée. Plusieurs des États du Sud profond, des anciens bastions du préjugé, ont voté pour lui. Comment cela a-t-il pu se produire ? Certains avaient dit que c'était impossible, mais c'est pourtant arrivé. Qu'est-ce que ça signifie ?

Il y a ici une leçon d'histoire concernant la haine et les préjugés, et j'aimerais remonter encore plus loin en arrière pour l'aborder sous l'aspect de l'ancienne énergie et de la nouvelle. La question du Moyen-Orient est un exemple de haine statique séculaire. Dans chaque famille, les parents apprennent aux enfants à haïr ceux qu'ils haïssent eux-mêmes. Il en résulte que rien ne change. Chaque génération qui disparaît est remplacée par une nouvelle qui hait le même «ennemi» que la précédente. Il y a tellement de haine qu'elle déborde dans le dialogue des dirigeants, fournissant encore aux gens davantage de raisons de haïr. Cette haine se perpétue et rien ne semble pouvoir y mettre fin.

Plusieurs d'entre vous, en Occident, ont mené une guerre il y a plus d'un demi-siècle contre un ennemi qui les a attaqués et qui a ainsi déclenché une guerre mondiale dans le Pacifique asiatique. Cet ennemi fut beaucoup haï également; il existait des camps d'internement pour lui ainsi qu'une grande propagande contre sa race et son pays. Cette haine était puissante et toute une génération était impliquée. Demandez à vos parents ce que l'on disait de ces gens et comment on les considérait. Vous verrez que ce n'était pas très joli.

Pourtant, tout cela a changé apparemment du jour au lendemain. Ces deux pays sont maintenant vos alliés, au point que si l'économie de l'un s'écroulait, l'autre s'effondrerait également. Ils font maintenant partie de votre culture et vous ne pouvez vous passer d'eux. Ce ne sont plus des ennemis, mais plutôt des amis très respectés. Le tourisme et le commerce se sont énormément développés entre eux et vous, comme si rien n'avait jamais eu lieu ! Il ne s'est pourtant succédé que deux générations depuis cette guerre. Que s'est-il donc passé pour que ce soit possible ?

La réponse est simple. Quand ils ont été vaincus et que leur machine de guerre a été éliminée, ils ne vous en ont pas voulu. Leur civilisation vise l'harmonie et c'est ce qui a créé la compréhension entre eux et vous. Ils n'ont pas perpétué la haine d'une nation conquise. De votre côté, vous le leur avez bien rendu. Vous ne pouviez faire autrement puisque leur lumière vous a indiqué le chemin. Vous n'avez pas appris non plus à vos enfants à les haïr. Rendez-vous compte ! Voyez-vous comment la chaîne de la haine a été brisée ? Il a fallu simplement que quelqu'un prenne les devants pour créer la conscience qui mettrait fin à la haine. C'est là une forme de pensée de la nouvelle énergie et vous l'avez vue à l'œuvre pour la première fois dans cette situation.

Revenons maintenant à l'élection américaine de 2008. Elle n'aurait jamais pu donner ce résultat si un changement de conscience n'était pas survenu dans la société de ce pays. Les discours du candidat démocrate ont effectivement été inspirants, mais ce n'est pas pour cette raison que cet homme a été élu. C'est un Noir et, quelles qu'aient été ses paroles, des millions de personnes avaient appris jusque-là à ne pas faire confiance à un tel homme. Pourtant, elles l'ont fait cette fois.

Vous voyez ici une preuve du changement qui s'est opéré. Des choses qui n'auraient pas été possibles auparavant se produisent actuellement pour des raisons qui sont, de toute évidence, celles dont nous vous avons parlé si souvent et depuis si longtemps. Cherchez dans ces événements la preuve de l'évolution de votre propre conscience! Ce que nous vous avons prédit commence à survenir.

Maintenant, à ceux d'entre vous qui voudraient un aperçu de cet homme, de qui il est, je ne soumets que deux éléments à leur réflexion. Premièrement, de quel autre univers ou de quelle autre dimension il vient n'a pas plus d'importance que dans votre propre cas. Cette question n'a aucune pertinence, car vous êtes tous des fragments de Dieu provenant d'énergies que vous ne pouvez même pas imaginer. Vous les qualifiez d'«endroits» et vous y croyez, mais la plupart d'entre vous ne peuvent concevoir comment tout cela fonctionne. Oubliez donc cette question sans intérêt.

Ce qui a vraiment de l'intérêt, c'est plutôt son histoire terrestre. Cet homme possède les qualités indigo. Il est un vieil indigo original et il a été identifié comme tel il y a plus de quatre ans lorsqu'il a prononcé son premier discours national à cette convention où la plus grande partie du monde l'a vu pour la première fois. La sage Nancy [Nancy Tappe], qui jouit de la perception synesthésique et qui fut la première à identifier la couleur de la conscience indigo, l'a déclaré à son entourage à l'époque. C'est désormais d'ordre public.

Et c'est ce qui explique certains des attributs de cet homme. Considérez les critiques qui lui ont été adressées pendant sa campagne pour obtenir l'investiture démocrate. Ses opposants affirmaient qu'il n'avait aucune expérience! Pourtant, quand on le regardait, il semblait, au contraire, parler et se comporter comme s'il avait beaucoup d'expérience. Quelque chose émanant de lui nous portait à croire qu'il avait intérieurement toute l'expérience requise. C'est le cas classique de l'indigo. Les indigos ont l'impression d'être «venus ici plusieurs fois» et le manque d'une réelle expérience historique tridimensionnelle ne semble guère les préoccuper. C'est pourquoi les jeunes indigos dérangent tellement lorsqu'ils se présentent sur le marché du travail. Ils ne veulent pas commencer au bas de l'échelle! Ils se comportent comme s'ils avaient toute l'expérience nécessaire pour obtenir immédiatement une promotion.

Voici un petit indice sur l'Akash d'Obama. Il est né dans la pure énergie lémurienne. Hawaii est le lieu où la Lémurie a pris naissance et a pris
fin. Ce n'est pas un hasard. Vous voyez là un vieux dirigeant lémurien possédant la conscience de la nouvelle race d'humains qui s'incarne actuellement sur la planète. Voici soudain qu'un indigo est président des
États-Unis... Combien de temps pensiez-vous que cela prendrait ? Nous
avions évoqué cette possibilité au cours d'un *channeling* quelques années
plus tôt. Dans cette série même, on en a parlé. Vous vous en souvenez ?
C'était une forte potentialité.

Enfin, l'attribut inavoué : il n'est pas vraiment noir. Il est le fruit de
l'union d'un Noir et d'une Blanche, ce qui est encore plus choquant pour
plusieurs individus de la vieille énergie. Le mariage de ses parents fut en
réalité illégal dans l'État où ils se sont unis. Saisissez-vous bien ce que nous
vous disons ici ? Obama ne représente pas seulement un nouveau genre de
pensée conceptuelle, mais aussi l'idée de cultures et de races différentes
s'unissant en vue de créer un humain qui n'est pas du tout un proscrit,
mais plutôt le début d'un nouveau type d'humain, un mélange de races et
d'idées, quelqu'un qui ne pourra jamais se ranger d'un côté ni de l'autre
puisqu'il représente les deux.

— *Comment est-ce pour un homme de recevoir autant d'amour de la
part de millions de personnes ? Quel est l'effet de cet amour sur son
corps énergétique ?*

En fait, il y est habitué. Son Akash en regorge ; il a déjà vécu tout cela.
Par conséquent, son hologramme comprend parfaitement cette position et
il n'en abusera pas, à moins qu'il ne choisisse de retomber dans la dualité,
ce qu'il peut faire. Mais les indigos ne font jamais cela. Leur conscience
possède une grande indépendance et une pensée conceptuelle. Le penseur
conceptuel transcende la linéarité des vieilles coutumes. Il ne les voit
même pas.

La plus grande menace pour Obama viendra de ceux qui détestent
son optimisme et son intégrité. Ce sont ceux-là qui désirent lui barrer la

route et ils ne viennent pas nécessairement de l'extérieur du pays. Obama devra donc surveiller ses arrières et ceux de ses enfants toute sa vie. Son gouvernement le sait et le protégera donc le mieux possible.

Plusieurs craignent la lumière, car elle appelle le changement. Pour un humain de la vieille énergie, le changement est la pire chose qui puisse arriver. La lumière expose l'obscurité des systèmes créés pour profiter au petit nombre et pour placer les autres au service de cette infime minorité. C'est la lumière qui a changé l'économie des États-Unis et qui s'est répandue dans le monde entier. C'est de cet « émondage » que nous vous avons parlé il y a plus d'un an, vous disant même que cela débuterait dans le domaine des assurances. C'est bien ce qui s'est passé. C'est la première fois dans l'histoire d'une économie vieille de deux siècles que la cupidité a été ramenée à l'ordre. Il en a résulté des difficultés, mais cela finira par créer un système plus fort que le précédent. C'est là l'action de l'émondage. Les arbres semblent morts, puis ils reviennent à la vie plus beaux que jamais.

— *Sur le même sujet, je pense à l'administration Bush, particulièrement à George W. Bush, qui, au cours de la dernière année de son mandat, a reçu tant de sentiments négatifs de la part de nombreuses personnes… C'est tout à fait le contraire de ce que le président Obama a reçu. Je ne peux m'empêcher de ressentir de la compassion pour cet homme, car cela a sûrement été très difficile pour lui.*

C'est exact, et continuez tous à faire preuve de compassion pour lui. Il offre l'exemple d'un dirigeant de la vieille énergie qui, jusqu'à la fin de ses jours, pensera qu'il a eu raison. Il a cependant été président pendant un changement de conscience où presque tout le monde a pu observer son comportement de vieille énergie. Il ne pouvait pas s'en rendre compte et il ne le pourra jamais. Voilà donc un excellent exemple pour vous, car plusieurs ne verront pas la nouvelle énergie et la combattront jusqu'à leur mort. C'est le combat dont nous vous avons entretenus il y a des années, une lutte entre l'ancienne pensée et la nouvelle.

On pourrait comparer George Bush à un expert-forgeron qui continuait de ferrer les chevaux même lorsque les voitures modernes passaient devant lui. Ce forgeron n'aimait pas les voitures, il ne les comprenait pas, c'était un homme de chevaux. Vous saisissez ? Il croyait encore en son métier… pourtant en perte de vitesse. Il demeurait l'un des meilleurs forgerons, un véritable artiste dans son domaine, mais il n'était plus utile à une société qui ne voyageait plus à cheval.

Deux autres dirigeants vont bientôt tomber selon le même scénario. Surveillez-les. Comme il n'y a pas de véritable démocratie dans leur pays, leur chute sera plus dure, mais les raisons seront identiques. Ce sont là les potentialités que nous voyons à présent.

— *Je pense que certaines personnes sont là pour nous réveiller de notre sommeil d'inconscience, qu'elles font partie du plan. En ce sens, George Bush a certainement réussi à amener les Américains à effectuer un changement radical. Pourriez-vous développer cet aspect ?*

Disons qu'il était comme le membre abusif de la famille. Ces personnages ont une énergie qui provoque de gros changements chez les autres. Certains les détestent, certains leur cèdent le passage, mais tous en sont affectés. Certains prennent aussi des décisions majeures à cause d'eux et, oui, certains découvrent leur spiritualité à cause d'eux également. Certains vont même jusqu'à leur pardonner. (*Sourire de Kryeon.*)

Vous voyez donc qu'il y a un sens à tout cela, dont celui de vous faire voir à quoi ressemble la vieille énergie dans une période d'évolution de la conscience. Les Américains l'ont vu et ils ont décidé qu'ils n'en voulaient plus. Comprenez toutefois que cet homme ne faisait que perpétuer les actes d'une vieille conscience gouvernementale. Il n'était pas tellement différent de ses prédécesseurs, mais il est entré en poste pendant le changement ! Vous comprenez ?

La guérison quantique

Dans le précédent livre de cette série, 2009 – La Grande Transformation, vous parliez de l'avènement d'une quatrième méthode de guérison. À l'époque, vous ne la nommiez pas, mais je sais aujourd'hui qu'il s'agit de la guérison quantique. Au bénéfice de nos lecteurs, j'aimerais vraiment comprendre mieux comment nous pourrions promouvoir cette méthode. D'après les explications de Lee, elle « puise l'énergie dans nos Annales akashiques et nous redonne la santé que nous avions dans une vie antérieure » ! Cela me semble extraordinaire, mais si vous en parliez déjà, c'est sûrement quelque chose de possible, ou qui le sera bientôt.

— *Ce que je comprends de cette forme de guérison, c'est que nous pouvons, puisque toutes nos existences sont vécues dans le « maintenant », accéder à toute l'information de l'une de ces existences. S'il en est ainsi, pourrait-on dire que nous accédons ainsi à notre propre hologramme ?*

Oui. C'est exactement cela. Si vous devenez interdimensionnels, vous commencez alors à récupérer certains des attributs quantiques que vous avez toujours possédés. L'accession à l'Akash en est un. Vous devez comprendre qu'il n'y a pas de vie « antérieure » dans l'état quantique. Toutes vos vies existent dans le *maintenant*. En d'autres mots, vous les vivez maintenant. Seule « celle du haut » est vécue dans la troisième dimension, mais elles sont toutes prêtes à être utilisées. Vous les voyez dans le temps comme une suite linéaire alors qu'en vérité elles font toutes partie de la « soupe » appelée VOUS.

— *À ce stade-ci, y a-t-il des humains capables de faire cela ?*

Absolument. Plusieurs individus qui appartiennent à l'ancien système de croyances le font ! Chers lecteurs, vous ne vous attendiez pas à une telle affirmation, n'est-ce pas ? Les bouddhistes, les hindous et les sikhs sont parmi les premiers à « voir » la nouvelle énergie et à l'intégrer dans leur vie.

Ils comprennent déjà les scénarios énergétiques des vies antérieures mieux que quiconque sur ce plan, car ils travaillent avec ces scénarios depuis des siècles. Par conséquent, ils disposent de processus, d'outils de méditation et de concepts pouvant être utiles à tout le monde.

— *Aussi, pouvons-nous choisir dans quelle vie nous désirons puiser?*

Non. Cela se produit automatiquement. Chacun de vous est le catalyseur de l'intention qui permet à l'énergie animique de son Soi supérieur de choisir ce dont il a besoin. Il est temps que vous l'appeliez comme il convient, soit l'«inné» de votre corps. Celui-ci peut aussi diagnostiquer n'importe quelle maladie, en indiquer le remède, et vous dire tout ce dont vous avez besoin de savoir. Plusieurs s'en servent de plus en plus. C'est la nouvelle aide pratique interdimensionnelle.

— *Ce type de guérison élève-t-il la vibration de toutes nos existences, où que nous soyons?*

Pas vraiment. Te voilà qui glisses en pensée dans la tridimensionnalité pendant un moment puisque tu les vois comme étant d'autres vies.

Elles «sont» l'hologramme, et tous vous ne faites donc qu'un avec elles tout le temps. Il n'y a pas de séparation. Tout ce que vous avez jamais fait avec votre propre vibration touche l'hologramme entier. Ne les voyez donc pas comme des existences différentes qui s'élèvent, mais plutôt comme tout l'être qui s'élève.

J'ai l'impression que vous nous donnez là une carte routière que nous essayons encore de déchiffrer à ce stade-ci... Un peu comme Michaël Thomas [référence au livre Le Retour, Éditions Ariane].

— *La médecine traditionnelle l'acceptera-t-elle? Cela semble un peu trop «extravagant» pour elle.*

La médecine traditionnelle est toujours en transit. Ce qui était traditionnel par le passé ne l'est plus aujourd'hui. Vous vous souvenez de la première transplantation cardiaque ? L'Église s'y est fortement opposée, se demandant si l'âme du cœur de l'un pouvait exister chez l'autre ! Plusieurs se sont opposés à cette intervention pour cette raison. Aujourd'hui, vous riez de cette ignorance, mais elle ne date pas de si longtemps.

La médecine finira par accepter tout ce qui aura fait la preuve de son efficacité. Quand cette preuve sera multiple, elle sera obligée d'en tenir compte. Sans doute qu'elle n'acceptera jamais comme vous l'idée de l'Akash, mais elle reconnaîtra peut-être que le corps humain peut se contrôler lui-même et modifier ses attributs d'une façon qu'elle n'a jamais crue possible. Ce sera le début de l'ère de la véritable conscience du corps, à laquelle les psychologues donneront un nom et pour laquelle ils créeront un processus.

Le nombre 7

Récemment, au cours d'un channeling *portant sur une question personnelle, les êtres de lumière m'ont recommandé de faire un exercice durant sept jours. Dans d'autres circonstances, un autre groupe m'a dit également de faire un exercice durant sept jours. Dès lors, j'ai commencé à me poser diverses questions sur l'aspect vibratoire du nombre 7, au-delà de la numérologie. Voici ce que j'ai découvert.*

Ce nombre est l'un des plus importants de notre histoire. Il semble être partout. Nous avons sept chakras, et chacun possède une vibration 7. Chaque cellule de notre cerveau a un niveau vibratoire de 7 d'après la recherche que j'ai effectuée, car nous avons le niveau vibratoire de 7 dans notre incarnation. J'ai souvent entendu dire également qu'une maladie pouvait se trouver dans notre aura durant sept ans avant de se manifester physiquement.

Le niveau de création de la source primordiale est 7. Toute vie est basée sur le nombre 7, lequel constitue un niveau multidimensionnel. Si nous voulons franchir un portail donnant accès aux étoiles, nous devons avoir un niveau vibratoire de 7. Chaque dimension a une vibration 7.

Mais ce qui m'intéresse le plus, c'est que le 7 semble être aussi un niveau de manifestation. Si nous nous concentrons sur la vibration 7, la manifestation devient sept fois plus grande ou plus rapide. Il semble que nous n'aurions besoin de nous concentrer que durant sept minutes à un niveau vibratoire de 7 pour pouvoir manifester n'importe quoi.

— Est-ce là une information exacte concernant la vibration du nombre 7 ?

Ta conception du nombre 7 en tant qu'énergie est trop simpliste et linéaire. Pense à l'hologramme, qui doit contenir tous les nombres. Où donc le nombre 7 s'y place-t-il ? La réponse, c'est qu'il fait partie du système numérologique. Aucun nombre n'a en soi une énergie particulière. Les nombres sont liés très fortement entre eux, à ceux qui les précèdent ou les suivent, et aussi à ceux auxquels ils sont combinés. Par exemple, le nombre 7 utilisé avec le nombre 4 crée le nombre 11. Le nombre 4 représente l'énergie de la stabilité et de Gaia. Par conséquent, on peut voir que la stabilité (4) plus la divinité (7) créent l'illumination (11).

Les nombres doivent toujours être vus en groupes, avec ceux qui sont au-dessus ou au-dessous. C'est la vraie numérologie quantique. Le véritable nombre créateur des énergies fondamentales universelles, y compris toutes les mathématiques quantiques de l'univers, est en fait le nombre 12. Or, 12 n'étant même pas un nombre en numérologie, vous vous demandez sans doute comment cela se peut. En réalité, il « indique » les autres dont il est la combinaison. Voyez-le comme la divinité (7) plus le changement (5), ou comme l'énergie catalytique (3) voisine d'un nouveau commencement (1). Vous voyez ? Il n'est pas tridimensionnel ! C'est un cercle.

Le nombre 7 est comme un modificateur *des énergies fonctionnant avec d'autres nombres* et des énergies à améliorer, quoi que vous examiniez. Il y a ici beaucoup d'invisible. Par exemple, vous dites qu'il y a sept chakras. En réalité, il y en a douze, mais vous ne voyez que les sept qui sont dans la tridimensionnalité. Vous demandez-vous pourquoi il y a douze méridiens dans le corps et seulement sept chakras ? C'est qu'il y en a plus que vous ne le pensez. Il y a douze maisons dans l'ancien système astrologique, douze tonalités dans l'échelle musicale, et le nombre 12 est lié également à de nombreuses autres vérités universelles. Je vous le précise uniquement pour que vous compreniez que le nombre 7 n'est aucunement fondamental. Il représente néanmoins la divinité que vous êtes si nombreux maintenant à découvrir et il est donc un modificateur important de l'énergie qui l'entoure. Le 7 et le 11 sont les nombres de l'époque. Additionnez-les (7 + 11) et vous obtiendrez le nombre de l'achèvement. Vous voyez comment cela fonctionne ? L'ensemble est toujours plus grand qu'un seul nombre.

— *Serait-ce une meilleure façon de réaliser la manifestation ? Est-ce le chaînon manquant ?*

Comment accéder au niveau vibratoire du 7 ? Est-il vrai que nous avons besoin de sept minutes pour réussir ?

Je mentionne à chacun de vous qu'il doit voir autrement tout le scénario de la manifestation. Le vrai nombre de la manifestation est le 8, non le 7. Mais un 8 peut symboliser la divinité (7) plus un nouveau commencement (1). Vous considériez le nombre 7 comme le plus important, mais ce n'est pourtant pas le cas. Martine, regarde ta propre vie encore une fois. N'en a-t-il pas été ainsi pour toi ? Il y a quelques années, tu as poussé plus loin tes propres découvertes et créé un nouveau « départ » en employant ton Soi divin. Il en est résulté la manifestation ! Tu as utilisé le 7, sans voir le 1, et créé l'énergie du 8. Tu t'en souviens ? Réfléchis un peu. Encore une fois, cela ne se situe pas dans la tridimensionnalité et il ne s'agit donc pas de se concentrer sur un nombre en particulier. Pensez quantique.

— *Kryeon, j'ai lu également qu'une fois dans la cinquième dimension, nous réaliserons que nous sommes multidimensionnels et nous pourrons connaître la « manifestation immédiate ». D'où nous serons, nous pourrons voir toutes les possibilités et choisir, entre A, B, C ou D, l'ex-périence que nous désirerons vivre. Est-ce là une bonne description de ce qui s'en vient ?*

C'est le moment d'être pointilleux, mais seulement si vous le désirez. (*Sourire de Kryeon.*) Chers lecteurs, si vous voulez vraiment penser en mode quantique, sachez qu'il n'y a pas de cinquième dimension. Votre réalité est quadridimensionnelle – hauteur, profondeur, largeur et temporalité. Quand vous passez au niveau dimensionnel suivant, vous éliminez entièrement la linéarité et devenez quantique. Vous ne pouvez donc plus travailler comme auparavant au niveau suivant. Ce n'est pas un passage de quatre à cinq. Selon la pensée tridimensionnelle, vous passez au niveau suivant, mais il n'y a pas de niveau suivant en pensée quantique, car les niveaux, les couches et les étapes n'en font pas partie. Les nombres et le comptage n'existent pas non plus puisqu'ils sont linéaires ! Par conséquent, vous ne pouvez compter jusqu'à cinq au niveau suivant.

Vous voyez à quoi vous avez affaire ? Votre processus de pensée est biaisé par la tridimensionnalité. Au lieu de voir cette transition comme un passage à la cinquième dimension (qui n'existe pas), voyez-la ainsi : un, deux, trois, quatre… tout (quantique) ! Dites simplement que vous « devenez interdimensionnels » et n'essayez pas d'attribuer des nombres aux étapes suivantes. Ainsi, vous vous débarrasserez plus facilement de votre fausse idée de la réalité.

Et pour ce qui est du moment où vous amorcerez le processus, aurez-vous davantage de possibilités de choix ? La réponse ne vous plaira pas : c'est non, car les possibilités de choix sont linéaires (A, B, C). *La vraie réponse, c'est que toutes les potentialités deviennent possibles.* Vous ne les « choisissez » pas. Vous en absorbez plutôt la combinaison qui vous aidera à devenir une créature tridimensionnelle améliorée commençant à être « quantiquement » fonctionnelle. Comment ? Votre énergie innée (le Soi supérieur) s'occupera de tout pour vous, mais seulement si vous lui cédez le pas et si vous n'intellectualisez pas le processus. Il vous faudra plutôt fusionner avec cette énergie.

Synchronicité et intervention divine…
Existe-t-il une différence entre les deux ?

Simple synchronicité…

Il y a six ou sept ans, je me préparais à participer à un événement spirituel sur un bateau de croisière. Environ deux semaines avant mon départ, j'ai reçu un appel d'une dame en France qui me demandait si je connaissais un livre intitulé Love Without End *[L'Amour sans fin, Éditions Ariane]. Je lui ai répondu que non, mais que j'allais le commander. La veille de mon départ, j'ai reçu un autre appel, d'un homme cette fois, qui me demandait si je connaissais ce même livre. Je lui ai répondu que je venais tout juste de le recevoir et que je le lirais pendant mon voyage. À ce stade, je savais que quelque chose était en train de se construire autour de ce livre.*

À un certain moment durant la croisière, j'avais la possibilité de faire un tour en Jamaïque. Comme je n'aime guère les « pièges à touristes », j'ai voulu explorer seule l'endroit et je me suis donc promenée dans de petites rues bordées de boutiques à l'écart du circuit touristique. Je suis alors entrée dans l'une de ces boutiques et j'ai commencé à en faire le tour, mais je me sentais épiée. J'ai aussitôt aperçu un homme qui me suivait et m'observait intensément. Pensant qu'il voulait me draguer, je l'ai ignoré. Au bout d'un moment, il s'est quand même approché et m'a simplement dit : « Bonjour ! » « Bonjour ! » *lui ai-je répondu à mon tour, en guise de politesse. Puis, en me dévisageant, il m'a alors demandé si je connaissais le livre* Love Without End. *Je l'ai regardé, incrédule ! J'avais le livre dans mon sac ! Je l'en ai sorti pour le lui montrer, et il m'a dit :* « Merveilleux ! Je connais l'auteure. Je peux lui téléphoner pour vous et lui dire que vous êtes intéressée. » *J'ai répliqué :* « Je n'en ai même pas terminé la lecture ! » *Il a enchaîné :* « C'est sans importance. Je peux l'appeler quand même, car je sais que vous êtes intéressée. » *Il a ensuite ajouté :* « Nous pourrons le faire quand nous serons de retour sur le bateau. » *C'est précisément ce qu'il a fait, et je ne l'ai jamais revu. Il a disparu aussi vite qu'il était apparu.*

Simple intervention divine…

> *Au tout début de notre association aux Éditions Ariane, mon frère et moi n'avions pas beaucoup d'argent, comme c'est souvent le cas pour une entreprise qui démarre. À un certain moment, nous avons voulu acheter les droits de traduction d'un livre qui, à notre avis, avait de bonnes chances de succès. J'ai donc décidé de demander à un ami de nous prêter le montant nécessaire. Cet ami ayant eu déjà plusieurs mauvaises expériences en prêtant de l'argent m'a dit :* « C'est d'accord, à condition que tu me rembourses dans un mois, en plus de 500 $ d'intérêts. » *C'étaient de bien gros intérêts pour un prêt de 5 000 $! Mais comme nous voulions vraiment publier ce livre, j'ai accepté ses conditions, ayant bon espoir de pouvoir rembourser tout l'argent à temps. Le mois s'est écoulé, jusqu'au 26. À cette date, j'avais une partie de l'argent, mais il m'en manquait encore.*

> *Le 29 du mois, j'ai compris qu'il me serait impossible de rembourser le tout. Évidemment, j'étais très déçue de ne pouvoir tenir parole. En vérifiant une dernière fois de quel montant nous disposions, mon frère m'a dit :* « L'argent est là. » *Je n'en croyais pas mes oreilles ! Et il y en avait assez non seulement pour couvrir le prêt, mais aussi les intérêts ! Même si je n'en connaissais pas la provenance, j'ai compris qu'il se passait quelque chose. Sans hésitation, je me suis précipitée vers la banque en espérant que ma vieille voiture tiendrait le coup jusque-là… J'ai aussitôt retiré cet argent en me disant que je m'occuperais plus tard de sa provenance. Bien sûr, j'étais très heureuse de pouvoir rembourser mon ami, qui a alors décidé de ne pas exiger les intérêts.*

> *Me sentant un peu coupable, je suis retournée à la banque avec l'intention de dire à la préposée qu'il y avait sans doute eu une erreur. Finalement, après vérification, la dame m'a assurée que la banque n'avait pas commis d'erreur, qu'il y avait eu deux dépôts du même montant. Je l'ai regardée avec étonnement, incapable de croire que cet argent était vraiment à nous ! Plus tard, j'ai appris que l'un de nos distributeurs nous avait payés deux fois sans demander un rembourse-*

ment et qu'il avait simplement décidé de déduire le surplus payé lors du prochain versement. La solution idéale, quoi! Voilà comment nous avons pu publier l'un de nos premiers livres, Messagers de l'aube (Bringers of the Dawn), *lequel s'est très bien vendu.*

Puisque la synchronicité est un ensemble d'événements simultanés dont la signification présente une improbable coïncidence où se recoupent la réalité visible et la réalité invisible, elle comprend l'aspect non linéaire de l'existence.

Mon interprétation de ces deux histoires est la suivante : dans le premier cas, l'Univers faisait appel à moi, et dans le second, je faisais appel à l'Univers.

— *Kryeon, expliquez-moi la différence entre ces deux histoires, s'il y en a une? Il semble vraiment que c'est le cas.*

Ces deux situations sont-elles deux exemples de synchronicité, mais à des niveaux différents, ou bien la première est-elle une synchronicité et la seconde, comme je l'ai toujours pensé, tient-elle davantage de l'intervention divine?

Qu'est-ce qui détermine l'avènement d'une synchronicité? Ou qui? Celle-ci commence-t-elle de l'autre côté du voile ou bien plutôt dans la tridimensionnalité, tout en faisant appel à l'autre dimension pour sa manifestation?

Ces deux histoires semblent posséder deux énergies, mais elles ont en réalité la même énergie sous deux aspects différents. Prenons un exemple amusant. Plusieurs d'entre vous font appel à « l'ange du stationnement ». Vous arrivez en voiture dans un parc de stationnement où il n'y a plus aucune place de libre et vous vous retrouvez dans une file de véhicules tournant en rond, en espérant qu'une place se libérera pour vous.

Les chances sont à peu près égales pour tout le monde, dit-on, mais vous croyez à la « synchronicité ». Vous faites donc appel à l'ange du stationnement (c'est ainsi que vous nommez la manifestation de la synchronicité) pour qu'il vous vienne en aide. Évidemment, quelques minutes plus tard, une voiture se dégage juste devant la vôtre et vous trouvez votre place. Croyez-vous que vous avez forcé la chance ? Eh oui ! En fait, cela vous arrive si souvent que vous savez que c'est efficace. C'est même tellement efficace qu'il faut éliminer toute possibilité de hasard. Dans certains cas, cela fait même un peu peur, car le résultat est très rapide. Vous n'osez même pas en parler à vos amis, car vous savez qu'ils ne vous croiraient pas.

C'est là un exemple de personne « branchée sur le système holographique de potentialités ». Dieu (l'Esprit) ne peut prédire ce que les humains vont faire, et pourtant, très souvent, la prophétie est juste. C'est un énorme puzzle dont vous ne pouvez même pas imaginer l'apparence… les décisions potentielles de chaque humain vivant sur cette planète, en interface constante entre elles. Voilà donc un excellent aperçu du libre arbitre à l'œuvre.

Ce que vous demandez, en somme, c'est d'être placé à l'endroit parfait pour intercepter ce que l'Esprit voit comme la manifestation potentielle la plus plausible de quelqu'un quittant le parc, et cela fonctionne !

Revenons à tes deux expériences, Martine. Dans la première instance, la synchronicité a été créée par le livre, l'homme inconnu et l'auteure. Connaissant les potentialités de cette rencontre, l'Esprit a permis à l'homme de se trouver à l'endroit où cette rencontre serait le plus bénéfique, compte tenu de la situation. Est-ce bien l'Esprit qui a fait cela ? Non. En fait, l'auteure avait demandé ce résultat, soit d'être « branchée » sur le système pour l'avènement de l'issue la meilleure. Et elle l'a obtenu. Souvent, l'humain se demande ce qui s'est passé et pense qu'il s'agit d'un miracle de convergence, mais c'est simplement une réponse à une prière ou à une intention d'avancer dans sa vie. *La synchronicité est une réponse.* Elle ne se produit pas toute seule. Souvenez-vous-en afin de la voir ainsi quand elle surviendra. Que faites-vous quand vous voyez 11 : 11 si souvent sur un cadran ? Vous posez-vous plein de questions, ou bien remerciez-vous l'Esprit de vous faire un aussi puissant clin d'œil en vous assurant que vous n'êtes en effet jamais seul ? Ce n'est jamais une coïncidence.

L'incident de la banque n'était pas une intervention divine. *C'est toi qui as créé un moment synchronique de paiement en trop !* Pour l'Esprit, il s'agissait d'une simple énergie. Pour toi, c'était une intervention divine. Est-ce une intervention divine qui t'a fait trouver ce livre à publier ? Qui t'a fait obtenir le prêt ? Non. C'est toi, avec l'aide de ton Soi divin, commençant à apprendre comment fonctionne la manifestation. Aujourd'hui, tu le comprends très bien, n'est-ce pas ? (*Sourire.*) T'es-tu déjà demandé comment cela pouvait continuer aussi longtemps et aussi bien ? Est-ce aussi une intervention divine, ou simplement l'effet de ton apprentissage quant à la façon dont le système fonctionne ?

Très chers, vous avez là un excellent exemple de ce qui se produit quand un individu exerce la pensée interdimensionnelle sans en comprendre le fonctionnement. Il en connaît toutefois les principes, il en sent l'énergie et il prend les décisions appropriées.

À cette époque, Martine, tu étais simplement en train d'apprendre comment fonctionne le système des potentialités et comment l'utiliser. Qui t'a dit de publier cette série *Vers 2012* ? Était-ce une intervention divine ou une intuition ? Tu connais la réponse, n'est-ce pas ? Par la suite, des dizaines de milliers d'humains l'ont lue et y ont trouvé un réconfort. Vois-tu ce que tu as accompli ? Maintenant, dis-moi qui a fait cela.

Que cette expérience soit donc pour vous tous une importante leçon d'autoexamen : c'est l'humain qui est à la source du changement en cours sur cette planète. C'est l'humain qui décide d'aller à gauche ou à droite ; ce n'est pas Dieu. C'est l'humain qui peut apprendre à créer un grand « ange du stationnement » l'aidant à se garer adéquatement dans des lieux d'abondance, de paix, d'amour. C'est ce que nous enseignons.

Ce sont les humains qui ont fait collectivement le choix de placer un indigo lémurien à la Maison-Blanche. Pensez un peu à tout ce que cela signifie pour votre époque.

Guérir une mémoire cellulaire

Je pense que durant cette période de transformation, de plus en plus de gens feront l'expérience de « mémoires cellulaires » remontant à la surface. Bien sûr, toutes nos mémoires ne remontent pas ainsi, mais

certaines le font. Je crois que celles qui ont besoin d'être guéries refe-
ront surface.

Au profit de mes lecteurs, j'aimerais justement partager une telle
expérience, qui date de 2004. J'imagine qu'elle est désormais guérie,
puisque j'en ai pris conscience. Voilà l'histoire de cette mémoire :

J'assistais à un séminaire en Italie en 2004 lorsqu'un beau matin
la personne qui animait l'atelier a déclaré aux participants :
« Aujourd'hui, nous allons retourner dans une vie antérieure. » *Je*
me suis alors exclamée intérieurement : « Retourner dans une vie
antérieure ! » *Honnêtement, j'avais de la difficulté à croire que je*
retournerais dans une vie antérieure simplement parce que quelqu'un
me dirait : « Vous êtes maintenant dans une vie antérieure… » *J'ai*
donc décidé de me détendre, tout simplement, et de laisser les autres
« retourner dans leur vie antérieure ».

Puis, soudainement, j'ai aperçu un écran blanc descendre devant
moi et j'y ai vu des mots s'inscrire lentement : « 1870… Billings,
Montana ». *Quelques secondes plus tard, j'ai vu apparaître clairement*
des images… Une Amérindienne d'environ 27 ans… c'est moi ! Je dis-
cute et je ris avec un homme… mon mari. Nous semblons très amou-
reux. Puis il me dit qu'il doit aller chasser. Je l'accompagne alors
jusqu'au bout du village et je le regarde s'éloigner tout en lui envoyant la
main jusqu'à ce qu'il disparaisse de mon champ de vision. À la fin de la
journée, je retourne à l'entrée du village pour l'attendre, mais il ne
revient pas. Le lendemain non plus. Chaque jour, pendant des
semaines, je me rends au bout du village, attendant son retour, mais il
ne revient jamais ! Je suis complètement atterrée, espérant un jour son
retour. Les autres membres de la tribu me disent qu'il est probablement
allé vivre dans un autre village et qu'il s'est remarié, mais je n'en crois
rien et je reste inconsolable.

Avance rapide dans le temps…
Toujours sur cet écran, je me vois maintenant âgée d'environ 70 ans. Je
suis mourante, mais soulagée, parce que je vais enfin savoir ce qui est

arrivé à mon mari. Je dis à la personne qui se trouve avec moi à ce moment-là, juste avant de mourir : « Je vais finalement savoir ce qui lui est arrivé. » *Sur cet écran, je me vois donc mourir, puis quitter mon corps et « flotter » dans les airs. Puis je le vois... Il est en train de chasser avec son arc et il vise une proie. Il doit alors reculer. Il recule, encore et encore, puis il tombe ! Il n'avait pas vu la falaise derrière lui. Gravement blessé, seul au pied de cette falaise, il succombe à ses blessures sans que personne le sache jamais. Toutes ces années à croire qu'il m'avait abandonnée ! Quarante ans à espérer son retour ! Me voici sur le plan astral, regardant cette scène... je ressens tellement de tristesse et de chagrin... pour lui... pour moi. Je le regarde un long moment alors qu'il gît au pied de cette falaise, comme si je n'arrivais pas à croire ce que je voyais. Puis, je me vois partir vers une lumière...*

Quand j'ai émergé de ce souvenir, je me suis retrouvée en larmes devant tout le monde ! Comme si tout cela venait tout juste de se produire... Ma peine était alors si profonde qu'elle a simplement explosé... J'ai éclaté en sanglots... Un deuil qui semblait attendre depuis plus de cent ans.

Mon interprétation

Un soir, avant mon départ pour l'Italie, je me suis retrouvée avec un homme que j'aimais beaucoup. Quand nous nous sommes séparés, je l'ai regardé s'éloigner et la scène m'a semblé très familière... J'ai éprouvé une tristesse inhabituelle tout en me demandant si j'allais le revoir. D'après ce que j'en comprends, la situation de ce soir-là a réactivé cette mémoire qui a refait surface.

— *Ce souvenir m'est-il revenu parce que je revivais une situation semblable, soit le scénario où je regardais un amoureux partir, ou bien parce qu'il me fallait le guérir puisque je n'avais jamais fait adéquatement mon deuil de cet homme que j'aimais tellement ?*

Cet homme qui se trouvait avec moi ce soir-là était-il le même que dans cette vie antérieure ? Et est-ce pour cette raison que son départ a eu un tel effet sur moi ?

Kryeon, je sais qu'il existe autant de scénarios que de souvenirs cellulaires, mais, au profit de mes lecteurs, pourriez-vous m'expliquer ce qui se passe pour qu'un souvenir remonte ainsi ? Quelle en est la raison précise ? Et comment nos vies antérieures, notre vie présente et nos vies futures sont-elles connectées entre elles ?

Nous voici maintenant au cœur de la question, n'est-ce pas, très chère ?

Sachez-le, les questions humaines les plus profondes sont liées à l'amour. L'amour est la plus puissante énergie de l'univers, dépassant de loin la haine, la jalousie ou la colère. L'amour crée la passion de vies entières. Grâce à lui, la plus magnifique musique est écrite et les plus superbes tableaux sont peints depuis des siècles.

Vous seuls choisissez vos vies et les vivez en fonction de ce que vous désirez apprendre ou revivre. Vous choisissez parfois certaines difficultés afin d'aider d'autres personnes. Parfois, vous mourez pour que vos parents découvrent leur spiritualité. Tout cela se fait dans l'amour. Parfois, vous perdez au cours d'une vie quelqu'un que vous aimez et vous décidez de transporter ce problème d'une vie à l'autre, ou vous y mettez fin en permettant que la synchronicité vous rattrape de nouveau lorsque vous découvrez comment manifester la solution.

Quand vous voyez un être qui n'a pas besoin d'amour, qui vit seul, qui ne veut pas d'amour ou qui a de la difficulté à le trouver, vous êtes alors en présence d'une personne qui n'approchera pas cette énergie pendant cette vie-ci, car elle l'a perdue et ne veut tout simplement pas revivre cette expérience. Cette personne préfère vivre seule. C'est là un Akash puissant, ne diriez-vous pas ? En fait, vous avez TOUS quelque chose comme ça.

Ta vision appartient-elle vraiment à l'une de tes vies antérieures ? Oui. Et sa réalité quantique se produit « maintenant », Martine, sans compter qu'elle a affecté toutes tes relations depuis que tu as perdu la première. Elle t'a empêchée de créer le genre de synchronicité que tu souhaites. T'es-tu déjà demandé pourquoi il t'est parfois difficile de trouver un partenariat durable ? Maintenant, tu le sais : *tu as peur qu'il disparaisse, car ton Akash regorge d'un chagrin immense.* Tu ne poserais pas ces questions, très chère, si tu ne souhaitais pas régler cette situation.

Ceci est un très bon exemple pour tes lecteurs, car ils peuvent ainsi comprendre que l'Akash possède cette puissante énergie.

De plus, tu cherches toujours cette même énergie chez quelqu'un. J'ai un secret à te révéler ; tu l'as déjà découvert en cette vie. Poursuis ta lecture.

Certains pourraient me demander : « *Alors, Kryeon, quand on abandonne la dualité et qu'on liquide le karma, tout cela disparaît-il ?* » Non. Ce qui disparaît, c'est l'énergie de tomber dans l'ornière karmique et de poursuivre les leçons du passé. Mais l'influence de vos vies antérieures demeure. Ce n'est pas le karma. C'est l'énergie résiduelle des expériences passées. Cela crée parfois de beaux et bons individus, mais parfois aussi des mauvais. Cela crée parfois la peur de l'amour et parfois aussi un partenariat merveilleusement équilibré qui dure une vie entière.

Te voici donc, Martine, avec une énergie akashique qui t'accompagne à un niveau que tu ne soupçonnes pas. Et voici une autre réponse pour toi : ton amoureux de cette vie-ci n'était pas celui de l'autre vie. Il n'a fait que raviver tes sentiments. Je vais te révéler le secret, et tu peux l'inclure dans ce livre si tu le désires. L'homme que tu as perdu au pied de la falaise est ton frère actuel ! C'est ainsi que l'Esprit te signifie que tu n'as pas perdu l'amour qu'il a pour toi et pour ton enfant. Cette relation permanente assure la stabilité de l'énergie d'amour masculine dans ton existence. C'est ta récompense en cette vie pour avoir attendu si longtemps dans l'ancienne.

Grâce à cette histoire, tes lecteurs comprennent mieux maintenant comment l'Esprit travaille dans de tels cas. Entre-temps, l'énergie de ce qui s'est produit est tellement prépondérante que tu continues de venir ici sous la forme d'une femme jusqu'à ce que cette énergie se soit dispersée. Elle le sera simplement par l'expression humaine (la réincarnation). Mais tu as cette fois la possibilité de la dépasser plus rapidement en devenant plus quantique, ce que tu es en train de faire.

L'élimination de ces choses-là n'est pas un processus linéaire, mais multidimensionnel. La liquidation du karma ne fait pas disparaître le contenu des Annales akashiques. Elle désactive simplement l'énergie des relations inachevées avec les autres ou votre propension à tomber dans l'ornière de ce qu'a fait votre sœur, par exemple, ou votre mère.

Au contraire, pour toi, tu es maintenant sortie de l'ornière karmique et tu crées ta propre route. Toutefois, l'énergie de l'Akash t'accompagne toujours. Ne considère pas ces choses-là dans une perspective linéaire, car elles n'entrent pas dans les catégories avec lesquelles tu as l'habitude de travailler.

Dans *Le Retour*, il est expliqué que Michaël Thomas s'est débarrassé de tout cela dans la Maison des cadeaux et des outils (la deuxième maison évoquée dans ce livre). C'était une métaphore illustrant ce que nous enseignons maintenant. Il a appris à liquider son karma, puis il a trouvé dans l'Akash une vie où il n'avait plus peur de l'enfermement étroit ni des hauteurs. Il s'est, en fait, ajusté à lui-même par ce processus. C'est le processus de la guérison quantique, et il ne s'agit pas uniquement de la guérison des maladies. C'est aussi la guérison des attributs akashiques qui vous empêchent d'avancer.

Dans ton cas, il n'y avait donc aucune peur de l'abondance ou du succès. Tu as créé une merveilleuse synchronicité et tu l'as acceptée à mesure qu'elle se présentait. C'est toi qui as créé ce dont tu avais besoin, et ce, hors de l'ornière karmique. Maintenant, tu es invitée à éliminer cette vision et tout le chagrin qui lui est associé. Commence par en réécrire le scénario. Si tous les humains ont un hologramme, ton brave époux amérindien ne t'a alors jamais vraiment quittée. Il s'est trouvé auprès de toi toute ta vie durant, à te regarder pleurer. Les humains quantiques apprendront à voir les choses ainsi et, après une période de chagrin appropriée, ils porteront l'être aimé en eux pour le reste de leur vie, l'aimant, lui parlant et sachant qu'ils le retrouveront bien assez tôt. Il est maintenant avec toi et il n'a jamais cessé de t'aimer, même dans la mort. Tu vois ? Tu n'as jamais été seule. Porte cela dans ton cœur et toute cette expérience s'éliminera lentement, de sorte que tu pourras avancer dans ce domaine si tu le souhaites. Il est temps d'adopter une nouvelle approche de l'amour.

C'est dans l'ADN

Parlons encore un peu de l'Akash. Tout d'abord, disons qu'il s'agit d'une énergie représentant tout ce qui existe. Par conséquent, les Annales akashiques constituent l'enregistrement de tout ce qui a existé, et plus encore. L'Akash représente aussi toutes les potentialités. Dans la tridimensionnalité, les Annales akashiques contiennent ce qui a été accompli. Cependant – et ceci est un peu difficile à expliquer –, elles renferment aussi potentiellement ce qui n'est pas encore réalisé.

Il y a deux types d'Annales akashiques : les archives collectives et les archives personnelles. Les archives collectives se trouvent dans ce lieu dont nous avons parlé très souvent dernièrement, la *Caverne de la création*. Il s'agit d'un lieu physique, sur cette planète, qui est rempli d'une énergie cristalline. Ainsi, chaque humain qui est en train de lire ces lignes possède un cristal dans cette caverne. Ce n'est pas tout à fait exact interdimensionnellement, mais c'est la meilleure façon de l'exprimer dans la tridimensionnalité pour vous en faciliter la visualisation. Chacun de vous possède donc dans ce lieu sacré un objet physique sacral et cristallin qui demeure sur cette planète après son départ.

Le plus difficile à expliquer, c'est que ce cristal est intemporel, c'est-à-dire qu'il porte en lui l'énergie fondamentale de votre Soi supérieur lorsque vous êtes sur la planète. Quand vous n'y êtes plus, l'énergie de cet objet se place sur la Grille cristalline, qui est collective. Tout ce que vous avez été sur cette planète s'imprègne alors dans la grille. Par conséquent, disons que votre Soi supérieur réside toujours sur la Terre. À un certain niveau, c'est exact. Cela explique aussi qu'un humain puisse « parler aux morts ». C'est que tous les gens qui ont vécu se trouvent toujours ici, à l'état intemporel, dans la Grille cristalline.

Un panorama du va-et-vient
Le premier type d'Annales akashiques

Quand vous arrivez sur terre, vous activez cette structure cristalline personnelle unique et votre Soi supérieur est alors responsable – le gardien – de ce cristal pour la durée de votre séjour ici. Le Soi supérieur de chaque humain réside toujours de mon côté du voile, mais il a des vrilles, pourrait-on dire, qui permettent à une partie de lui de se connecter à vous et à la planète. C'est avec cette partie que vous entrez en contact quand vous méditez. Une fois que vous êtes sur la Terre, l'énergie du Soi supérieur est connectée à la planète pour toute l'existence de celle-ci.

Votre vie présente se grave dans cette structure cristalline. Les décisions que vous prenez, spirituelles ou autres, tout ce dont vous faites l'expérience, tout ce que vous traversez en tant qu'humain, tout cela s'imprègne dans ce cristal. Les propriétés des structures cristallines sont bien connues de votre science. Le cristal est un minéral qui possède une structure atomique ayant un ordre atomique à long terme, ce qui lui confère un attribut unique qui a été découvert très tôt, celui de la mémoire. Dans le cas qui nous occupe, cela dépasse tout ce que votre science possédera jamais, une structure cristalline contenant des leçons sacrées de vie, un savoir et une mémoire. Ce que vous ne réalisez pas ou que vous ne comprenez pas dans la tridimensionnalité, c'est que les potentialités du futur sont également enchâssées dans la Grille cristalline. Tout cela est difficile à concevoir, n'est-ce pas ? Mais gardons un raisonnement simple pour l'instant.

Vous vivez votre existence terrestre et, quand elle se termine, vous faites l'expérience de ce que vous appelez la mort et que nous qualifions de transition. Vous revenez alors à la Caverne de la création pour un moment. À ce stade, tout ce que vous avez vécu et appris se scelle dans cet objet cristallin, puis votre essence terrestre ainsi que la portion sacrée personnelle de votre Soi supérieur quittent la planète.

On pourrait comparer ces archives cristallines aux anneaux d'un arbre interdimensionnel. Elles incorporent une vie à la fois, tout ce que vous y avez appris et tout ce que votre ADN y a recueilli. C'est beaucoup plus grandiose que vous ne pouvez l'imaginer, car les changements survenus dans votre conscience, le cas échéant, demeurent sur cette planète sous la forme de transformations vibratoires qui y resteront durant toute l'existence de la civilisation, intégrées à la Grille cristalline. Par conséquent, disons que la planète elle-même est en résonance avec vos vibrations passées et présentes.

Rien ne se perd, cher humain. Ce que vous faites ici demeure ici. Tout ce que vous avez accompli, toutes vos décisions, vos révélations, vos amours, vos joies, tous vos drames et vos chagrins n'appartiennent pas qu'à vous, mais aussi à la Terre. La vibration de la planète est donc composée de l'énergie des trillions de vies créées par l'humanité depuis environ 50 000 ans.

Il ne s'agit pas d'une capsule temporelle, car elle est constamment active tandis qu'une capsule temporelle est passive. Les choses interdimensionnelles sont toujours dans le « maintenant ». Par conséquent, rien de tout cela n'est « daté ». Cela « est » et cela est « vu » par la planète comme toujours actuel. Ainsi, tout ce que vous avez vécu l'est encore et est toujours nouveau.

Après une certaine période de temps terrestre, vous pouvez revisiter la Terre. Et la plupart d'entre vous y reviennent, car une vie terrestre est comparable à une journée d'un vaste programme. Ce vaste programme est un panorama de vos centaines de vies, où l'Esprit ne vous voit pas comme un humain vivant cette existence-ci, mais comme une entité sacrée intemporelle appartenant à la famille divine, travaillant pour la Terre et venue ici en d'innombrables incarnations ou « expressions d'énergie karmique ». Tout cela est très difficile à comprendre et à accepter pour vous, car vous pensez que la vie commence à la naissance et qu'elle se termine à la mort. Ce n'est pas plus exact que d'affirmer qu'elle commence à l'aube et qu'elle se termine au crépuscule. Elle se poursuit sans cesse, chaque existence s'apparentant à une journée d'un vaste programme. Chacun continue sans cesse à se réveiller et à se rendormir.

Vous appelez ce processus « réincarnation ». Une expression de votre Soi supérieur revient sur la Terre. À propos, il s'agit toujours du même Soi supérieur. Pensez-y un peu : plusieurs vies, plusieurs visages, les deux sexes, le même Soi supérieur… Il revient comme il l'a déjà fait auparavant et il commence par ajouter la nouvelle énergie dans votre cristal. Vous naissez donc sur cette planète et vous poursuivez votre voyage sous les apparences de quelqu'un d'autre. Vous vivez cette existence, puis, quand vous avez fini, tout ce que vous avez vécu et appris forme *un autre anneau sur le cristal*. Avec le temps, cette structure cristalline sacrée s'imprègne de centaines d'anneaux de vie. Un seul Soi supérieur, plusieurs vies, plusieurs noms et plusieurs visages, qui sont tous VOUS. Voilà ce que sont essentiellement la Caverne de la création et le processus de la Grille cristalline. C'est ainsi que cela fonctionne. Tout ce que vous faites ici reste sur cette planète et contribue à l'énergie de l'humanité qui suivra.

Voilà en quoi consistent les Annales akashiques dans la Caverne de la création. Le plus difficile à expliquer, c'est qu'elles contiennent aussi le futur. Toutes les potentialités des existences que vous pouvez vivre se trouvent également sur la Grille cristalline, ce qui aide à établir qui vous serez la prochaine fois. Plusieurs appellent cela le karma, la continuation des affaires inachevées, un peu comme si vous vous éveilliez un matin et que vous deviez accomplir les tâches que vous n'avez pu effectuer la veille. Ces tâches vous incombent, elles constituent le futur. Toutefois, dans le cas d'une énergie interdimensionnelle, elles ont toujours été là et elles détermineront ce que vous ferez quand vous vous éveillerez.

Le second type d'Annales akashiques

Les Annales akashiques du deuxième type sont des mini-archives présentes dans votre ADN à la naissance. Elles se forment dans l'utérus et sont fournies à la naissance. Elles contiennent ce que vous êtes et ce que vous avez été sur la Terre, ainsi que vos potentialités d'action, inscrites dans les couches de votre ADN. Elles semblent avoir les mêmes attributs que les archives cristallines se trouvant dans la Caverne de la création, mais ce n'est pas le cas. Celles-là concernent toute l'humanité et sont connectées à la Grille cristalline de la Terre, tandis que celles qui sont dans votre ADN portent sur la découverte personnelle, l'éveil, le karma et les leçons de vie.

Voilà un sujet ésotérique qui vous paraît un peu étrange, n'est-ce pas ? Certains auront beaucoup de difficulté à croire que leur ADN contient l'enregistrement de tout ce qu'ils ont été. Nous allons donc en parler un peu. Nous vous expliquerons comment cela vous influence et ce que cela signifie. Toute cette information sera condensée dans ce bref message d'aujourd'hui.

Certains s'interrogent : « *Kryeon, quelque chose m'échappe. Je comprends ce que vous dites quand vous affirmez que nous naissons avec plusieurs énergies issues du passé, mais que se passe-t-il quand nous venons sur la Terre pour la première fois ? Le cristal n'a alors aucun anneau, il ne possède aucune énergie d'expression passée, aucune expérience vécue sur cette planète.* » Voilà une question très logique. Une énergie du nouveau venu existe, et elle est unique à cette planète. La plupart des lecteurs de ces lignes l'ont expérimentée. De plus, il y a plusieurs nouveaux venus ! Sachez que Kryeon connaît très bien les progressions géométriques. Le nombre d'humains sur cette planète montre une croissance exponentielle. Pendant que la population s'accroît, chers humains, plusieurs viennent forcément ici pour la première fois. Nous le savons. C'est inhérent au plan et à l'énergie terrestre. Ce message ne s'applique donc pas à ceux qui ne sont jamais venus ici. Nous vous avons déjà parlé des attributs des êtres qui viennent pour la première fois. Ce n'est plus votre cas.

L'exploitation de l'Akash

« *Mais, Kryeon, comment pouvons-nous modifier notre Akash ?* » Première étape : vous devez y croire. N'y croyez pas simplement parce que je vous ai dit que cela existait. Vous devez y croire si fortement que ce sera pour vous aussi réel biologiquement que l'est votre bras. Quand vous regardez votre bras, vous vous dites : « *J'ai un bras, il est là et je le vois.* » Il n'y a aucun doute possible et votre cerveau le sait aussi. La matière qui vous entoure le sait et, en guise de preuve, vous pouvez vous servir de ce bras pour saisir des objets. Il n'y a vraiment aucun doute possible. C'est votre bras.

Maintenant, que ressentez-vous quand vous dites : « *Il y a des Annales akashiques dans mon ADN. J'ai en moi l'enregistrement de tout ce que j'ai été et je peux y accéder* »? Quelles parties de votre corps refusent cette affirmation ? Toutes les parties linéaires. La logique vous dit que c'est chose impossible, que vous ne pouvez modifier ce que vous êtes, mais elle a tort.

Vous avez tous la possibilité de le faire. Cette prérogative est offerte à ceux qui sont dans la nouvelle énergie, et sachez que plusieurs d'entre vous l'ont déjà fait. Cela peut se faire lentement, par petites quantités. Cela peut aussi se faire tout en douceur sans que personne le remarque, mais cela peut également être assez évident pour que vos meilleurs amis ne vous reconnaissent plus. L'énergie en cause provient de la banque mémorielle que vous constituez. C'est dans votre ADN, dans chacun des trillions de fragments synchronisés avec votre volonté.

Il y a trois niveaux de difficulté : *facile, moyen et difficile*. Laissez-moi vous expliquer ce qui se passe à chacun de ces niveaux. Comprenez-vous, chers humains, que vous n'avez rien à demander à Dieu ? Que vous n'avez qu'à vous modifier suffisamment pour aller chercher en vous ce que vous avez déjà appris, ce pour quoi vous avez déjà travaillé ? La clé du processus ? Comprendre et croire que l'*unique* Soi supérieur était avec vous chaque fois. En d'autres mots, votre conscience centrale était associée à chacune de vos existences terrestres. Vous n'êtes *pas* des entités différentes cette fois. Vous êtes simplement de nouvelles expressions du même Soi supérieur. Par conséquent, vous étiez là pour tout ce dont il est question maintenant. Vous devez le croire. Le Soi supérieur sait-il ce qui se passe ? Dois-je vraiment répondre à cette question ? Le Soi supérieur a simplement attendu que vous intégriez cette croyance.

Le niveau facile a trait aux peurs, aux phobies et aux blocages, qui sont faciles à éliminer. Pourtant, chacun de vous a de la difficulté à y arriver même s'il le désire. Aimeriez-vous ne plus craindre ce qui vous fait peur actuellement ? Parlons simplement. Avez-vous peur d'avancer, craignez-vous le changement, redoutez-vous ce qui se passe autour de vous ?

Certains parmi vous ont des phobies. Il s'agit de séquelles d'une vie antérieure. Avez-vous le vertige, la phobie des insectes, la peur de l'eau, et ainsi de suite ? Vous répondrez peut-être : « *Bien sûr, mais cela n'affecte pas réellement ma vie puisque je m'y suis habitué.* » Eh bien oui, cela l'affecte ! Voici pourquoi : la présence de ces phobies intègre l'obscurité dans une recherche de la lumière. Ces phobies n'ont pas leur place ici. Vous n'en avez pas besoin. Elles nuisent à vos croyances, à votre efficacité, à votre progrès, et vous en êtes constamment conscient. Ces phobies ne sont pas *vous* cette fois, puisqu'elles sont le reflet d'une autre vie vécue ailleurs. Vous n'en avez plus besoin. C'est comme vouloir voyager rapidement tout en portant de vieux bagages que vous n'aurez jamais besoin d'ouvrir ni d'utiliser. Est-ce sensé ?

Commencez donc immédiatement à travailler avec ce que vous croyez à ce jour, de la même façon que vous *croyez à* votre bras. Vous verrez bientôt vos phobies et vos peurs s'estomper. Vous pourrez dès lors retrouver, en la ravivant, cette partie des Annales akashiques qui était vous auparavant. Celle-ci vous ressemble. Elle est réellement vous. Elle ne ressemble à personne d'autre, car vous ne faites que récupérer ce que vous possédiez déjà. Vos peurs disparaîtront aussi. Vous le sentirez et vous pourrez continuer à les combattre, à travailler sur elles, de sorte que votre structure cellulaire le sentira aussi. Le vertige ? À l'occasion, allez sur des hauteurs afin de l'éprouver. Vous constaterez qu'il diminue. Vous ne serez plus terrifié de regarder au-delà du bord. Ces phobies vont disparaître au point que vous vous demanderez pourquoi vous les aviez auparavant. Ce sont là de petits défis. Les blocages qui surviennent lorsque vous passez d'une énergie à une autre sont réels, mais ils s'élimineront quand vous retrouverez ce pouvoir qui vous appartient, l'absence de peur. C'est ce qui s'appelle la croissance, et cette dernière exige de s'y exercer, mais vous constaterez un progrès à coup sûr.

Les humains n'aiment pas le changement. Plusieurs parmi vous ont de tels blocages de la conscience. Qu'est-ce qui déclenche votre colère ?

C'est un blocage de la paix, n'est-ce pas ? Pouvez-vous vraiment être patient lorsqu'un imbécile vous parle de son imbécillité ? Pouvez-vous comprendre son processus au lieu de vous mettre en colère ? Oui. Ce sont là des choses simples. Vous pouvez passer ces tests, modifier votre vie et travailler ensuite petit à petit sur des questions plus complexes. La beauté de la chose, chers humains, c'est que si chacun et chacune d'entre vous faisait ces choses simples, vous formeriez tous un groupe de guerriers pacifiques, de guerriers de la lumière. Vous seriez tous désencombrés de la peur, des phobies et des blocages. Vous enverriez tous de la lumière pure, et l'Esprit ne vous jugerait pas si vous ne faisiez rien d'autre. Cependant, si vous le désirez, ces blocages peuvent aussi se raffermir.

Le niveau moyen porte sur le fait de vous débarrasser de vos allergies et de modifier votre système immunitaire. Voilà qui est un peu plus difficile. Vous demanderez peut-être : « *Comment peut-on faire cela ? Suffit-il d'y penser ? Ou bien j'ai des allergies, ou bien je n'en ai pas. Ce sont mes cellules qui sont allergiques.* » Vraiment ? Très chers, certains parmi vous se sont départis de leurs allergies en se rendant compte qu'elles étaient des séquelles de quelque chose dont ils n'avaient plus besoin. Ils sont allés dans les Annales akashiques et y ont retrouvé l'ADN parfait de l'existence où ils n'étaient allergiques à rien ! Ce programme est toujours là ! Il présentait un système immunitaire vigoureux et complet, exempt de toute maladie. Ces individus étaient robustes et ils n'étaient jamais allergiques à rien. Aimeriez-vous ne pas avoir de maladie ? Posséder une vigueur et une énergie supérieures à la normale de votre âge ? C'est plus difficile, bien sûr, mais possible. Quoi que vous pensiez être, vous pouvez le modifier dans vos cellules.

Aimeriez-vous être en paix dans tous les domaines de votre vie ? Je n'ai pas dit que les problèmes disparaîtraient. J'ai uniquement demandé si vous aimeriez être en paix avec ceux-ci. Aimeriez-vous vous débarrasser des drames et des inquiétudes ? Voici quelque chose d'intéressant au sujet des situations dramatiques : quand le travailleur de lumière n'active pas l'énergie karmique, le drame disparaît ! Quand vous avez abandonné votre karma, il n'y a aucune raison de continuer à vivre un drame dont vous n'avez plus besoin. «*Kryeon, j'ai abandonné mon karma il y a plusieurs années lorsque j'ai décidé de changer de voie. Toutefois, vous semblez dire qu'il est toujours là.*» Ce n'est pas si simple. Créer l'intention d'abandonner votre karma équivaut à libérer la voie devant vous. Vous devez ensuite vous lever et parcourir cette voie. Les attributs karmiques vous diront : «*Ramassez-nous… Nous sommes à vous!*» Mais vous vous rappellerez alors, en avançant, que votre intention a créé une situation où vous n'aurez plus jamais à les ramasser, même s'ils sont toujours dans les parages et qu'ils vous parlent.

Ce n'est pas facile. Permettez-moi de vous dire, chères vieilles âmes, chers travailleurs de lumière en train de lire ces lignes, que vous avez été prêtres, nonnes, shamans. Vous êtes passés par là, sinon vous ne seriez pas à lire cette information ésotérique en ce moment. Selon ces attributs akashiques de niveau moyen, vous pouvez développer une personnalité si pacifique que tout le monde voudra être en votre présence. C'est bien là la réponse, n'est-ce pas? C'est la paix que possédaient les maîtres. Voilà pour le niveau moyen. Voyons maintenant le niveau difficile.

Le niveau difficile représente la partie incroyable. Il s'adresse à celui ou celle qui veut réellement puiser dans l'Akash et changer le futur. En chacun de vous se trouvent tout ce que vous avez été, d'innombrables expériences. Si vous allez puiser dans l'Akash, c'est-à-dire si vous allez chercher ces expériences, vous éliminerez de cette vie-ci celles que vous n'aimez pas. Ce sera là le résultat. Il ne s'agit pas d'aller dans l'ADN pour y déceler quelque chose de différent et vous en doter. En réalité, il s'agit d'échanger une chose contre une autre. C'est ainsi. L'ADN contient tout ce que vous êtes. Ce que vous faites alors, c'est échanger des attributs, mettre dans les archives ceux qui ne conviennent pas à votre énergie et prendre ceux qui lui conviennent. Vous les possédez tous.

Ce n'est pas tout. *Chacun de vous possède ce qu'on pourrait appeler une jarre spirituelle.* Cette jarre est remplie de tout ce que vous avez appris comme être humain sur la Terre au sujet de Dieu, des guides, des anges, des interactions et de la communication sacrée. Et cette jarre vous appartient. Elle n'a pas à se remplir de nouveau à chaque nouvelle vie. Elle est à votre disposition et vous n'avez qu'à en dévisser le couvercle pour y prendre tout ce que vous avez déjà appris. Elle appartient au système de l'Akash spirituel. C'est la dorure spirituelle de tout ce qui existe, permettant à un apparent novice sur cette planète de devenir un maître du jour au lendemain. Ce « novice » a déjà payé ses redevances et poursuivi sa route. Peut-être même est-il mort pour ses croyances.

Plusieurs parmi vous ont peur de certaines choses parce que ces dernières ont déjà causé leur mort. Certains ne veulent pas toucher à l'ésotérisme parce qu'il suscite chez eux la peur de l'illumination et de la mort. Leur peur est telle qu'ils ne veulent pas ouvrir leur jarre. Plusieurs la rejettent donc entièrement sans y croire. En fait, ils y croient encore, mais ils ne veulent plus y toucher. Je sais qui lit ces lignes. Ainsi, le premier attribut de la troisième catégorie, celle du niveau difficile, consiste à ouvrir la jarre spirituelle et à récupérer tout ce que vous avez déjà appris. Avez-vous peur de faire cela ? Certains parmi vous ont joué un rôle important dans l'histoire de la spiritualité. C'est la vérité.

Non seulement portent-ils dans cette jarre un savoir spirituel, mais aussi le personnage qu'ils ont été. Cette notion est un peu difficile à vous expliquer. Apparemment, des individus qui ne s'intéressent pas du tout aux questions métaphysiques peuvent devenir d'un jour à l'autre de grands instructeurs. Tout sort de leur jarre tout à coup. Ils n'ont qu'à recueillir cette information pour l'utiliser ensuite d'une façon linéaire. Des non-instructeurs deviennent des instructeurs. Des individus qui ne possédaient aucun savoir en possèdent maintenant un grand. Des gens qui ne comprenaient absolument rien ont désormais une grande sagesse. La jarre spirituelle représente le niveau difficile. Elle existe, et vous la possédez tous, y compris chaque lecteur et lectrice de ce livre.

Il vous est possible d'adopter une personnalité entièrement différente de celle qui était la vôtre au moment de votre naissance. Êtes-vous prêt à cela ? Êtes-vous trop attaché à vos peurs, à vos phobies et à vos blocages ? Aimeriez-vous avoir une personnalité plus pacifique ? C'est une peur en soi, n'est-ce pas ? Vous auriez peut-être l'impression de vous perdre, mais ce serait seulement pour vous retrouver ! Voilà ce qui est disponible au niveau « difficile ». Voilà ce que vous pouvez obtenir par la connexion au Soi supérieur. La croissance en ce domaine requiert une plus grande capacité de communication de l'humain avec le Soi supérieur. Chaque étape vous connecte davantage.

« *Un instant, Kryeon ! Vous avez parlé d'une connexion à notre ADN, non au Soi supérieur.* » Exact. Où pensez-vous que se trouve le Soi supérieur ? Il est dans l'ADN interdimensionnel. Nous vous avons même révélé quelle couche d'ADN le contient, ainsi que son nom hébreu. En outre, nous vous avons précisé que son nombre était le 6 : la sixième énergie de l'ADN. Cette information fondamentale, ce Soi supérieur, se cache dans les trillions de fragments d'ADN qui travaillent tous ensemble à créer ce que vous êtes. Peut-être aimez-vous croire que votre Soi supérieur est un ange dans le ciel ? Eh bien, non ! Il est en vous, imbriqué dans votre structure moléculaire. Voilà où il se trouve. Il y a beaucoup de choses à savoir sur ce sujet.

« *Kryeon, je suis confus. Où Dieu est-il dans tout cela ?* » Exactement où vous ne le chercheriez jamais, car Dieu est le concept d'une famille aimante d'aide spirituelle qui est quelque part au-delà du voile. Dieu est amour, mais vous ne pouvez trouver réellement cette plénitude à l'extérieur de vous. C'est une quête constante, et l'humanité est à la recherche de Dieu depuis la création. Je vous révèle encore une fois que le système de Dieu est en vous et que l'essence même de votre divinité réside dans l'ADN interdimensionnel présent à l'intérieur de votre corps. Faites le calme en vous et vous saurez que vous êtes Dieu. Cessez de le chercher et célébrez la victoire d'avoir trouvé la vérité dans le lieu le plus improbable, soit en vous.

Nous avons presque terminé. Aimeriez-vous posséder des talents dont vous ne jouissez pas actuellement ? « *Kryeon, comment cela se pourrait-il ? J'ai un talent ou je ne l'ai pas. Je joue du piano ou je n'en joue pas.* » Comme vous êtes tridimensionnel ! Vous décidez simplement que ça s'arrête là. Vous pensez être comme un gâteau qui est terminé une fois sorti du four !

Vous ne comprenez pas que vous n'êtes que la recette de départ, laquelle a besoin d'être modifiée. Dans votre Akash, c'est-à-dire dans votre ADN, réside le souvenir du talent que vous pensez ne pas posséder, mais que vous avez déjà eu. Il s'agit encore une fois *d'exploiter l'Akash*. Nous en avons déjà parlé. Cela nécessite des années, mais c'est chose faisable. Il est possible de raviver des talents antérieurs. De quoi avez-vous peur ? Pourquoi ne pas commencer à l'instant ?

Vous vous dites peut-être incapable de prendre la parole devant des gens ou dépourvu de ce talent, mais qu'en est-il de l'orateur du troisième siècle ? Allez-vous le rejeter ? Après tout, c'était vous ! Aimeriez-vous retrouver intérieurement ses attributs ? L'orateur parle avec autorité et les gens l'écoutent. C'est un talent. Plusieurs parmi vous le possèdent en eux, même s'ils ne l'avaient pas à la naissance et qu'ils ne peuvent donc pas concevoir cette possibilité. Vous ne pouvez pas avoir vécu autant d'existences sans posséder ce talent. Je le répète : votre passé recèle une très grande diversité de talents qu'il vous est possible de retrouver, cher humain. À vous de les développer. C'est trop étrange ? Parlez-en à mon partenaire. Il l'a lui-même fait.

Reste le plus difficile : *Aimeriez-vous modifier votre ADN à un point tel que la maladie qui en émane à présent disparaîtrait sans même laisser aucun souvenir de sa présence ?* Allez retrouver l'ADN parfait que vous possédiez *avant* que la maladie ne survienne ! L'ADN s'en souvient. Il participait. Vous vous rappelez ? Modifiez peu à peu votre ADN interdimensionnellement, de sorte que la maladie se retirera et ne reviendra plus jamais. « *Ça ressemble à un miracle, Kryeon !* » En effet, c'en est un. C'est celui du passage à la maîtrise.

Les miracles sont simplement des événements qui se situent en dehors de vos croyances normales. Modifiez ces croyances et les miracles deviendront des événements ordinaires. Parfois, quand ces événements *miraculeux* se produisent, les humains lèvent les bras au ciel en s'exclamant : « *Merci, mon Dieu !* » Ils ne comprennent pas qu'ils ont activé leur ADN avec une telle puissance qu'ils ont reçu ce que seuls les maîtres pouvaient donner autrefois. Ils ont tout bonnement échangé ce qu'ils pouvaient, d'une façon non linéaire. Ils ont guéri leur propre vie. Ce que l'on pensait disponible aux seuls maîtres l'est maintenant à tous. C'est l'activation de l'espèce humaine. Moins de la moitié de un pour cent y parviendra, mais vous faites partie de ce groupe et vous le savez.

Nous ne vous dirions pas tout cela si c'était inexact. Nous avons seulement ouvert la porte à un enseignement qui doit prendre de l'expansion.

Il s'agit ici d'un système selon lequel l'énergie de la famille demeure dans la famille sans même que vous le sachiez. Certains pleurent ceux qu'ils ont perdus ; pourtant, ils ne les ont pas *perdus* du tout. Dans la linéarité, vous ne comprenez pas l'amour de Dieu ni le système qui existe ici pour votre bien, pour votre amélioration. Ceux que vous avez perdus vous tiendront la main pendant tout le reste de votre vie. Ne le voyez-vous donc pas ? Il ne peut en être autrement. C'est là votre consolation. C'est de là que vient votre paix. Il en est ainsi pour vous aider à vivre. C'est le rôle de la famille !

Il y a beaucoup à découvrir ici, et le système vous permet d'accéder dès maintenant à l'Akash. Poussez la porte. Prenez la main de votre Soi supérieur et ne regardez jamais derrière. C'est l'invitation qui vous est faite, chères vieilles âmes.

Heureux soient les humains qui lisent ces lignes.

Le miracle du pardon divin

L'une de mes meilleures amies m'a accordé la permission de partager son histoire avec les lecteurs. Kryeon, j'aimerais que vous commentiez cette histoire en expliquant le processus qui a eu lieu. Cette amie est l'une des rares personnes que je connais qui semblent avoir compris le sens véritable du mot « pardon ». Voici son histoire :

L'an dernier, son mari attendait dans sa voiture à un feu rouge quand un homme en état d'ébriété est tombé sur son véhicule, provoquant ainsi une sorte d'altercation entre les deux hommes. Après un moment, pensant que l'incident était clos, son mari quitta les lieux. Une

semaine plus tard, il lut dans le journal local que les policiers recher-
chaient un homme impliqué dans un accident ! Reconnaissant l'incident, il décida, par souci d'honnêteté, d'aller voir la police afin
d'expliquer simplement ce qui s'était passé. C'est alors que sa vie et celle
de toute sa famille furent chamboulées ! Les policiers l'arrêtèrent, parce
que l'homme ivre était ensuite tombé sur la chaussée et qu'il se trouvait
dans le coma ! À ce moment-là, les policiers ne savaient pas s'il s'agissait
d'un accident ou d'une agression.

Personne ne savait exactement ce qui s'était produit, car l'homme
ne pouvait pas parler. Pendant qu'elle me racontait cette histoire, mon
amie ne cessait de me répéter : « C'est un pauvre type et je lui pardonne. Tout n'est qu'illusion. » Même si elle était très inquiète pour son
mari, qui pouvait faire face à de très lourdes accusations si cet homme
mourait, sa foi n'a jamais flanché.

Cette histoire a duré plusieurs mois. Finalement, le pire scénario
sembla se réaliser.

Le comateux fut débranché des appareils qui le maintenaient en
vie, car les médecins affirmaient qu'il ne sortirait jamais de son coma !
Tout le monde attendait la suite des événements. Mon amie m'a alors
dit : « Quoi qu'il arrive, tout ça n'est qu'une illusion et je lui pardonne,
comme je me pardonne aussi. » Et alors le miracle eut lieu ! Même s'il
avait été dans le coma pendant des semaines et qu'on l'avait débranché, l'homme reprit connaissance au lieu de mourir ! Et non seulement
avait-il repris connaissance, mais il se portait bien et ne se souvenait
même plus de ce qui était arrivé ! Toutes les accusations furent donc
levées. Son mari fut exonéré et cet homme continua à vivre comme si
rien ne s'était jamais produit.

— *Kryeon, il s'agit pour moi d'un exemple de ce qui peut survenir quand
on comprend la véritable nature du pardon divin, et aussi du fait que
tout n'est qu'illusion et que nous pouvons modifier l'illusion si nous la
dédramatisons. Dans cet exemple, nous avions le pire scénario, la mort
de l'homme et ses conséquences, mais aussi le meilleur de tous les scéna-*

rios ainsi que ses récompenses. À la fin, c'était pratiquement comme s'il ne s'était rien passé.

De plus, ce n'est même pas la vie de mon amie qui était en difficulté, mais celle de son mari. Je trouve toute cette histoire assez extraordinaire.

Pourriez-vous m'expliquer ce qui s'est produit et comment cette histoire a pu avoir une issue aussi heureuse? Mon amie est convaincue que si cet incident avait eu lieu il y a dix ans, l'issue en aurait été différente, car elle ne comprenait pas alors comme aujourd'hui de quelle manière fonctionnent les choses.

D'accord. Considérez ce genre d'incident comme une danse d'énergie. Voici ce que votre amie a fait selon son point de vue : *elle a permis l'énergie du réveil de cet homme.* Un humain peut-il changer la vie d'un autre humain ? Pas directement, mais en positionnant sa propre réalité, il établit un « lit de potentialité » pour qu'un autre humain y travaille.

Par exemple, si vous construisez un chemin et que les gens y marchent, est-ce vous qui les faites marcher ? Bien sûr que non. Vous avez simplement construit le chemin et ils ont eux-mêmes pris la décision d'y marcher. Mais la potentialité qu'ils le fassent était excellente, n'est-ce pas ? Voyez-vous comment cela fonctionne ?

Le pardon de votre amie et sa reconnaissance de « l'illusion » dont elle était témoin ont créé le chemin par lequel l'homme est sorti de son coma. Vous pouvez ainsi comprendre profondément comment un humain travaillant dans la lumière sur cette planète peut changer la vie de plusieurs personnes de son entourage. Il n'incite personne à « faire » quoi que ce soit, mais il crée une énergie qui est si puissante qu'elle en intéresse et en aide plusieurs.

Il faut vous y habituer, car c'est ainsi que vous créez votre propre réalité. Lorsque vous créez ce dont vous avez besoin, d'autres y sont mêlés, mais vous savez aussi que vous ne pouvez les tenir en votre pouvoir ! Désormais, vous savez donc ceci : *votre lumière crée un chemin sur lequel d'autres peuvent marcher, une potentialité qui conduit souvent à une situation où tout le monde est gagnant alors même que vous créez votre propre vie.*

Un changement d'énergie phénoménal en temps réel

En octobre 2008 a eu lieu une « prédiction potentielle ». Je peux en parler aujourd'hui, car cette date est passée.

La « science des prédictions » est bien établie sur cette planète. Depuis plus d'une décennie, des chercheurs scientifiques universitaires ont découvert comment fabriquer certains appareils qui réagissent à la conscience humaine [université de Princeton – *The Human Consciousness Project*]. Puisque la conscience humaine est interdimensionnelle, ces appareils réagissent avant que les événements ne se produisent ! Disons qu'ils détectent « l'aléatoire de la potentialité ». Ce n'est pas du tout un secret ; même mon partenaire en a parlé au cours de ses conférences. Il s'agit là d'une étude intéressante sur l'énergie humaine, et les futuristes aiment ces machines qui réagissent *avant* que n'aient lieu les événements potentiels. Les scientifiques l'ont constaté lors du tsunami de 2004, par exemple, et même lors du décès de la princesse Diana, deux événements ayant suscité la compassion dans le monde entier.

Plus tôt, ces indicateurs avaient signalé qu'autre chose se produirait. Ils avaient perçu que la conscience mondiale pressentait quelque chose pour la mi-octobre. Il s'agissait d'un changement qui a eu lieu mondialement les 13 et 14 octobre 2008. Un événement majeur. La Terre s'est élevée à un niveau interdimensionnel. Le saviez-vous ? Bien sûr que non, et c'est pourquoi je dois vous en parler.

Comment j'explique cela ? Les humains ont tendance à rendre linéaires les potentialités interdimensionnelles selon leur système de croyances, afin de les rendre viables pour l'esprit tridimensionnel. Des milliers d'humains furent donc convaincus qu'une soucoupe volante géante atterrirait le 13 ou le 14 octobre et que de sages entités venues de l'extérieur de la Terre en sortiraient. Ce vaisseau serait le plus gros imaginable et le monde entier en serait témoin. Ce groupe de chercheurs

croyait fortement à cette potentialité puisqu'il s'agissait d'une vision perçue collectivement. L'ayant rendue publique, il en escomptait la réalisation.

C'était le meilleur scénario dont ces chercheurs disposaient pour
rendre linéaire un changement terrestre. Ils l'ont fait pour le rendre tridimensionnel et crédible. Un vaisseau venu de loin atterrirait et des êtres
d'une grande sagesse vous aideraient. Je vous le dis tout de suite, il n'y a
pas de mal à ça. C'était ce qu'ils avaient de mieux pour interpréter ce
qu'ils « voyaient ». Mais l'interprétaient-ils correctement ? Un vaisseau a-t-
il atterri sous les yeux de la planète entière ? Non. *Mais avaient-ils raison ?*
Oui. Ça semble une énigme, car ce qui était prévu n'a pas eu lieu. Puisque
tellement de gens étaient mis en cause dans cette prédiction, qu'est-ce qui
a dérapé ? Les instruments scientifiques étaient-ils adéquats ? Oui. Mais
vous n'avez rien vu, n'est-ce pas ? Je poursuis.

Je vous ai déjà dit de ne pas craindre les changements qui s'annon-
çaient. C'en fut un, et Kryeon a vu venir la difficulté. Je le sais, car je vois
les potentialités existantes. Je ne fus d'ailleurs pas le seul à canaliser cela.
Apparemment, en provenance de plusieurs sources et de plusieurs
endroits, vous avez entendu cet avertissement : « Attention à octobre. » Si
on fait la numérologie du 13 et du 14, le 13 devient un quatre, qui représente l'énergie terrestre, et le 14 devient un cinq, qui représente le changement. Par conséquent, le changement qui allait survenir concernerait
Gaia, la Terre. Vous vous attendiez donc à un séisme. Un gros. Un séisme
mondial.

Comme le tsunami, qui fut assez gros pour modifier la rotation du
cœur de la planète, cet événement aurait des effets similaires et créerait un
changement global. Voici maintenant ce qu'il vous faut savoir : *un vieux
paradigme énergétique relie Gaia à la conscience humaine.* Chaque changement qui s'accomplit sur cette planète en changeant la vibration de la
conscience requiert un événement physique. Dans ce cas-ci, ce serait un
séisme, un mouvement de la croûte terrestre. C'est ainsi que la conscience
humaine est reliée à Gaia. Toutefois, sois prudent, mon cher partenaire,
car je veux que tu me comprennes bien. Allons-y lentement.

Écoutez bien. *Les 13 et 14 octobre 2008, cette planète s'est élevée interdimensionnellement sans subir la difficulté anticipée.* Toutes les sources, y compris celles qui se trouvent de mon côté du voile, s'attendaient à quelque chose de plus gros. Nous ne nous attendions pas à ce que la conscience humaine s'élève sans que rien se passe. C'était la première fois que cela se produisait. *Cette planète a subi un changement majeur sans rencontrer la difficulté du désastre et de la mort.* Vous devez comprendre que cette vieille connexion énergétique a quelque chose à voir avec la compassion et que le seul moyen de générer la compassion requise pour un changement majeur, c'était le genre d'événement auquel vous êtes tous habitués. Mais cela s'est passé autrement.

Toutes les prédictions étaient là. Et l'atterrissage de la soucoupe? Eh bien, interdimensionnellement, cette planète était plus imprégnée de la sagesse des anciens que jamais auparavant. Sans aucune difficulté, sans aucun mouvement terrestre, la compassion requise fut produite. Y a-t-il eu un atterrissage? Dans un certain sens, oui, car la vibration planétaire est aujourd'hui plus élevée. Il s'agit là d'un changement de conscience qui, normalement, aurait nécessité un engagement planétaire physique, mais vous n'en avez rien vu, n'est-ce pas?

Heureux l'humain qui n'en a pas eu conscience, car voici l'avènement d'un nouveau paradigme : *le changement sans difficulté.* C'est là le but, mais il ne peut être atteint que si la conscience humaine est plus élevée, et elle l'était. Je peux vous dire qu'il n'en sera pas ainsi chaque fois, mais ce fut le cas à ce moment. Les choses progressent rapidement, et même les meilleurs futuristes vont manquer de cohérence visionnaire, car c'est ce qui arrive à un objet intemporel constamment en vibration transitoire [Kryeon réfère ici à ce que la Terre traverse actuellement].

Encore une fois, l'incroyable humain nous a tous étonnés, comme en 1987 [lors de la Convergence harmonique]. La transformation fait son œuvre. Il suffit que moins d'un demi pour cent d'entre vous s'éveillent pour que soit créée la paix sur la Terre. Plusieurs nous demandent vivement si c'est *pour bientôt.* Cela dépend de vous. Mais les choses vont se passer plus rapidement que vous ne le pensez, et tout ce que vous aurez à faire, ce sera de regarder en vous pour améliorer le processus en libérant votre lumière intérieure. Il s'agit de la découverte de soi.

LES ÉVÉNEMENTS COURANTS

Les changements climatiques

Nous vous donnerons des conseils très simples au sujet des changements climatiques. Comprenez bien que la situation ne s'améliorera pas et que de le souhaiter n'y changera rien. Nous l'avons déjà expliqué, mais nous le répétons. Vous vous trouvez actuellement dans un cycle aqueux qui doit aboutir à une mini-ère glaciaire. Il vous semble sans doute étrange qu'un réchauffement précède un refroidissement, mais si vous consultez vos archives géologiques, vous constaterez que la même chose s'est déjà produite. Vous ne teniez pas de registres au XVe siècle, mais cela a eu lieu et vous avez survécu. Nous vous le disons donc, les grands vents vont revenir et nous vous conseillons de vous y préparer en vous adaptant à la nouvelle situation. Vous devez la prévoir en construisant vos habitations différemment. Sentez-vous libres de ne pas construire dans les régions menacées et de choisir plutôt les régions sûres. Et voici l'avertissement : *ne soyez pas surpris quand cela reviendra.* Car cela reviendra. Ne soyez pas étonnés quand les barrages céderont de nouveau dans le Sud, car ils céderont. Par exemple, vous auriez avantage à déplacer la terre de cette ville, la Nouvelle-Orléans, pour construire sur des sols plus élevés. [Le système de monticules mentionné par Kryeon dans le passé et consistant à construire des maisons sur de larges bandes de terre surélevées, seules les rues se trouvant sous le niveau de la mer, selon le mode d'irrigation des cultures.] Ce serait intelligent. Nous verrons bien si vous le ferez. « *Que dites-vous là, Kryeon ?* » Je dis que les humains peuvent s'adapter comme ils l'ont fait par le passé et je vous explique comment le faire aujourd'hui. Si vous y réfléchissez bien, vous pouvez vous adapter aux changements climatiques. Prenez le contrôle de leurs conséquences au lieu de les subir. Changez les catastrophes climatiques en événements climatiques.

De plus, n'ayez pas peur de ce qui arrivera. N'anticipez pas un drame à partir de ce que vous voyez aujourd'hui. Le réchauffement est un précurseur du froid, tout comme par le passé... Vous pouvez vous en inquiéter ou bien vous y préparer.

La vision scientifique de l'interdimensionnalité

En août 2008, une grande expérience a eu lieu. La plus grosse machine qui existe sur la Terre a commencé à étudier les plus petites choses qui existent, celles qui sont invisibles. Nous parlons ici du grand accélérateur atomique qui se trouve en Suisse. Plusieurs ont dit que c'était dangereux, mais ça ne l'est pas. Il n'y sera pas créé davantage d'énergie qu'il n'y en a dans le barrage d'énergie cosmique qui frappe la Terre chaque seconde. Tout ce que l'on fait là-bas, c'est créer cette même énergie en la contrôlant pour l'étudier, car on ne peut l'étudier quand elle est aléatoire.

Ces chercheurs scientifiques utilisent des protons et des antiprotons qu'ils accélèrent jusqu'à 90 % (et plus) de la vitesse de la lumière. Ils les projettent ensuite les uns contre les autres, pour la plus grande expérience physique qui ait jamais eu lieu. Laissez-moi vous dire quelles en sont les potentialités, et rappelez-vous plus tard que vous en avez entendu parler ici en premier. (*Sourire de Kryeon.*) Ce qu'ils cherchent, c'est l'énergie interdimensionnelle. Ils cherchent ce dont ils soupçonnent la présence, et ils le trouveront, car ils observent ainsi l'énergie créatrice universelle.

Voici quelles seront leurs grandes découvertes de la prochaine décennie. Ils récriront le scénario du commencement de l'Univers. Il n'y a jamais eu de big-bang (comme nous vous l'avons déjà expliqué plusieurs fois). L'idée même du big-bang est une explication tridimensionnelle d'un événement interdimensionnel. Les univers se créent constamment par un changement interdimensionnel, c'est-à-dire quand deux dimensions entrent littéralement en collision. Il s'agit là d'un grand événement quantique qui possède tous les attributs de ce que vous appelez le big-bang.

En résumé : dans la tridimensionnalité, plusieurs scientifiques ont observé ce qu'ils ont pris pour une preuve de la théorie du big-bang. Ils ont cru trouver une preuve résiduelle (une constante cosmologique). Hubble et d'autres ont été associés à ces découvertes. Cependant, l'observation des plus petites particules connues va bientôt contredire cette théorie.

Premièrement, même cette théorie du big-bang devait être interdimensionnelle au départ puisque l'on y reconnaît que tout voyageait plus rapidement que la lumière et que tout s'est produit en même temps. À l'époque où cette théorie fut élaborée, on comprenait simplement qu'il y avait eu un bris quelconque et momentané dans la tridimensionnalité pour que soit créé ce que vous voyez. Aujourd'hui, vous considéreriez cela comme un événement quantique, et c'est ce que ce laboratoire découvrira, car vous êtes sur le point d'y observer le résidu d'une collision interdimensionnelle. C'est flagrant. C'est la nouvelle constante cosmologique. Dès que vous commencerez à voir les dimensions invisibles ou, du moins, les traces qu'elles laisseront dans les explosions créées artificiellement, cela deviendra évident. Tout cela pour vous dire en ces termes énigmatiques que cette expérience particulière ne comporte aucun danger, qu'elle a lieu à long terme et que votre science pourra enfin observer l'interdimensionnalité. Quand il ne se sera rien passé de catastrophique, que la Terre n'aura pas été engloutie par un trou noir créé en Suisse, vous souviendrez-vous du présent message? Ceux qui auront dit le contraire, les tiendrez-vous responsables de la peur qu'ils auront créée? Nous verrons bien.

Quand existeront sur cette planète des dangers dont vous devrez être prévenus, attendez-vous à un avertissement consensuel de nous tous. Vous rappelez-vous le programme HAARP? [Voir le tome IV de Kryeon, *Partenaire avec le Divin*.] Nous vous avons alors prévenus et vous avez réagi. Cette expérience était considérée comme dangereuse par la plupart des pays européens, et des mesures furent prises pour imposer des limites à ce programme. Quand les observateurs sont nombreux, il est très difficile de faire des choses en secret. Souvenez-vous de cela.

L'énergie de la pensée de cette planète se transforme

L'*énergie de la pensée* est-elle un événement présent ? Oui, et elle change beaucoup, comme nous l'avions prédit. Les humains pensent maintenant différemment. Plusieurs comprennent peu à peu certaines réalités et ont des révélations, même au sujet de la science. La nouvelle pensée se préoccupe du mode de fonctionnement des choses. Nous vous l'avions annoncé.

Des individus qui ne s'intéresseront jamais à l'ésotérisme vous fournissent une information ésotérique qu'ils qualifient de scientifique. Des découvertes sont faites, qui conduiront à la pensée interdimensionnelle. La science est en révision quant à ce qui est réel ou non. Tout cela est conforme à nos prédictions sur les potentialités de cette planète.

Comment cela se reflète-t-il dans les événements actuels ? Vous êtes sur le seuil de quelque chose et je vais vous dire de quoi il s'agit. Chère humanité, vous pouvez réellement connaître la paix sur la Terre, mais vous effectuerez beaucoup de détours pour découvrir ce que vous désirez et ne désirez pas. Cela a débuté en 2008, mais vous devrez également surveiller des potentialités en 2009 et en 2010.

L'année 2009 est une année 11. En numérologie, le nombre 11 a plusieurs significations. Ce qu'il signifie en numérologie ancienne n'a aucune importance pour vous. C'est cependant le nombre de cette époque, et nous vous l'avons dit quand nous sommes apparus. En 1989, je vous ai donné les significations de ce nombre dans le premier message du premier livre. Vous voici maintenant dans une autre année 11 (2009). C'est d'ailleurs votre dernière année 11 avant 2012. Cela devrait vous intéresser. C'est la seule année 11 qui possède cette énergie. Voici ce que je veux vous dire : *vous verrez les jeunes gens de cette planète faire avancer les choses au cours des prochaines années, et ce, d'une façon qui vous étonnera.* L'un des plus grands changements sera le renversement des dictateurs. C'est de cette potentialité que nous parlions en vous disant que les dictateurs complaisants de cette planète étaient sur le point de disparaître et d'être remplacés par des dirigeants bienveillants. C'est le début d'un changement de conscience quant au pouvoir gouvernemental et aux attentes politiques des humains ordinaires. Dans la vieille énergie, vous tolériez, dans plusieurs pays, des gouvernements sans lesquels aurait régné le chaos. En somme, vous considériez comme acceptable tout gouvernement existant. C'est là un concept appartenant à la vieille énergie, car il conduisait à l'élection de dirigeants qui gouvernaient sans intégrité. Cela va changer. Dans votre propre pays également. Les humains vont maintenant vouloir des dirigeants intègres. C'est un phénomène nouveau. Surveillez bien.

En 2009, il existe une potentialité de changement majeur dans un pays que je ne nommerai pas, mais ce changement sera provoqué par la jeunesse de ce pays. Ceux dont on pourrait penser qu'ils ne se préoccupent guère de la situation vont se soulever et faire avancer les choses. Quand cela se produira et que vous le verrez aux nouvelles télévisées, ne dites pas : « *C'est dramatique. Pourquoi tous ces morts ?*» Oubliez le drame. Sachez que ceux-là sont venus sur cette planète précisément pour participer à cet événement ! Puis ils rentreront «à la maison» et reviendront ensuite pour faire autre chose d'encore plus grand ! Et cette situation aura une portée beaucoup plus grande que vous ne le pensez.

Félicitez ceux qui auront décidé de mourir pour cette raison, car ils auront accompli un changement héroïque. C'est ce que nous prévoyons maintenant. La planète entière participera à ce genre de célébration. Sachez que le futur en sera réellement modifié. Pourrez-vous célébrer ce qui sera approprié ?

Un aperçu des deux prochaines générations

Écoutez-moi bien : la première chose que vous verrez au cours des deux prochaines générations, ce sont des changements dans des domaines où vous pensez que rien ne changera jamais. Plusieurs de ceux et celles qui lisent ces lignes croiront que ce que je vais vous révéler ici est impossible, car nous parlons d'un changement fondamental de la *nature humaine.* Comment vous traitez-vous les uns les autres ? Que pensez-vous les uns des autres ? Que considérez-vous comme correct et juste ? Quelle est votre première réaction devant les difficultés, le drame, la jalousie ? Il y aura une modération de l'inapproprié. Celui-ci représente la dualité, laquelle est en train de changer.

Un jour viendra, d'ici deux générations, où les choses ne seront plus ce qu'elles sont à ce jour. Voici quelques exemples.

Les dirigeants

Cela finira par se refléter à l'intérieur des gouvernements. Les dirigeants seront élus en raison de leur compassion et de leur attitude bienveillante envers les gens, et non plus seulement pour leur popularité ou leur charisme. Pouvez-vous imaginer un tel changement?

Pouvez-vous imaginer un changement en ce qui a trait au sens commun? Vous vous exclamerez peut-être : « *Un instant, Kryeon! Le sens commun reste le sens commun!*» Eh bien non! Le sens commun est dynamique. C'est simplement votre conception de ce qui fonctionne naturellement à l'intérieur d'une conscience courante. Qu'arrive-t-il quand une conscience change? Les attributs du sens commun changent aussi. Je vous le dis, si vous pouviez assister dans cinquante ans à des rencontres portant sur la nature du sens commun, vous seriez alarmés. C'est un véritable défi à ce que vous pensez qui arrivera. Voyez ce qui s'est passé depuis trente ans en Amérique et tout ce dont vous pouvez maintenant parler ouvertement. Voyez ce que vous avez fait de votre pays, contre toute attente selon l'ancienne «nature culturelle humaine». Et faites-le de nouveau! En l'amplifiant. Je vous le dis, toute cette conception de la nature humaine et du sens commun va changer, car tel est le but même de votre existence.

Voilà votre avenir. L'intégrité s'installera partout dans votre société. Qu'avez-vous observé l'année dernière? Combien de dirigeants ont été déchus parce que certaines choses ont été découvertes à leur sujet? Avez-vous remarqué? L'intégrité serait-elle contagieuse? (*Sourire*.) Absolument. Il était temps, et vous le savez. Je vous le dis, au moment même où je vous parle, trois autres dirigeants sont dans leurs petits souliers. Vous verrez. Il est temps de leur demander des comptes, n'est-ce pas? C'est ce que vous faites.

Le terrorisme

« *Kryeon, vous n'avez pas encore parlé du sujet le plus important, le terrorisme.* » Pensez-vous que Kryeon en ignore l'existence ? Voici une information qui va vous étonner : *vous ne vaincrez jamais le terrorisme par le terrorisme.* Vous ne pourrez pas vaincre par la force une force de la vieille énergie. Cela ne fonctionnera tout simplement pas. Essayez, vous verrez bien. Vous échouerez chaque fois. Dès que vous aurez éteint un feu, un autre se développera ailleurs. C'est un échec perpétuel.

Voici comment le vaincre : avec la nouvelle conscience de la nouvelle humanité. Un jour viendra sur cette planète, un jour qui n'est pas très éloigné, où l'idée même de terrorisme ne sera plus acceptable pour l'humain, devenu alors plus sage. Plus le terrorisme sera inefficace, moins il y en aura, car il ne créera plus le résultat désiré… et le sens commun commandera d'y mettre fin. Il ne créera même plus la peur, mais plutôt le dégoût, même chez ceux qui le considéraient auparavant comme la seule solution possible. Vous comprenez ce que je veux dire ?

L'Afrique

En deux générations, le plus gros concurrent commercial sur cette planète aura créé une énorme économie qui rivalisera même avec celle de la Chine. Quoi que fasse cette dernière, quelle que soit l'importance de sa population, cette nouvelle économie rivalisera avantageusement avec la sienne, car ce pays agit toujours lentement et doit puiser dans sa conscience historique pour le faire.

Tout un continent est prêt à guérir. Les guerres extérieures et les guerres civiles y sévissent depuis votre naissance. À l'heure actuelle, ce continent est malade, mais il ne le sera pas toujours. Des millions d'individus sont concernés, mais ils ne le savent pas encore puisque, à l'évidence, cette issue est improbable.

Que se passe-t-il quand un continent guérit ? Vous le verrez bientôt. Ces gens découvriront alors qu'il est possible d'y construire une économie aussi valable que la vôtre, car vous avez établi les normes ! Ils vont d'abord regarder ce que vous faites. Bien sûr, nous parlons ici des Africains. Nous parlons de la potentialité d'un groupe d'États qui finiront par émerger sous le nom d'*Union africaine* [ou quelque chose du genre]. Ce conglomérat sera plus gros que les États-Unis, mais conçu sur un modèle identique, avec une économie créée de la même manière. Des millions d'individus en seront presque instantanément touchés.

Les dirigeants de ces États observeront comment vous règlerez votre récession et ce sera là leur énergie de départ. Leur économie se développera différemment des autres économies émergentes. Plusieurs de ces dernières se développent en faisant toutes les erreurs que vous avez commises pendant la croissance de votre économie. Les Africains ne tourneront pas en rond comme vous pendant deux siècles. Ils regarderont l'Amérique et s'en instruiront. Les gens de ce « continent guéri » voudront avoir la même chose que vous. Ils voudront posséder leur propre richesse et avoir leur propre système bancaire, lequel sera exempt de cupidité. Ils voudront posséder tout ce qui fait la grandeur d'une société et n'auront aucune difficulté à se l'offrir. Plusieurs attendent de créer une nouvelle société où il sera possible d'emprunter pour fonder des sociétés commerciales et construire des maisons. Quand des millions de gens ne sont plus en mode survie, ils désirent des maisons, des écoles, des usines et des terrains. Vous verrez, c'est inévitable. Vous serez encore ici quand cela commencera. Voyez ce qui s'est passé en Chine malgré un gouvernement non capitaliste. Ce sera encore plus grandiose en Afrique.

Une nouvelle tolérance

Vous verrez également renaître une très vieille religion orientale et apparaître un respect sans précédent. Un jour viendra où l'idée de « tuer au nom de Dieu » sera considérée comme barbare. L'approche de cette religion orientale sera plutôt d'évangéliser en proposant des systèmes qui fonctionnent et des idées qui créent l'harmonie et s'attirent des adeptes.

La tolérance s'installera petit à petit, et ce, surtout parce que les jeunes deviendront les dirigeants. Ils auront un plan conceptuel très différent de la vieille énergie. Ils comprendront parfaitement que la violence n'instaure pas la paix. Les fondamentalistes de plusieurs autres religions qui ont fait jusqu'ici l'apologie de la violence s'apercevront en outre que celle-ci ne gagne plus d'adeptes. Seule l'harmonie en gagnera. Vous pensez que cela est tout à fait improbable, étant donné ce que vous voyez maintenant, n'est-ce pas ? Cela va se mettre à changer. Laissez faire le temps. Cependant, très chers, cela ne se réalisera pas sans le travail des travailleurs de la lumière.

Voici un dicton qui appartient à votre culture et que mon partenaire m'a appris : « *Ce qui se passe sous le capot, personne ne le voit.* » C'est votre œuvre. Plus vous éclairerez cette planète avec votre connaissance du Soi supérieur et de l'Akash, plus les autres pourront voir ce qui se trouvait précédemment dans l'obscurité. C'est ainsi que cela fonctionne depuis toujours, mais vous commencez tout juste à l'appliquer. Vous comprendrez alors pourquoi vous êtes ici.

Voici le début d'une nouvelle énergie, très chers, et c'est la raison de la présence de chacun et chacune d'entre vous ici. Écoutez-moi bien : pour certains, la dernière année a été horrible. Ceux et celles dont je parle ici se reconnaissent et je sais qui ils sont. Selon un vieux proverbe, « le fer aiguise le fer ». Comme sur l'enclume d'un forgeron martelant le fer quand il est rouge pour en faire un outil quand il sera refroidi, vous prenez forme. Cet outil servira ensuite à en fabriquer d'autres, et ainsi de suite, sans fin. Nous savons quelles difficultés vous avez traversées et nous vous félicitons d'avoir émergé de l'autre côté avec une lumière plus brillante qu'auparavant.

Une grande expérience de compassion pour 2009-2010

Kryeon, je pense que chaque individu sur cette planète devrait œuvrer dans l'humanitaire. En ce sens, j'aimerais réaliser un grand projet... enclencher un grand mouvement de compassion.

Je veux créer un réseau de 10 000 personnes qui émettront l'intention de créer ensemble un changement en ce monde au moyen de la compassion. Je pense sincèrement que c'est par l'entremise de la compassion que nous nous réunirons.

Je veux réunir dans une même intention 10 000 personnes qui auront pour mission de transformer la vie d'un million d'individus. Ce projet aurait pour but l'élévation de la conscience par l'action. Je vise tout d'abord les femmes et les enfants, afin qu'ils puissent retrouver leur pouvoir et leur dignité. D'autres projets suivront. Je me sens fortement appelée à intervenir, comme tant d'autres personnes en cette époque.

Je pense que tout mon lectorat – les gens qui lisent assidûment nos livres et les ouvrages de cette série – voudra participer. Par le réseau Internet, je pourrais en atteindre un très grand nombre. Tant de choses sont réalisables avec la bonne intention émise au bon moment…

J'ai le fort sentiment qu'un tel projet, dans l'énergie de 2009 et 2010, pourrait se réaliser et peut-être même exercer une certaine influence dans le monde. J'ai déjà commencé à intervenir, mais en grand nombre, ce serait tellement plus efficace! J'ai certainement l'audace d'espérer.

C'est une expérience de compassion, une intention du cœur. Je pense que le processus d'ascension n'est pas possible sans la présence de la compassion dans le cœur des gens. De plus, je me rends compte que cette expérience pourrait changer non seulement la vie des gens qui recevraient notre intention, mais encore davantage la nôtre, celle des participants. Je veux vraiment tenter cette expérience pour voir ce qu'un groupe de gens peut accomplir massivement. Une seule expérience avec une seule intention.

— *Kryeon, j'aimerais que vous émettiez un commentaire sur le pouvoir d'intention de 10 000 personnes unies en vue d'instaurer un changement. Quel serait le pouvoir d'un tel groupe? Je ne sais trop pourquoi, mais le nombre 10 000 me revient sans cesse. Est-ce que je vois trop grand? La nouvelle énergie est-elle prête à soutenir un tel projet?*

Est-il juste de dire qu'en réalité une telle expérience serait multipliée par 10 000 puisqu'elle serait soutenue par le Soi supérieur de tous ?

Tout à fait. C'est ainsi que cela fonctionne. Un « accélérateur » entre réellement en jeu quand plusieurs âmes humaines décident d'accomplir une telle action. La quantisation de l'intention crée une énergie d'amplification.

Ce projet t'est venu par ton propre processus d'évolution. Mais, encore une fois, toutes les décisions qui touchent le monde viennent de la pensée humaine, exactement comme celle-ci. L'énergie est prête désormais pour quelque chose de ce genre, mais tu auras tendance à procéder linéairement dans ta réflexion, comme organiser et penser à plusieurs choses en même temps. Cela peut te sembler la meilleure façon. D'autres l'ont fait ainsi, mais aujourd'hui tu te trouves dans une tout autre énergie, *une énergie non linéaire.*

Le temps est venu de former un groupe quantique dont les membres consacreront un « espace » de leur conscience à ce but, de manière à « s'identifier » à ce dernier. Il ne s'agit pas de programmer cette réalisation pour un moment précis, mais de la porter dans sa conscience. L'autre côté du voile œuvre avec vous par la magie du système des potentialités (encore une fois) unissant la pensée à la pensée et amplifiant l'intention d'un groupe dont les membres ne se connaissent pas entre eux, ne regardent pas l'heure pour assister à une réunion, mais s'entendent plutôt pour « être compatissants » à chaque instant qu'ils y pensent.

Mets ce groupe sur pied, Martine, et les gens viendront.

— *Passons-nous vraiment ici du travail « solitaire » au travail de groupe ? Est-ce un projet qui pourrait apprendre à tous à travailler ensemble sans être ensemble physiquement ? Ce projet me semble à la fois simple et compliqué. Je suis aussi anxieuse qu'excitée, mais je sais que je dois le faire.*

C'est précisément l'idée, très chère.

Les potentialités et les probabilités de 2010

— *L'année 2010 nous rapprochera-t-elle de la fin de la dualité ? D'ici là,
comment travailler sur cet aspect de nous-mêmes ? Par la compassion ?*

Selon notre perception à ce stade-ci, chaque année vous en rapproche,
mais comprenez bien qu'il s'agit d'un processus très lent. Voyez le temps
qu'il a fallu pour qu'un changement s'opère aux États-Unis. Certains affirment qu'il y a huit ans la conscience du leadership était entièrement différente. Tout ce temps fut nécessaire. Vous ne devez donc pas vous
attendre à un changement du jour au lendemain. C'est la compassion qui
en est la clé. Regardez le nouveau dirigeant (Obama) : sa nature compatissante et le contenu de ses discours séduisent son auditoire. Très peu de
dirigeants possèdent cette compassion essentielle. Plusieurs en parlent,
mais ne l'ont pas réellement. Lui, il l'a.

La compassion naît quand l'être est devenu plus quantique, qu'il a
regardé en lui et qu'il a posé la question suivante : « Dieu, êtes-vous réellement là ? » La réponse est nécessairement affirmative et toujours accompagnée d'un regain d'amour qui assure au demandeur qu'il a reçu une
réponse ! Ce qui s'ensuit avec le temps, c'est un accroissement de la compassion. Cela fait partie de l'évolution de la conscience. Regardez les
maîtres du passé : ils exprimaient tous de la compassion.

> *Je pense que nous sommes tous d'accord sur le fait que la conscience
> humaine s'en va où elle n'est jamais encore allée auparavant : dans la
> cinquième dimension. Mais elle n'est qu'une partie du mouvement.
> Chaque plante, chaque animal, chaque pierre ou chaque arbre est des-
> tiné à une plus grande lumière, à un nouveau programme de retour à
> la source primordiale.*

— *Est-ce à dire que tout être sensitif recevra un nouveau programme à
l'intérieur de sa famille biologique, ainsi qu'un nouvel hologramme
possédant une banque mémorielle différente ?*

Un « Grand Échéancier », un plan pour l'humanité, existe. Vous l'avez établi pour vous-mêmes ; il couvre la période allant de 1987 à 2025. C'est une période de 38 ans, un 11 en numérologie. Disons qu'il s'agit d'une reprogrammation complète de la nature humaine et de l'énergie de Gaia, en coordination avec la grille cristalline. Je vous en reparlerai bientôt.

La réponse à ta question est donc oui, mais cela se déroulera lentement, tout comme le changement de conscience dont vous avez été témoins lors de l'élection du nouveau président américain. Nul ne peut préciser à quel moment précis ce changement a eu lieu, car il est survenu lentement.

La banque mémorielle différente n'est pas nouvelle, mais elle commence à rappeler les éléments positifs contenus dans l'Akash et elle n'est plus dirigée par des éléments négatifs. Il s'agit d'une toute nouvelle direction pour l'humanité.

D'après mes constatations, 2009 sera une année de partenariat, mais aussi de continuation du lâcher-prise. Nous semblons être dans un perpétuel état de « ménage du printemps », mais je sens que 2010 nous permettra de comprendre beaucoup mieux la signification de cette transition.

— *Quelle est la plus grande potentialité que comporte pour nous l'année 2010 ? Dans le livre de l'an dernier,* 2009 — La Grande Transformation, *vous parliez d'un événement majeur susceptible de changer beaucoup de choses. Se produira-t-il au moment prévu ? Et qu'en est-il du Moyen-Orient ?*

Cet événement majeur est déjà survenu, et il a préparé le terrain pour 2010. Tu m'as déjà posé cette question, tu t'en souviens ? Cet événement a trait au nouveau président, mais il est survenu en 2008. L'équivalent numérologique de cette année-là est le 1, qui signifie « un nouveau début ». Tout se passe donc tel qu'il a été prévu.

L'année 2010 sera une année d'énergie catalytique. Oui, un événement aura lieu, et il générera de la compassion. Ne vous en inquiétez pas et n'essayez pas d'analyser mes paroles, car il ne s'agit là que d'une potentialité. Et si c'était d'ailleurs un événement positif ? Vous ne connaissez pas les potentialités. Ce qui se produira aidera à franchir une nouvelle étape au Moyen-Orient. Mais qui donc, Martine, t'a demandé de poser cette question ? Les potentialités sont parfois si évidentes qu'on les connaît avant les réponses !

Conclusion

— *Kryeon, je pense souvent à la phrase suivante : « Si vous désirez l'illumination, allumez votre lumière. » Cela nous ferait-il sortir de la dualité ?*

Chers phares, allumez-vous ! C'est de votre lumière que nous avons besoin. Quand un être humain s'examine, il crée de l'énergie. Cette énergie est « vue » par Gaia et par la grille cristalline, et son intention se rapporte collectivement à la planète. Cet effort « en temps réel » est nouveau depuis 2002 et il accélère le mode de création de la lumière par les humains sur la planète.

Qualifiez cela d'« énergie coopérative », si vous voulez, mais vous n'avez jamais eu de l'énergie sous cette forme auparavant. Vous amène-t-elle à sortir de la dualité ? Oui, si vous identifiez celle-ci à l'attribut lumière/obscurité de la vieille énergie. La lumière vous sort de l'ignorance. Elle fait voir aux gens la différence entre la mythologie religieuse et la conscience spirituelle de soi. C'est là le vrai combat que vous menez ; il consiste à apporter une nouvelle énergie à l'humanité d'une vieille énergie.

Ce livre s'écrit en 2009. L'année 2009 correspond à l'énergie du 11, et ce nombre maître signifie « illumination ». Il est composé de deux « 1 » juxtaposés. Le nombre 1 signifie « nouveau début ». Vous saisissez ? Ce n'est pas un hasard si nous parlons maintenant de créer l'illumination au moyen de la conscience de soi. Ce sera encore là le thème de mes enseignements pour les quelques prochaines années : « Transformez-vous… Transformez la planète. »

Soyez bénis.
Et il en est ainsi.

KRYEON

Deuxième partie

Le Haut Conseil de Sirius

*Les Conseils des planètes pacifiques
cherchent ensemble une façon de vous saluer
— d'entrer dans votre sphère —
sans créer de panique massive
et sans provoquer de réaction hostile.*

Message de Patricia Cori

Gaia, notre belle Terre Mère, vient d'entrer dans une phase de protestation violente. Apparemment, la manière « douce » n'a pas suffi à nous éveiller à ses besoins, car nous étions trop concentrés sur des désirs collectifs très précis dans notre course au matérialisme et au pouvoir, une course qui semble ne nous avoir conduits nulle part et qui nous a plutôt ramenés à nous-mêmes et à la quête du sens de la vie. Comme si nous devions toujours nous rendre jusqu'au bord du désastre avant d'agir collectivement pour régler le problème.

En ce moment de rébellion planétaire, Gaia a commencé à démontrer violemment à toute la communauté des vivants que nous voguons très certainement vers une situation d'une gravité sans précédent, voire insurmontable. Sous notre gouverne malavisée, la planète se trouve à l'heure actuelle dans un piètre état, luttant pour contrer les méfaits irréfléchis de l'humanité, son espèce la plus « intelligente ». Cela, nous ne pouvons plus le nier.

Nous assistons à tellement de détériorations – notre mode de vie, notre moralité, nos structures sociales, la nature elle-même. Souvent, ceux d'entre nous qui vivent depuis quelques décennies glorifient le passé, celui d'une époque où la vie semblait plus facile et moins « dangereuse ». Pourtant, au fond, ils savent bien qu'il s'agit d'une illusion. S'accrocher au passé et désirer retourner à ce que certains appellent « le bon vieux temps », c'est refuser de voir les énormes possibilités qui s'offrent à nous aujourd'hui ainsi que la beauté du maintenant.

À mon avis, c'est là l'essence même de la dualité. *D'un côté de l'esprit collectif polarisé, les ondes de l'émotion sont en résonance avec la peur de l'in-*

connu ; de l'autre, elles vibrent avec les hautes fréquences de l'émerveillement (devant ce que nous sommes capables de manifester) et de la célébration.

Certains fantasment sur le passé, ce prétendu « bon vieux temps » que nous avons connu, se raccrochant désespérément au souvenir d'une époque qui, dans leur esprit, ne pouvait être que « meilleure que celle-ci ». D'autres se projettent dans l'avenir, abandonnant leur responsabilité du monde présent et espérant qu'une quelconque baguette magique les libérera de leur empreinte karmique.

Voici la vérité : jamais, dans toute notre histoire connue, nous n'avons vécu une existence utopique sur la planète Terre. Il y a eu des moments de grandeur, où la volonté humaine s'est montrée à la hauteur des difficultés de la vie, tout comme il y a eu des moments de désespoir, où l'humanité a vu l'obscurité s'abattre sur son existence. Nous n'avons jamais enregistré de moments de tranquillité et de paix absolues aux quatre coins du globe, et il n'y en a sans doute jamais eu.

La nature même de l'expérience tridimensionnelle, l'univers physique, est celle d'une opposition (et attraction) polaire, d'une interaction électromagnétique et de tout le spectre des possibilités dans lesquelles le libre arbitre de chaque âme est perpétuellement confronté au choix entre l'obscurité et la lumière. C'est ce dont nous sommes venus faire l'expérience, ce que nous sommes venus apprendre. Et cela, camarades chercheurs, constitue le but ultime de notre vie, quelle que soit la mesure dans laquelle notre situation personnelle ou la réalité globale nous le dissimulent.

Choisir l'obscurité nous maintient simplement dans le cycle des réincarnations pendant autant de vies supplémentaires qu'il en faudra pour nous libérer et poursuivre notre ascension sur la spirale de lumière. De l'autre côté du pôle, choisir la lumière accélère notre progression dans le retour à la Source. Finalement, c'est si simple que cela nous échappe et que nous oscillons tels des pendules dans le monde de la dualité.

Il nous revient, à nous les âmes libres, de déterminer comment nous résoudrons aussi cette opposition polaire sur le plan terrestre. En tant que collectivité, nous avons l'occasion de faire entrer toute la planète dans la lumière, un processus que Gaia prépare actuellement. Toutefois, nous ne devons pas être passifs, car elle a besoin de notre aide pour effectuer ce passage le plus doucement possible et avec le plus d'amour possible dans le champ des probabilités par lesquelles nous trouvons à présent notre voie.

À ce moment de notre réalité explosive, nous ne nous rendons pas compte de l'urgence de la nécessité du changement ni du fait que la croissance spirituelle constitue notre avenir et que la mort que nous craignons tant n'est que l'un des moyens par lesquels nous expérimentons notre immortalité.

En entrant dans l'année 2010, nous sommes aux prises avec les difficultés extrêmes de notre époque : la destruction massive de nos écosystèmes, l'extinction de centaines de milliers d'espèces animales, l'« effondrement » financier mondial, et la guerre sur presque tous les plans.

Notre perception de ces changements détermine non seulement comment nous vivrons en tant que familles et individus, mais aussi comment nous expérimenterons ce qui nous attend au cours des années précédant la date fatidique de décembre 2012, ainsi que ce qui viendra après. Elle détermine ce que Gaia elle-même créera pour refléter notre éveil à nos propres créations, quelle que soit l'obscurité ou la lumière sous laquelle nous les manifesterons sur la Terre.

L'écroulement de l'ancien dont émergera le nouveau est à son paroxysme d'intensité. Ayant perdu notre quiétude, nous ne pouvons nous empêcher de remettre en question le sens de la vie – notre mission – et de prendre ensuite les mesures nécessaires pour guérir la planète à laquelle nous sommes en définitive dédiés et connectés.

En ce moment, nous sommes manipulés, gérés et dirigés dans une attitude mentale absolue de survie, de peur, d'isolement et d'obsession de la « pénurie ». Malheur et tristesse semblent balayer la race humaine entière, et pourtant, de l'autre côté du monde obscur de l'illusion, un très grand nombre d'individus prennent conscience non seulement du fonctionnement de ce mécanisme de contrôle, mais aussi de l'incroyable potentiel de changement qui s'offre à nous aujourd'hui.

Cela ne veut pas dire que nous sommes aveugles à la souffrance. Il est trop évident que plusieurs luttent uniquement pour survivre et que cette lutte, celle d'un monde étranger à la plupart d'entre nous, s'est à ce jour étendue jusqu'à notre propre espace – nos quartiers –, où nous, les privilégiés, avons grandement profité (et abusé) de l'abondante nourriture de la planète, de sa richesse et de ses ressources naturelles.

Ce que nous avons créé se trouve cette fois sous nos yeux et la plupart d'entre nous n'aiment pas ce qu'ils voient. La question à nous poser est la suivante : Sommes-nous assez honnêtes pour assumer la responsabilité du grand déséquilibre qui affecte notre monde ou blâmons-nous tous les autres de cet écroulement dont nous sommes témoins ?

Mon expérience incroyable comme *channel* du Haut Conseil de Sirius m'a appris plus qu'à quiconque l'importance pour nous tous d'accepter notre rôle dans le développement de notre réalité et de nous efforcer d'améliorer cette réalité, de la parfaire chaque jour de notre existence sur cette grande Terre.

Pour nous libérer des montagnes russes de l'expérience, où nous sommes en proie à la peur et au désespoir, nous avons l'occasion (à l'échelle mondiale) de le comprendre une fois pour toutes.

Nous inclinons-nous dans l'obéissance, en renonçant à tout ce que nous avons exigé de nos gouvernements : notre droit à la liberté d'esprit, de mouvement et d'expression ? Réussira-t-on à nous faire croire que nous sommes impuissants devant le changement ?

Ou bien restons-nous droits en unissant nos forces et en tendant la main aux autres pour les aider et partager ? Disons-nous ce que nous pensons comme nous ne l'avons peut-être jamais fait, sachant que c'est là le moyen de nous libérer vraiment ? Servons-nous les autres, comme chercheurs de lumière, en aidant ceux qui sont perdus à retrouver leur chemin ?

Ce sont là les questions de notre époque. C'est la voie conduisant à la résolution de la dualité, et notre plus belle occasion d'y parvenir. Vivons-la donc au maximum de notre pouvoir. Soyons chacun un Cœur, un Esprit et une Âme.

Patricia Cori,
scribe des porte-parole du Haut Conseil de Sirius

La transition d'un corps dense à un corps de lumière

Nous, les porte-parole du Haut Conseil de Sirius, faisons briller sur vous, au nom de tous les émissaires présents, la lumière d'innombrables êtres lumineux et nous nous réjouissons de cette occasion qui nous est offerte de nous joindre à vous de nouveau.

Selon mon expérience, il n'y a sans doute qu'une seule façon d'effectuer cette transition et c'est en éveillant notre corps de lumière ou notre ADN spirituel. D'après mes recherches, l'ADN spirituel est le canevas de la mission existentielle et des potentialités divines de chaque âme. Notre ADN à deux brins ne peut soutenir adéquatement le champ d'énergie multidimensionnel qui va bientôt s'installer. Cet ADN spirituel constitue l'image énergétique de notre ADN physique et il spirale énergétiquement selon des schèmes spécifiques et uniques à chaque âme. Il semble que l'on ne puisse en activer le potentiel que par la connaissance du fonctionnement de certaines glandes, principalement le thymus, lequel est considéré comme le siège de l'âme et est en interaction avec les glandes pinéale et pituitaire.

Ce qui m'intéresse aujourd'hui, c'est l'information selon laquelle l'activation adéquate de ces glandes et leur unification permettent la production du soma, l'hormone divine ou spirituelle.

— Pourriez-vous nous parler davantage de cette glande, le soma ?

Nous commenterons d'abord ces observations en affirmant qu'il existe plus d'une façon d'activer votre ADN latent et que vous êtes toujours en mesure, avec ou sans une profonde connaissance du système endocrinien et des réactions chimiques qui ont lieu dans le cerveau et dans l'esprit, de modifier votre corps de lumière par la focalisation de la volonté et par l'expansion inconditionnelle du cœur.

Selon notre expérience, les plus grands progrès de la conscience (et la réactivation de l'ADN humain en est certainement un) s'obtiennent par l'esprit intuitif, « psychique », plutôt que par le processus analytique de l'esprit rationnel.

Par soma, vous entendez l'hormone produite naturellement par le système endocrinien humain, dont la glande pinéale est le maître régulateur à la fois de la lumière physique et de la lumière spirituelle pénétrant dans le corps physique et dans le champ aurique. Permettez-nous toutefois de faire la distinction suivante : il ne s'agit pas d'une glande, comme vous l'avez affirmé, mais plutôt d'une sécrétion chimique produite par la glande pinéale et distribuée dans les régions du cerveau qui entourent la cavité remplie de fluides protecteurs dans laquelle est logée la glande pinéale. De là, cette sécrétion est transportée par les neurotransmetteurs dans tout le champ d'unités de conscience biologiquement interactives issu de la lumière dans laquelle baigne l'âme.

Par conséquent, nous désirons établir la distinction entre la glande pinéale elle-même et l'hormone dont vous parlez ici, le soma, que la glande pinéale sécrète dans le cerveau humain avec la sérotonine et qui est ensuite transporté par les voies neuronales.

Vos ascètes et vos chercheurs spirituels ont raison de donner le nom de « troisième œil » à la glande pinéale, car c'est exactement ce qu'elle est : un véritable troisième œil physique qui ne regarde pas le monde sensible dans lequel vous évoluez pour votre expérience physique, mais plutôt la Lumière de l'Esprit, et qui (par les sécrétions somatiques) communique cette lumière à tout l'être.

La désactivation de dix des douze brins de l'ADN originel du corps de lumière a empêché l'*Homo sapiens* d'atteindre l'état perpétuel de conscience supérieure qui active cet œil spirituel. Nous en avons traité dans les ouvrages précédents. La glande maîtresse, ou l'Œil spirituel, sera pleinement fonctionnelle lorsque les douze brins de l'ADN originel auront été réactivés, un processus qui est déjà enclenché chez plusieurs d'entre vous en cette période de rapide évolution planétaire et spirituelle.

L'essence chimique du soma, sécrétée dans les neurorécepteurs, porte le souvenir de la conscience pleinement activée et intégrée de votre corps de lumière, lequel souvenir est gravé dans la cellule souche de votre glande pinéale. Quand vous méditez, vous priez et vous aimez au pur niveau du cœur, le soma est produit en plus grande quantité, causant un état de conscience profonde, une vision au-delà du domaine sensible ainsi que des expériences hallucinatoires d'une intensité extatique. Vous accédez ainsi à des mondes parallèles et à des dimensions supérieures où vous pouvez observer des entités conscientes appartenant à d'autres sphères et communiquer avec elles.

L'effet de ces sécrétions chimiques est accéléré par les neurotransmetteurs et les connexions synaptiques, dont les circuits complexes relient la glande pinéale à tout le système nerveux et endocrinien, créant dans le corps physique et le corps spirituel diverses réactions qu'il est possible de considérer comme des « validations corporelles » d'impressions psychiques.

— *Nous est-il possible d'activer cette glande à ce stade-ci ?*

Le processus d'activation de la glande pinéale est inextricablement lié à l'activation du troisième brin de lumière de l'ADN, qui crée une triangulation au niveau cellulaire.

Ce processus produit de lui-même à l'intérieur de la glande pinéale une impulsion neurologique suscitant un afflux de sécrétions somatiques dans le réseau neuronal et augmentant la lumière spirituelle dans le cerveau et le corps.

Cependant, il faut noter que les maîtres et les praticiens spirituels accomplis sont capables de provoquer l'illumination de la glande pinéale, avec déversement subséquent de l'hormone somatique et d'autres substances extatiques depuis la lumière supérieure de l'esprit humain, au moyen des pratiques de haute concentration que sont la méditation, le tantra et la contemplation.

— *Cette hormone développerait-elle notre pouvoir intérieur de transmuter notre ADN à deux brins hélicoïdaux en notre ADN originel à douze brins?*

L'afflux temporaire de soma dans le cerveau (provoqué par la méditation, la prière ou les pratiques tantriques), combiné à une concentration exceptionnelle de l'esprit et à d'autres pratiques, accélère définitivement le processus d'activation.

La supraconductivité de l'hormone, interagissant avec les eaux intracellulaires et extracellulaires, altère la capacité électromagnétique de chaque cellule, permettant ainsi aux vibrations supérieures de la lumière spirituelle de créer la géométrie sacrée à l'intérieur du corps, aux niveaux cellulaire et subatomique.

Nous vous rappelons que les toxines présentes dans votre eau potable et votre alimentation, particulièrement celle qui porte le nom de «fluor», causent une rapide calcification de la glande pinéale et sont donc de sérieux inhibiteurs du processus. C'est pourquoi nous recommandons, à ceux qui recherchent l'accélération du processus d'activation, d'être extrêmement conscients des composés chimiques cristallisés qu'ils ingèrent comme «nourriture». Et c'est sans compter l'eau qui, remplie de substances nocives, nuit au processus.

Le fluor, entre autres, forme un résidu poudreux dans la glande, ce qui n'est pas du tout dans votre intérêt. Nous vous laissons imaginer pourquoi on vous l'impose dans votre eau potable et dans votre matériel hygiénique, et nous vous recommandons d'examiner la chose de plus près.

De plus, les schèmes de pensée toxiques, qui génèrent des courants d'énergie inharmonieux, nuisent au flux du soma.

— *S'il en est ainsi, comment pouvons-nous l'activer?*

À ce stade de la contribution évolutionnaire de la Terre à l'ascension de votre soleil, nous remarquons que les énergies qui imprègnent la planète peuvent vous aider à réactiver six brins d'ADN, un matériel qui se trouve en vous, dans l'attente que vous créiez consciemment les chemins de lumière magnétiques qui le ramèneront à sa matrice énergétique originelle en fonctionnement.

Quelle que soit la guidance qui vous est offerte à l'heure actuelle (et plusieurs maîtres vous proposent diverses méthodes), ce processus d'activation n'aura lieu que lorsque vous aurez l'intention de libérer l'ombre de votre corps émotionnel et de réduire au silence l'ego lui-même. Il aura lieu quand vous serez capables de concentrer votre esprit si parfaitement que vous pourrez créer par l'intention consciente les courants de lumière qui feront revenir à son cadre magnétique originel le matériel d'ADN ayant été déplacé.

La pleine activation du système d'ADN à douze brins, la Grille christique, sera potentialisée au moment de votre ascension planétaire.

— *Une partie de cet éveil s'accomplit-elle automatiquement en raison de l'élévation de la vibration planétaire et de la transformation déjà en cours ?*

Oui, sans le moindre doute. Gaia, un être vivant conscient, reçoit maintenant des ondes de lumière photonique dans son propre phare central, le point d'entrée de la lumière spirituelle qui brille au-delà de la lumière physique de Râ, votre soleil.

Ce puissant point d'absorption par où le flux de conscience galactique entre à l'intérieur de la Terre est plus aigu sur le plateau de Gizeh. Votre soleil, un être céleste brillant, reçoit les ondes des fleuves cosmiques de lumière photonique pénétrant dans votre quadrant de la galaxie et ce flux est ensuite filtré jusqu'aux planètes qui forment le corps de Râ. Il se déverse dans Gaia à cet endroit précis, comme si cette région était un conducteur magnétique vers le soleil électrique.

Alors que cela se produit, la Terre et les autres déités planétaires de votre système solaire reçoivent simultanément les ondes supérieures de la conscience universelle en changement évolutif à tous les niveaux. Elles imprègnent votre environnement galactique et s'écoulent en tous les êtres vivants présents dans ce champ, à la fois sur la Terre et dans le corps de toutes les déités stellaires dont la lumière engendre une vie abondante.

— *Comment ce réalignement agit-il sur les gens qui n'en sont pas conscients ?*

Chaque unité de conscience existant dans le cosmos est liée à toutes les autres, qu'elle soit consciente de l'Unité ou qu'elle ait choisi de perpétuer son état d'isolement et de séparation.

La conscience de votre accélération en tant qu'espèce – vous, les habitants de la Terre – est beaucoup plus importante que vos préoccupations quant à votre progrès individuel ou à vos expériences spirituelles.

Ceux d'entre vous qui s'efforcent d'atteindre un but supérieur et de comprendre le pourquoi du passage de tous les êtres vivants par tant de cycles de vie sont, par la nature même de cet éveil, conscients de votre accélération planétaire vers l'aube de l'humanité éveillée.

Ceux qui sont plutôt concentrés sur leurs réalisations individuelles sans se soucier de l'ensemble de la conscience sentiront néanmoins une accélération et pourront très bien connaître des moments d'illumination. Cependant, puisque ces individus ne sont pas reliés au plan supérieur, ces moments resteront précaires pour eux, car c'est l'épanchement de l'amour inconditionnel pour TOUS LES ÊTRES et l'euphorie de cette conscience collective qui illuminent le phare de l'âme.

Il y a aussi tous ces autres qui désirent suivre les zones sombres de l'émotion humaine. Aucune activité cosmique – aucun quantum d'amour et de lumière – ne peut modifier la destinée d'un individu qui a choisi de souffrir. Ces individus ont déjà l'intention déterminée de s'accrocher au monde matériel, d'en profiter au maximum et de l'abandonner quand ils s'en seront contentés sur tous les plans. Même ceux qui subissent une grande souffrance et un manque extrême sans comprendre pourquoi choisissent cette destinée.

Nous vous rappelons que cela ne se passe pas uniquement sur votre corps planétaire, mais aussi sur d'autres unités de votre système solaire.

— *Lorsque l'activation du corps de lumière sera achevée, le Soi supérieur pourra-t-il « télécharger » et fixer en permanence la grille complète d'ADN/ARN, composée de 64 sceaux distincts à l'intérieur de tous nos chakras ?*

Dans la vastitude du multivers aux possibilités infinies, il n'y a pas de moment d'achèvement comme tel dans le processus d'éveil du corps de lumière. Nous ne cessons jamais d'activer ce dernier. Nous continuons à raffiner notre conscience jusqu'au retour fusionnel à la Lumière divine. C'est un processus aussi pérenne que le flux de lumière dans tout le cosmos. L'âme s'élève dans la spirale de lumière en cherchant à retourner à la Source – *tout ce qui est.*

Même le moment de ce retour n'est pas « fini » puisque nous existons comme lumière éternelle dans cette brillance incommensurable.

Ce qui est important maintenant pour vous tous, c'est de comprendre que votre expérience est sans fin, qu'il n'y a pas de pinacle à atteindre. Ces « valeurs » de réalisation et d'arrivée sont illusoires et ne sont que le reflet de la dimension où vous êtes toujours en résonance. Le véritable secret de la maîtrise spirituelle réside dans la compréhension que chaque étape est tout aussi importante et tout aussi belle que les suivantes.

Si l'on manque les grands moments du voyage, comment pourrait-on en reconnaître le point d'arrivée ?

En ce qui concerne la fixation de votre ADN, sachez que vous êtes capables de maîtrise à chaque instant de votre existence dans le monde physique où vous êtes actuellement en résonance et que tous les matériaux, tous les codes et toute l'information existent DÉJÀ en vous.

Avec les courants d'énergie cosmique se déplaçant dans votre sphère galactique et l'effet qu'ils produisent sur la grille électromagnétique intrusive qui a été jetée autour de votre planète par des forces invasives, l'accélération du processus vous est facilitée à l'échelle cosmique. Le déclin de cette grille permet à davantage d'êtres de lumière de la traverser, ce qui se produit maintenant sur plusieurs plans (dont certains sont accessibles à votre conscience tandis que d'autres vous sont encore imperceptibles).

Nous vous rappelons que c'est vous qui déterminez, en vertu du libre arbitre dont vous disposez dans votre expérience terrestre, la richesse de celle-ci. Vous concentrerez-vous sur ce qui se trouve en avant de vous, sur ce qui vous manque et que vous désirez, ou bien célébrerez-vous chaque moment, les petites étapes apparemment insignifiantes comme les énormes progrès auxquels vous aspirez ?

— *Dans quelle dimension le corps est-il apte à le faire ? Les maîtres ascensionnés y tiennent-ils un rôle ?*

Vous possédez en ce moment les outils nécessaires pour amorcer le processus d'activation du corps de lumière. Cependant, étant donné l'intensité de la polarisation des champs magnétiques de la Terre, la réactivation des douze brins – ce qui constitue la Conscience christique – ne pourra pas se produire tant que vous n'en serez pas rendus à franchir la ligne de l'ascension.

Ce processus, vous le créerez en vous quand vous aurez compris que vous êtes vous-mêmes les maîtres, les esprits souverains et la lumière. Vous bénéficierez aussi des émissions d'énergie accélérées de votre déité planétaire Gaia.

— *Toute information supplémentaire sur le soma ou sur l'activation des glandes concernées serait grandement appréciée.*

Le processus d'activation de l'ADN commence par l'assemblage ou la réorganisation d'un troisième brin de lumière. Cela peut s'accomplir par la méditation profonde et par un état altéré de conscience, avec des guides appropriés, ou seuls – pour ceux qui sont capables d'une extrême concentration et d'un état de méditation profonde auto-induit.

Nous vous avons fourni du matériel afin que vous puissiez utiliser notre voix si vous le désirez.

Une fois que le troisième brin sera activé, ce qui créera une immense énergie dans la glande pinéale, la triangulation (la forme sacrée sur laquelle sera fondé le reste du recouvrement de l'ADN) se formera dans le noyau de toutes les unités cellulaires de votre être.

La géométrie dynamique de cette structure triangulaire de l'ADN envoie dans le cerveau des charges de champs électromagnétiques, quelque chose de très similaire aux éclairs, perpétuant ainsi l'activation de la glande pinéale et la production du soma.

D'après ce que je comprends de cette transition planétaire, elle est avant tout une intention divine suscitée par un but collectif de l'univers et de l'humanité d'accélérer l'évolution de la vie et de la conscience. Cette expérience vise entre autres à corriger une situation créée en Atlantide il y a des milliers d'années, mais qui a dérapé. De concert avec la Fraternité de lumière, les Siriens et les Pléiadiens en sont les acteurs clés.

Il semble que les Pléiadiens aient pour tâche de focaliser de l'énergie dans le cœur humain alors que les Siriens se concentrent sur la géométrie du corps physique, le corps de lumière. Nous avons besoin des deux pour passer d'une dimension à l'autre.

— Cette perception est-elle exacte ?

Dans les dimensions supérieures, où l'obscurité s'estompe et la lumière de l'Être suprême brille à travers la brume des vibrations ralenties, tout filtre à travers le Cœur unique. C'est la fonction de tous les êtres de lumière de faire briller l'amour inconditionnel de la Source dans les eaux pures du Cosmos de l'âme, ce flux universel de lumière et d'amour émanant du cœur et de l'âme de chaque vivant. Cette expérience n'est pas limitée à ceux qui sont en résonance dans la cinquième densité ou dimension.

De notre poste du champ de conscience que vous appelez la sixième dimension, nous sommes conscients des proportions cosmométriques et des rapports numérologiques dynamiques existant entre toutes choses, toutes réalités, toutes dimensions. Même dans l'obscurité d'autres sphères, il existe des motifs de proportions divines reconnaissables. Ce sont de magnifiques motifs de lumière se réfractant à travers les dimensions et brillant dans la densité de l'univers physique.

Tout cela – la beauté, l'amour et la lumière des codes sacrés de conception universelle – relie entre eux tous les univers, toutes les galaxies, toutes les densités, toutes les réalités, même si l'illusion de la séparation le voile aux non-initiés.

Les événements évolutionnaires de votre monde – dont vous évoquez l'accélération – sont avant tout un reflet de la préparation de votre déité solaire à sa libération des limites de l'univers physique, et non, comme vous semblez le croire, une « correction » du karma passé.

Il importe de reconnaître que Gaia est un aspect de votre soleil et que son processus et le vôtre reflètent l'évolution de la déité solaire.

Ceux qui observent l'éveil de la Terre ne peuvent résoudre le karma qui a été créé par des événements passés et ils ne voudraient jamais intervenir dans cette expérience. Nous sommes des participants de la célébration de l'esprit qui s'élève, ce qui inclut l'esprit de Râ, votre déité solaire. Nous sommes des observateurs guidant ceux qui le désirent, mais nous n'avons pas à corriger, à juger ni à résoudre vos créations karmiques.

Nous savons par expérience que même nos dons, destinés à libérer l'humanité de ses limites, se retournent inévitablement contre vous entre les mains de ceux qui en utilisent les pouvoirs pour vous dominer. C'est pourquoi nous les avons « retirés » de votre monde en attendant l'apogée de l'éveil conscient, un moment qui suivra cette époque de déblayage et de libération.

— Est-il exact de dire que les Siriens ont créé un hologramme particulier pour la planète Terre, soit une réalité contextuelle nous permettant de mieux comprendre ce qui se passe ?

De notre position avantageuse, nous voyons la Terre et tous les corps célestes comme des organismes vivants, des êtres conscients ayant à remplir et à manifester une mission animique très particulière et très importante.

Gaia et les autres déités planétaires comprises dans votre système solaire émettent d'énormes champs d'énergie consciente qui imprègnent l'environnement planétaire et entrent ensuite en interaction avec les planètes congruentes qui jouissent de votre espace cosmique.

Nous n'avons pas créé pour vous des champs illusoires. Votre planète, Gaia, est votre enseignante. Un seul hologramme d'origine sirienne demeure dans les codes terrestres, et il s'agit du vortex où nous gardons le treizième crâne de cristal de l'Atlantide, qui sera bientôt révélé à l'humanité.

Ceux parmi vous qui prêtent attention, qui écoutent la musique cosmique, peuvent comprendre exactement ce qui se passe. Ceux qui dorment encore, qui cèdent à la peur et aux émotions humaines inférieures, ont encore à comprendre à quel point il est douloureux d'abandonner vos systèmes inopérants et de vous dégager de vos chaînes avant de réaliser votre libération.

Et vous la réaliserez, n'en doutez pas…

Comprendre nos contreparties spirituelles

Je m'interrogeais sur notre famille d'âmes qui se trouve de l'autre côté du voile. Elle compte bien des centaines ou des milliers de membres, mais il existe un « noyau familial », un groupe beaucoup plus restreint dans lequel nous choisissons de nous réincarner constamment. Avec ce groupe, nous partageons la connaissance, les expériences, et nous construisons une mémoire. C'est notre famille réelle, céleste et divine, avec laquelle nous nous réincarnons depuis que nous avons été créés en tant qu'âmes. Aujourd'hui, j'aimerais parler de ce « noyau » familial.

— *Comment les expériences que nous vivons ici, sur la Terre, exercent-elles une action sur le « noyau » familial, et d'où viennent les membres de ce noyau ? Par exemple, venons-nous tous de la même planète ou du même univers ?*

Les âmes faisant partie d'un groupe ne sont pas unies par leur lieu d'origine, mais par leur intention. Comme ceux qui s'éveillent le comprennent peu à peu, les univers, par les révélations évolutives de la physique cosmique (par opposition à la physique terrestre), sont des reflets les uns des autres, et vous pouvez – en fait, vous le faites souvent – exister dans des réalités simultanées, c'est-à-dire des univers, des « temps » et des dimensions parallèles.

En avançant dans l'existence dont vous avez choisi de faire l'expérience sur cette planète, vous créez peut-être une autre issue, une « réalité possible » dans un autre univers ou une autre réalité qui, par la nature des aspects réflectifs de la lumière voyageant dans l'océan cosmique infini, sera très similaire à celle de votre vie terrestre. Vous avez l'impression d'exister uniquement là, et pourtant vous voyagez constamment dans ces autres réalités quand vous dormez, vous méditez ou vous « rêvassez ».

Alors que tous les êtres conscients voyagent dans la spirale de lumière, il y en a (ceux que vous appelez le « noyau familial ») qui sont en résonance avec l'intégrité spirituelle de votre âme et avec la musique qui en émane alors qu'elle passe de la densité à la lumière. Ils sont peut-être simplement en avant de vous, comme nous le sommes par rapport à la race humaine, vous guidant alors que vous vous élevez hors de l'obscurité, ou ils sont peut-être derrière vous, attendant que vous leur tendiez une main secourable.

Ils sont peut-être humains comme vous ou peut-être d'une tout autre espèce. Ce qui vous lie, c'est la musique, cette vibration et cette intention que votre âme a déterminées comme schèmes pour expérimenter la conscience du « Je Suis ». Ce qui vous unit, c'est l'amour inconditionnel.

— *Je crois comprendre que les membres de notre noyau familial ne se réincarnent pas tous au même moment. Certains demeurent de l'autre côté et nous servent de groupe de soutien. En ce moment, certains s'incarnent-ils sur d'autres planètes que la Terre, ou bien l'expérience a-t-elle lieu principalement sur notre planète ?*

Vous vous unissez aux âmes du groupe tout au long de votre vie physique et au-delà. Sachez qu'au moment de passer d'une vie à une autre par la réincarnation, vous êtes aidés. Que lorsque vous vous reposez entre deux vies, vous êtes guidés par des âmes qui sont en résonance avec vous. Et comme vous pouvez bien l'imaginer, vous partagerez l'expérience merveilleuse de l'ascension collective que vous allez bientôt connaître avec toutes les âmes qui, comme vous, ont choisi, avant d'entrer dans cette vie-ci, d'y participer.

Bien que « l'autre côté » vous paraisse présentement très loin, sachez qu'il est aussi près de vous que l'air est proche des dauphins qui dansent sur les vagues de l'océan, tissant leur musique dans le courant, sautant à volonté au-delà de l'eau et rapportant cette expérience dans leur chant.

— *Comment l'information et le savoir se communiquent-ils entre les membres du noyau familial ? Pendant le sommeil ?*

Ils voyagent sur des ondes de conscience qui transcendent le temps, le lieu et l'espace. La communication n'est pas limitée à la longueur d'onde particulière sur laquelle vous opérez.

Dans cet état que vous appelez l'émission d'ondes « delta » et dans le calme mental des fréquences « thêta », moins de stimuli sur le plan conscient interfèrent avec les émissions de votre esprit. Néanmoins, vous êtes manifestement capables alors d'envoyer des pensées et des émotions dans toutes les dimensions, et d'en recevoir.

La pensée est la pulsion primordiale des vibrations universelles. Il y a d'abord la pensée, l'intention consciente, puis le son, l'onde. Et après, il y a la manifestation, que ce soit dans le monde physique ou au-delà.

— Arrive-t-il parfois qu'une famille d'âmes « fournisse » ou participe à la solution d'un problème de l'un de ses membres pendant son incarnation, ou bien cette solution ne peut-elle provenir que de ses guides ou de son Soi supérieur ?

Très chère, comme nous souhaitons que vous compreniez tous que personne ne peut fournir de solutions à vos difficultés, puisque ces dernières sont la manifestation de votre propre système de croyances ! Chaque âme est propriétaire de chaque aspect de l'illusion ou de la clarté. Cette recherche du bonheur et de l'illumination devient plus facile quand on réalise que personne ne peut s'ajuster à la réalité de quelqu'un d'autre ni trouver de réponses à ce que cet autre perçoit comme des « problèmes ».

Il fait partie de votre processus d'évolution de créer de telles disharmonies. Dans l'univers matériel, l'âme est confrontée à une quantité considérable d'obscurité, soit à l'absence ou à la suppression de lumière. Il s'agit de schèmes que vous avez créés pour apprendre la signification de l'existence ainsi que de votre droit souverain et de votre responsabilité de les modifier au rythme que vous désirez, pour laisser entrer davantage de lumière dans votre cœur.

Que vous l'appeliez le « Soi supérieur » ou que vous le conceviez comme un aspect de votre conscience d'être physique vivant sur la Terre, vous êtes ici pour apprendre, au cours de cette existence, que vous êtes le créateur de tout : les joies, les souffrances, l'abandon. Tout cela est le processus de l'âme qui s'élève plus haut.

Vos guides sont là pour vous aider à reconnaître les virages de votre route, mais ils n'interviennent jamais dans votre voyage de réalisation de soi et d'éveil à la pureté de l'amour inconditionnel. Vous l'apprenez en pardonnant et en acceptant les obstacles, en pardonnant et en acceptant les autres qui paraissent faire obstruction à votre quête de bonheur et d'éveil, et en assumant la responsabilité de tout ce qui survient au cours du processus.

— En tant que « famille céleste », avons-nous un but commun ?

Tous les êtres ont pour but d'escalader la spirale de lumière et d'aider ensuite les autres à le faire. Certains veulent boire longtemps et insatiablement l'obscurité des plaisirs matériels, tandis que d'autres désirent accélérer leur voyage afin de connaître la brillance de l'amour se dévoilant. C'est l'expérience commune de toutes les unités de conscience, du règne minéral – où de brillantes matrices cristallines reflètent l'intention de manifester la beauté – aux espèces les plus évoluées de votre expérience terrestre, c'est-à-dire les humains, les grandes baleines et les dauphins.

Votre expérience personnelle vous procure plusieurs indices de la conscience partagée par votre groupe.

— Y a-t-il des membres de notre « famille d'âmes » qui vivent une vie future ?

Vous coexistez au « futur » comme au « passé » et vous finirez par reconnaître, en vous élevant dans la spirale, que ce ne sont là que des aspects illusoires de votre existence dans l'univers physique.

— S'ils forment un groupe de soutien, pouvons-nous travailler avec eux de la même manière qu'avec nos guides ?

Davantage qu'une structure de soutien, le noyau familial dont vous parlez est un groupe d'âmes travaillant dans le même contexte vibratoire que vous dans cette existence-ci. Parce que vous n'êtes pas limités à ce qui apparaît comme un « fuseau horaire » à votre esprit rationnel à l'état d'éveil, vous pouvez – et d'ailleurs vous le faites – vous déplacer dans divers champs énergétiques pour vous connecter à ces âmes apparentées.

Contrairement à vos guides, qui sont en service absolu, les individus d'un groupe d'âmes travaillent dans des réalités similaires à la vôtre, et vous recueillez des vérités de leur expérience tout comme ils en recueillent de la vôtre. Cela se produit même si vous ne vous reliez pas à eux consciemment, car ils sont en résonance vibratoire avec vous, quels que soient la dimension et le lieu du continuum spatiotemporel où ils se trouvent.

Évidemment, l'intention consciente de vous connecter à eux ouvre le canal de la communication !

Je vois notre famille d'âmes comme des collègues étudiants voyageant ensemble, mais liés émotionnellement. Nos guides sont des êtres appartenant à des dimensions supérieures. Ils se sont incarnés plusieurs fois, mais ne s'incarnent plus. Ils ne sont pas liés à nous émotionnellement, et leur mission consiste à travailler avec notre Soi supérieur pour nous aider à atteindre notre but.

Notre Soi supérieur est un aspect intégré et plus intime de nous-mêmes qui demeure conscient de tout l'être sur plusieurs plans de réalité. Il est conscient de cette vie-ci, mais aussi de toutes les autres qui sont vécues simultanément, qu'il s'agisse de vies passées ou futures. C'est comme une goutte d'eau dans un étang. On peut être conscient d'une goutte, mais celle-ci s'intègre parfaitement à l'étang comme dans un champ unifié. Le Soi supérieur est le gestionnaire de notre existence et de nos leçons de vie, car il voit l'ensemble.

— *Si tous ceux et celles qui lisent ces lignes émettaient l'intention de communiquer avec leur Soi supérieur, leurs guides, ou leur famille d'âmes et fournissaient l'effort nécessaire pour y parvenir, quel en serait l'effet sur cette grande expérience ?*

Pour employer ton image de la goutte d'eau dans un étang, disons que l'individu désireux de travailler sur un plan supérieur crée une infime ondulation dans l'océan cosmique. Par contre, l'intention collective d'élever la conscience au-dessus de la mentalité de peur et de manque dont vous êtes victimes, afin d'atteindre la connaissance de votre but supérieur, créerait de gigantesques vagues de lumière se déplaçant dans l'univers, suscitant la purification et la résolution d'une grande partie de la disharmonie qui semble « s'attacher » à la matière.

— *Cela aurait-il des conséquences sur le plan des forces obscures, dont le but est de nous garder le plus longtemps possible à l'écart de notre héritage galactique ?*

Quand des êtres conscients ne réagissent plus sur le plan de la survie animale – où l'interaction mutuelle est basée sur l'égoïsme, la peur et l'entêtement –, les forces obscures n'ont plus aucun moyen de les dominer. Dans la lumière de votre Cœur unique, où vous constituez une collectivité désintéressée et centrée sur le cœur, rien ne peut vous entraver.

Quant aux actuels dirigeants de votre planète qui ont l'intention de vous empêcher de participer à la réunion, sachez qu'ils ignorent que le temps de votre condition d'orphelins achève et qu'ils n'y peuvent rien. Ils cherchent des méthodes pour avoir une mainmise sur vous quand cela deviendra réalité et que toute la race humaine et tout le règne animal seront les bienvenus dans la grande Famille des êtres conscients.

Vos faux dirigeants, déterminés à abaisser les vibrations de votre monde, ne peuvent créer parmi vous l'illusion du désespoir et de l'impuissance que si vous vous permettez de croire le tissu de mensonges qu'ils vous servent.

Ceux d'entre vous qui s'éveillent savent que, quoi qu'il leur arrive dans le paysage tridimensionnel de l'illusion, ils font route vers une aube nouvelle. Ils sont confiants de cheminer sur une voie supérieure, d'y être guidés par la lumière de leur âme collective, et ils savent qu'ils sont éternels, beaux et libres.

— *Cette communication ne serait-elle pas l'un des meilleurs moyens de mettre fin à la dualité ?*

Tant que vous existerez dans le monde physique, vous serez aux prises avec la dualité sous diverses formes. Celle-ci est encodée dans votre ADN, avec ses aspects duels d'électromagnétisme. Ces aspects polaires sont nécessaires au monde physique, car ils le définissent de plusieurs manières. Sans des teintes d'obscurité, vous ne pouvez voir la forme, car elle ne peut apparaître dans le blanc de la pure lumière.

Imaginez l'arc-en-ciel qui vous inspire tellement et que vous admirez. Il apparaît quand l'obscurité rencontre la lumière.

Nous croyons, Martine, que tu t'inquiètes surtout de l'extrême polarité qui domine actuellement la condition humaine. Au moment où des changements énergétiques d'une grande intensité se produisent dans votre galaxie, l'esprit humain sombre dans le désespoir et dans une impression obsessive d'inutilité, ou bien, comme toi, il perçoit beaucoup plus clairement le chemin de l'Esprit.

Vous épurez cette dualité, mais elle ne disparaît pas complètement… Cependant, l'arrivée d'extraterrestres sera définitivement un énorme catalyseur de votre libération de l'extrême polarité des actuels événements terrestres ainsi que de votre sentiment de séparation, d'isolement et de peur.

Le pyramidion sur la Grande Pyramide

Selon les informations que j'ai recueillies ici et là, il semble qu'au sommet de la Grande Pyramide se trouvait un pyramidion en or d'un mètre et demi d'épaisseur et de huit mètres et demi de longueur, originellement blanc, qui servait de point focal pour les connexions énergétiques avec l'univers. Il serait actuellement enfoui profondément sous terre, en sept pièces détachées, une sur chaque continent. Entre autres, il y en aurait une au lac Louise, au Canada, une autre près du lac Titicaca, au Pérou, et une autre près d'Ayers Rock, en Australie.

— *Quelle est la vérité à ce sujet ?*

Nous ne partageons pas la vision que tu en as, mais nous pouvons confirmer qu'un puissant conducteur électromagnétique ornait originellement la Grande Pyramide de Gizeh. Il n'était pas en or, mais en orichalque, le minerai le plus subtil et le plus conducteur qui ait jamais existé sur la planète et qui était utilisé pour la création de la plupart des réseaux énergétiques et des temples atlantes.

Ce minerai fut créé à l'époque par une transmutation alchimique inconnue de votre civilisation actuelle. C'était un don des forces supérieures à votre monde, les enseignants des gardiens de la sagesse de l'Atlantide, qui prévoyaient un retour de l'âge d'or de l'homme sur votre planète, il y a des milliers d'années. Cet âge d'illumination fut marqué par la construction de la Grande Pyramide.

Plusieurs cristaux laser furent placés sous cette structure, à différents angles, tout comme les puits de la structure de la pyramide, pour être alignés sur les divers systèmes stellaires.

La chape d'orichalque et la matrice de cristal servaient à épurer le flux d'énergie cosmique entrant dans la Terre, dans la région de Gizeh, le transformant en un courant énergétique utilisable pour maintenir l'équilibre de toute la grille énergétique de Gaia et pour illuminer le monde intérieur de la cité d'Agarta.

Contrairement à ce que certains pensent, ce pyramidion n'est pas caché en plusieurs morceaux dispersés sur la Terre. Il a été délibérément détruit il y a plusieurs milliers d'années, la Fédération galactique ayant jugé qu'il s'agissait d'une technologie trop puissante pour un monde retombé dans le chaos et la violence aux derniers temps de l'Atlantide.

En outre, il ne sera pas rapporté sur la Terre. Il appartient à une autre époque et à une autre réalité. Oubliez ce qui brille et sachez que la pyramide possède toujours toute sa gloire et tout son pouvoir. Elle est maintenant plus en harmonie avec l'expansion de la conscience humaine.

Ajoutons que lors de l'avènement du nouveau millénaire – selon vos repères temporels –, une tentative eut lieu en vue de placer une réplique de cette pierre sur la pyramide, laquelle tentative fut contrecarrée par des forces célestes dominées par l'étoile Sirius (aussi appelée Sothis), alors directement alignée sur la pyramide.

— *Comment l'activation de Gizeh qui a lieu actuellement affecte-t-elle la planète et vous-mêmes sur Sirius ? De notre point de vue tridimensionnel, nous ne pouvons réaliser l'importance de cette activation, et ce, non seulement pour la Terre et l'humanité, mais aussi pour l'univers entier.*

Cet endroit du corps géophysique de la Terre est le point d'entrée du flux cosmique d'énergie consciente qui pénètre dans la planète. Par conséquent, il est toujours « activé ».

L'intention consciente de plusieurs humains évolués, attirés vers la pyramide et son intérieur, interagit avec la matrice cristalline de l'intérieur de granit de la structure, où réside toujours le souvenir de la pierre de faîte.

Ce souvenir ne peut être récupéré que par un cœur purifié. Quand des vibrations inférieures cherchent à capter le flux ou à le détourner à d'autres fins que le bien supérieur de tous les êtres, elles en sont empêchées.

Un premier contact

Toute cette question de « premier contact » est bien déroutante. Je pense que nous avons vraiment besoin de comprendre ce qui se passe ici. Bien des gens sont désorientés à ce stade-ci et ne savent plus quoi penser ni qui croire.

Quelque chose m'intrigue, sur quoi je m'interroge depuis un bon moment. Puisque nous avons de la difficulté à établir un premier contact avec nous-mêmes, il me semble un peu étrange de nous attendre à ce que vous, nos frères et sœurs de l'autre côté du voile, établissiez un contact avec nous. Par contre, je pense que notre désir de rétablir cette connexion cosmique est très sincère, que nous voulons réellement établir ce contact.

— *À la fin du livre de Patricia Cori,* Atlantis Rising, *vous dites que « le contact est imminent ». Qu'entendez-vous exactement par là ?*

Le contact avec la famille d'êtres galactiques – des êtres physiques – présents à l'intérieur de votre système solaire est sur le point de survenir dans le monde entier.

Il a déjà eu lieu à l'échelle gouvernementale, mais les dirigeants ne veulent pas informer la population sur ce qui se produit si manifestement et si audacieusement devant elle, en plein dans son champ de vision.

Quotidiennement, des vaisseaux traversent votre atmosphère et vos cieux ensoleillés, tout comme ils apparaissent sous la forme d'étranges lumières dans la nuit.

Ils survolent vos villes, vos montagnes, vos champs et vos lacs.

Cette activité a pour but de vous adapter et de vous préparer au contact final, qui aura lieu quand cette présence se fera connaître à toute la population sans laisser subsister le moindre doute concernant son existence.

Sachez qu'à l'intérieur de votre corps solaire toutes les planètes porteuses de vie sont interactives sur le plan du commerce, de la technologie et des ressources. Seule la Terre (et précisons que nous entendons par là la majorité des humains vivant sur votre planète), sujette à l'intervention de forces manipulatrices, demeure détachée de la grande famille formée par la Communauté galactique.

Les gens au pouvoir sont pleinement conscients de la réalité de la vie extraterrestre et des activités qui sont en cours pour vous préparer, vous, les orphelins de votre galaxie, à la révélation. Ils ont reçu le mandat de se retirer ou bien de vous révéler leur savoir et le contenu des archives secrètes afin que la nouvelle vision puisse s'implanter en vous.

C'est pour bientôt, et il s'agit d'une chose essentielle à votre ascension, car vous appartenez à cette grande famille tout autant que vous êtes les enfants de Gaia et qu'eux sont les enfants des autres mondes à proximité.

Nous insistons sur l'importance de votre préparation à cet événement, car son issue en dépend. Actuellement, vous êtes considérés comme des êtres appartenant à une espèce violente et belliqueuse qui met en danger quiconque ose s'approcher d'elle. La guerre semble votre premier recours en cas de conflit, ce qui est le signe d'une civilisation qui s'autodétruit. Dans l'ensemble, vous détruisez vos ressources et votre habitat par des déchets, de la rage et le mépris de la vie.

Vos armes font de vous une menace pour les planètes harmonieuses qui occupent le même espace que vous dans la galaxie.

Les Conseils des planètes pacifiques cherchent ensemble une façon de vous saluer – d'entrer dans votre sphère – sans créer de panique massive et sans provoquer de réaction hostile.

Leur principale intention est de vous fournir le savoir de civilisations plus avancées ainsi qu'un système social supérieur afin que vous puissiez trouver à la vie un sens plus profond que celui qui imprègne à présent votre monde.

Plusieurs parmi vous travaillent en ce moment d'arrache-pied pour élever la vibration de votre monde, et c'est par eux et avec eux que nous, les êtres appartenant à d'autres dimensions, sommes capables d'établir le contact. Vous êtes les ambassadeurs de la Fédération galactique tout autant que ceux qui apparaîtront devant vous, car vous cherchez à attirer davantage de lumière dans les cœurs et dans les esprits de ceux qui souffrent, qui ont peur et qui sont mal informés.

— *Que doit être réellement pour nous ce « premier contact »? Devons-nous d'abord l'établir avec nous-mêmes avant de pouvoir le faire avec une autre race ou un autre être de lumière? Cherchons-nous encore seulement de l'aide extérieure au lieu de regarder en nous?*

Ce n'est pas parce que vous entretenez la possibilité d'une communication interplanétaire que vous êtes des esprits désemparés à la recherche d'un « sauveur ». Il s'agit d'une étape vitale de votre passage sur cette planète, alors que vous vous élevez vers l'incroyable conscience de l'intelligence illimitée existant dans l'univers et de la place de l'humanité dans la grande collectivité.

L'arrivée de milliers de vaisseaux dans vos cieux et les communications qu'ils adresseront aux humains du monde entier ébranleront profondément certains des comportements les plus primitifs, tout comme l'intelligentsia.

Vous serez tous devant un nouveau paradigme dont vous vous approchez très rapidement tandis que vous voyez le vieux paradigme s'écrouler partout autour de vous. Cette destruction des structures qui vous ont tenus dans l'inconnaissance, bien qu'elle vous effraie, est essentielle pour vous préparer à ce qui suivra, soit la coexistence pacifique avec d'autres civilisations et le passage conjoint à une fréquence vibratoire dimensionnelle plus légère et plus subtile.

Ce qui va se passer a tout à voir avec vous. Nous ne sommes que des observateurs de votre jeu, que nous avons déjà vécu nous-mêmes. Nous sommes parfois intervenus dans l'espoir de vous aider, mais nous en avons tiré leçon et nous ne faisons maintenant que participer de notre mieux, en tant que guides, en vous offrant une vision de ce que l'amour peut créer.

Très chers, il s'agit de passer de l'obscurité à la lumière. Rien de compliqué. C'est le but de tous les êtres conscients. Vous ne pouvez y parvenir par l'esprit rationnel. C'est par le cœur que vous serez à même de le ressentir et de vous y consacrer.

Le côté sombre de l'humanité et l'influence des forces obscures

Je pense que le plus grand obstacle à une transition en douce réside dans le fait que l'humanité est prisonnière d'une conscience de victime, ce qui est fort éloigné de la conscience de ce qu'elle est vraiment. Et à mon avis, cela l'empêche d'assumer la responsabilité de la création de tout ce qui se produit. Chacun accuse l'autre sans reconnaître la responsabilité de sa participation à la situation créée. Bien sûr, les masses sont désinformées, mais l'humanité dans son ensemble accepte de se laisser manipuler par les médias, les gouvernements, et d'autres encore.

Par ailleurs, nous savons tous que des forces obscures ont bien en main actuellement une grande partie du chaos. Elles veulent nous garder dans le drame et nous laisser croire qu'il est impossible de sortir de cette situation. Leur intention est de maintenir les gens aussi loin que possible de l'idée de liberté, et totalement enfoncés dans l'illusion du manque sur tous les plans. Fondamentalement, elles cherchent à nous retenir dans une dynamique de compétition, non de coopération.

Quand je regarde des villes comme Le Caire, Mumbai (Bombay), Calcutta, Lima, où règne une pauvreté extrême, où la pollution et le chaos semblent devenus un mode de vie, où tout le monde essaie de survivre, je m'interroge : « Comment survivre à une telle misère et réussir à l'éliminer ? » C'est impossible, mais cela ne peut continuer ainsi.

Dans tous ces endroits, j'ai senti une peur palpable dans l'air, j'ai vu à quel point c'est difficile pour ces gens. Au début, j'étais bouleversée, mais je me rends compte aujourd'hui que nous sommes tous responsables de cette situation.

— *Comment ces grandes villes pourront-elles survivre dans l'avenir ?*

Dans la nature cyclique de la vie, il y a des hauts et des bas, des arrivées et des départs, des entrées et des sorties dans tous les domaines de l'expérience.

Dans les mondes plus évolués, les êtres conscients ont appris à cohabiter avec leur environnement dans le respect de toutes les formes de vie, sachant que ce sont les écosystèmes qui nourrissent ces formes de vie, lesquelles s'éteindront toutes s'il n'y a plus de biodiversité.

Les régions urbaines surpeuplées comme celles que tu as mentionnées sont inévitablement destinées à échouer comme modèles d'une vie harmonieuse, car elles sont totalement indifférentes à la circulation naturelle des énergies et elles exacerbent ces insupportables conditions de vie marquées par le désordre, la disharmonie et l'outrage.

Si vous n'en étiez pas au stade de l'ascension solaire, nous vous dirions que ces entités urbaines surpeuplées ne survivront pas. Cependant, comme nous percevons votre passage prochain dans la dimension suivante, nous affirmons plutôt que cette réalité ne se manifestera plus dans le contexte futur.

— *Ces gens font-ils simplement partie de l'illusion qui nous empêche de changer les choses ?*

Uniquement si vous le désirez, si vous vous résignez à l'idée que la condition de la planète est irréversible.

— *Ces endroits sont-ils les bastions de l'influence des forces obscures ou du gouvernement secret ?*

Le bastion se trouve dans les tréfonds émotionnels de la conscience humaine, où ces forces obscures ont réussi à répandre d'horribles images d'ombre et de violence chez les non-éveillés, leur faisant peur afin de s'assurer de leur obéissance et de leur soumission.

Sans votre peur et votre résignation, elles n'ont aucun pouvoir sur vous.

— Quelle est leur intention à ce stade-ci ?

Le gouvernement secret dont nous parlons depuis si longtemps n'a qu'une seule intention, laquelle consiste à abaisser la fréquence vibratoire de la Terre afin que la planète Nebiru [ou Nibiru], sa patrie, puisse utiliser cette vibration pour s'insérer dans le registre ascensionnel de votre soleil avec les autres corps planétaires de votre système solaire.

— Comment ces êtres réagissent-ils au fait qu'ils perdent la partie ?

Ils se révèlent involontairement par leurs actes. Ce sont des despotes désespérés qui savent que quelle que soit leur emprise sur vous ils peuvent vous ralentir, mais non vous dominer. Plus ils exercent leur force, plus vous vous éveillez à la vérité. C'est tout le contraire de ce dont ils ont besoin pour insérer leur planète errante.

— À ce stade-ci, qui, à l'intérieur de la Fédération galactique, s'occupe d'eux ?

Tous les Conseils interactifs pour les relations harmonieuses entre les biocentres planétaires observent les activités de votre gouvernement obscur. C'est l'une des principales raisons de leur venue imminente.

Cependant, comme nous vous l'avons dit précédemment, l'intervention n'est possible à ce stade que parce que vos activités de destruction affectent la vie au-delà de votre atmosphère. C'est devenu une menace immédiate, car vous possédez à présent une force thermonucléaire suffisante pour nuire non seulement à l'ascension de votre soleil, mais aux autres familles célestes se trouvant dans votre région de la galaxie.

Le karma offre de l'information pour la grande expérience

Tout cela m'amène maintenant à une réflexion sur le karma. J'aimerais que nous parlions non pas de la façon dont le karma est vécu par l'humanité, mais plutôt de la façon dont l'univers utilise cette information pour évoluer. Il s'agit d'une précieuse information ayant trait à ce qui se passe sur la Terre.

Serait-il juste de dire que pour plusieurs d'entre nous le travail consiste davantage à redonner de l'information à l'univers sur cette expérience qui est vécue à l'heure actuelle ? Puisque nous vivons dans le monde physique, nous créons automatiquement du karma, lequel est transmuté en information. Par nos actions, nous participons au développement de l'expérience de ce qui se passe sur la Terre. Ainsi, l'élévation de la conscience peut être « enregistrée ».

— Est-ce exact ?

Ma réponse te paraîtra bien vaste, car tu essayeras de la comprendre à partir d'une perspective tridimensionnelle, mais nous te l'affirmons, toute pensée, toute intention, toute énergie et toute expérience est enregistrée dans le Cosmos de l'âme.

Par exemple, quand un événement négatif a lieu au cours d'une expérience individuelle ou commune, il se répercute sur les vagues cosmiques à un taux vibratoire qui affecte le champ entier de toute existence. Minuscule ou immense, chaque vague demeure dans la mer de l'esprit universel.

Cette information s'enregistre dans les archives collectives, où elle résonne à une fréquence inférieure, et elle s'accroche énergétiquement à la vibration animique de ceux qui ont contribué à sa création. Voilà pourquoi et comment vous y revenez d'une vie à l'autre, car cette vibration maintient l'âme dans un champ de disharmonie. Cherchant la vérité supérieure, l'âme finit par « résoudre le karma », comme vous le dites.

Il en est de même pour les actions et les pensées des esprits nobles et plus évolués. Elles vibrent à une fréquence beaucoup plus élevée en voyageant sur de plus grandes distances sur les vagues cosmiques et elles portent plus de lumière, laquelle brille à travers les champs de l'expérience universelle.

Cette source d'information ou d'expérience consciente remplie de lumière génère des champs vibratoires de conscience dans d'autres réalités et d'autres dimensions.

C'est ainsi que nous vous atteignons.

Des réponses pour les travailleurs de lumière

D'aussi loin que je me souvienne, le mouvement nouvel âge et ses travailleurs de lumière semblent synonymes de difficultés financières. J'en connais plusieurs qui ont choisi de quitter un emploi bien rémunéré pour répondre à leur appel intérieur, dans l'espoir d'une récompense supérieure, et qui se sont finalement retrouvés appauvris et incapables de réaliser le destin de leur âme, réduits plutôt à l'expérience d'une capacité décroissante à manifester de l'argent. Dans plusieurs messages, il nous a été dit : « Faites un acte de foi et vous serez récompensés. Effectuez le premier pas, et nous ferons les autres. » Pour plusieurs, cependant, cela ne s'est pas produit, et ils ont perdu confiance non seulement en la possibilité de répondre à leur appel intérieur, mais aussi en la vérité des messages. Je connais plusieurs travailleurs de lumière qui ont renoncé à leur rêve.

— Est-ce ainsi parce qu'une croyance inscrite dans leurs cellules leur signifie que si cela est de nature spirituelle, cela devrait être gratuit ?

Les raisons de cette situation sont diverses. Plusieurs individus qui occupent un poste de dirigeant et de guide spirituel ne se sont pas encore débarrassés de leurs démons et de leurs peurs, et ne peuvent donc pas servir les autres. Ne vivant pas leur vérité supérieure, ils rencontrent des obstacles à cause du compromis de leurs intentions. Dans d'autres cas, où l'individu croit profondément ne pas mériter l'abondance, cette dernière ne se manifestera pas simplement parce qu'il a décidé de se livrer à une recherche et à des pratiques spirituelles.

Les épreuves du vrai guerrier spirituel sont nombreuses. En effet, elles ne cessent jamais. Certains cèdent devant les obstacles, tandis que d'autres relèvent le défi. Perdre confiance en son rêve, c'est perdre confiance en ses propres capacités et en sa motivation.

Nous vous rappelons cependant que le fait d'effectuer « le premier pas » ne veut pas dire qu'une force extérieure fera « les autres ». C'est peut-être justement en raison de cette mentalité d'impuissance que ces individus cèdent à la peur.

L'art de la manifestation ne réside pas à l'extérieur de vous, mais dans chaque pensée que vous projetez dans l'éther. Vous créez votre réalité, et il est plus probable que l'acte de foi n'est que l'un des nombreux pas que vous devez effectuer pour vivre votre vérité, marcher dans la lumière de votre cœur et créer l'abondance dans votre vie.

— Nos religions ne cessent de nous répéter le refrain selon lequel le service envers autrui doit être gratuit, mais le service envers soi-même est égoïste ! Ce qui m'étonne, c'est que tout le monde sait que les institutions religieuses sont très riches. Cela devrait suffire à démontrer l'ineptie de cette croyance.

Même de nos jours, avec l'accélération de l'énergie, la vie est aussi difficile pour plusieurs qu'elle l'a toujours été, particulièrement pour les guérisseurs.

C'est tout à fait amusant, puisque la plupart des religions de votre planète sont organisées de manière à créer d'incessantes rentrées d'argent dans leurs coffres secrets. Ceux qui sont piégés par ce système de croyances devraient peut-être se rendre compte que la résistance des organisations religieuses à l'endroit du mouvement spirituel est fondée sur leur intention de vous empêcher de compromettre leur collection de ressources en provenance des pratiquants qui obéissent à leurs doctrines.

Si l'argent est employé pour faire avancer votre travail spirituel au service de la collectivité, pour servir la lumière, pour vous aider à faire de votre monde un champ de lumière, on ne peut alors que le célébrer comme étant l'énergie dont vous avez besoin pour aller plus loin. Vous partagez cette ressource avec les autres, de sorte qu'elle s'écoule par vous jusqu'aux autres membres de votre collectivité et que tous en bénéficient.

C'est la cupidité, ou l'impression d'inutilité, qui interrompt le flux – il ne s'interrompt pas de lui-même – et qui arrête le faux pratiquant spirituel.

— Serait-ce que certains dons ne doivent pas être utilisés comme moyens de subsistance, tout comme certaines informations canalisées ne doivent pas nécessairement être publiées ?

Seul l'individu possédant un don peut déterminer s'il est opportun et approprié de le partager avec les autres. Toutefois, sa pureté d'intention sera éprouvée avant que les portes ne s'ouvrent toutes grandes et qu'il puisse faire bénéficier les autres de son don.

Les faux prophètes et les faux magiciens finiront par être démasqués et neutralisés. Selon notre expérience, ceux qui ont choisi de servir d'instruments aux êtres de lumière désireux d'aider la race humaine doivent assurément partager l'information qu'ils reçoivent, et non la garder pour leur usage personnel. Ils doivent cependant consentir à servir à titre de messagers de la lumière.

Le jugement de plusieurs de ces individus qui consacrent leur vie à la poursuite de la sagesse est un reflet de la peur et du manque. Ce qui importe le plus, c'est de soutenir le travail de quiconque désire réellement faire évoluer la conscience collective. Bien sûr, il ne s'agit pas d'une tâche facile, car elle requiert de la concentration, de la détermination et, dans plusieurs cas, le sacrifice de soi.

Malheureusement, tous les *channels* ne travaillent pas avec les êtres de lumière. Plusieurs canalisent des entités astrales dont les intentions n'ont rien de pur. Voilà pourquoi nous vous invitons à bien examiner tout ce qui entre dans votre conscience et à user de discernement devant toute l'information disponible.

— *S'agit-il de trouver un équilibre entre le service envers soi-même et le service envers autrui ?*

Honorer le soi, ce n'est pas nécessairement être au service de soi-même. Pour servir comme enseignant ou guérisseur spirituel, il faut défendre la vérité et mettre les meilleures intentions au service de l'amélio-ration du Tout, sans cesser d'honorer son propre être.

— *Quand l'énergie aidera-t-elle tous les travailleurs de lumière à répondre à leur appel intérieur et à vivre leur passion ?*

Quand ils auront concentré leur intention sur le bien supérieur de l'ensemble. Quand ils auront acquis la pureté d'intention et le désintéres-sement dans le service. Quand ils auront reconnu qu'ils créent de l'énergie au moyen des vibrations qu'ils envoient dans la mer cosmique.

Les instruments d'harmonisation

Dans le livre de Patricia The Cosmos of Soul, *on peut lire : « [...] car, alors que vous êtes recodé pour assimiler le troisième brin, vous revivez comme un souvenir les scénarios de vos nombreuses incarna-tions antérieures dans la sphère terrestre. Cela se produit maintenant pour faciliter l'extraction de votre subconscient de toutes les couches de votre être qui, comme des déclencheurs évolutionnaires, vous ont conduit jusqu'à ce moment. »*

C'est en effet ce qui m'arrive depuis quelques années, mais j'aimerais parler aujourd'hui d'une autre expérience d'harmonisation. En janvier 2009, au cours d'un atelier avec Patricia, en Égypte, nous avons fait une méditation. Je dois dire que ce fut l'une des plus intenses méditations que j'aie jamais faites. C'était la première fois que je me sentais vraiment « partir » ailleurs. Mais plus fascinant encore, c'est qu'au début de cette méditation j'ai vu descendre un écran indigo, alors qu'habituellement je vois un écran blanc. Je me suis d'abord dit que je n'allais rien voir sur cet écran bleu, mais ensuite j'y ai vu se succéder de beaux symboles et de belles figures géométriques d'un blanc lumineux. Cela a duré un bon moment, et je me rappelle avoir ressenti beaucoup de gratitude pour cette belle vision. Tout ce que je me rappelle ensuite, c'est que Patricia s'efforçait de nous tirer de notre méditation. Quand je suis revenue, je me suis exclamée intérieurement : « Déjà ! Comme cela a été de courte durée… ! » Puis Patricia nous a appris que notre « absence » avait duré 90 minutes !

— *Quels étaient cet écran bleu et ces symboles lumineux ? Des codes, un langage, un message ?*

Nous existons sur le rayon bleu. Cet arrière-plan nous permet de percevoir les formes lumineuses de tous les êtres qui sont en résonance avec cette densité.

Tu as fait l'expérience d'une connexion consciente avec notre sphère et visionné ainsi des messages en forme de symboles représentant les conceptions cosmométriques et les proportions sacrées qui définissent notre environnement – et le tien !

À ce niveau de conscience, nous absorbons la lumière par des motifs sciemment conçus, conscients de la beauté parfaite du Grand Créateur par laquelle le flux de toute énergie se manifeste.

Vous rendez-vous compte que vous pouvez tous faire l'expérience de votre multidimensionnalité si les circonstances s'y prêtent et si votre esprit est bien orienté ?

— *Ai-je vu tout cela parce qu'un travail s'effectuait dans mon ADN ?*

C'était simplement toi, chère âme, qui dépassais tes limites en croyant, en intuitionnant, en sachant que tu étais capable d'absorber une lumière infinie et de réaménager tes circuits afin d'ancrer cette lumière.

Nous avons œuvré par l'intermédiaire de notre *channel* Trydjya, afin de te conduire plus loin que tu n'étais jamais allée auparavant, en dirigeant un troisième rayon de lumière sur la double hélice existante, vers laquelle les fragments pertinents d'ADN/ARN sont attirés magnétiquement et où ils prennent forme comme troisièmes brins d'ADN.

— *Tous les participants de cet atelier ont-ils eu le même genre d'expérience ? Je suis la seule à en avoir parlé, mais je suis sûre que tout le monde a vécu une expérience.*

À ce moment d'engagement où tous les participants ont choisi d'amorcer le processus d'activation de leur ADN, nous avons observé cette activation chez chacun. Nous l'avons perçue comme une lumière issue de leur glande pinéale et explosant dans l'éther en envoyant un courant électrique dans chaque cellule de leur corps.

Il est toujours magnifique d'observer des êtres conscients déterminés à accélérer leur évolution, et nous sommes honorés de vous servir à cet égard.

— *Les agroglyphes sont-ils à présent parmi les espaces les plus chargés d'énergie qui soient ? Et puisqu'ils changent chaque année, leur énergie se renouvelle-t-elle aussi ?*

Comme tu le comprends sans doute, ces formes sont d'une nature interdimensionnelle. C'est la conscience des dimensions supérieures qui manifeste des formes sacrées dans vos champs d'expérience.

Nous, les Siriens de la sixième dimension, participons activement à cette forme de communication avec ceux d'entre vous dont le cœur et l'esprit sont assez ouverts pour nous recevoir. Se joignent à nous d'autres êtres de lumière qui ont aussi l'intention de vous atteindre.

Quand vous entrez dans ces formations, qui sont nos temples temporaires, vous sentez une étrange présence qui est due au fait que votre esprit passe dans une autre réalité, même si c'est seulement pour un moment. À chaque saison nouvelle, de nouveaux motifs sont créés dans les champs, reflétant notre désir d'éveiller en vous la capacité de déchiffrer la cosmométrie de toute la Création.

— Où nous conseilleriez-vous d'aller pour une meilleure harmonisation ?

Nous vous suggérons de vous rendre dans les centres énergétiques de Gaia avec l'intention de donner plutôt que de recevoir. Le véritable motif de l'interaction avec les centres sacrés de votre déité planétaire, c'est de passer du désir de recevoir, d'obtenir quelque chose, à la conscience de ce que votre amour et votre dévotion peuvent créer.

Cependant, comme vous le savez très bien, il n'est jamais nécessaire d'entrer physiquement dans un espace. Vous pouvez y être sous votre forme astrale ou par l'esprit.

Vous n'avez qu'à suivre votre cœur. Il vous guide tout au long de ce que vous vivez au cours de votre voyage physique dans le continuum spatiotemporel, tandis que votre âme y acquiert de l'expérience pour le voyage subséquent.

Les dimensions...

Quel mystère que la pluralité des dimensions ! Nous voudrions tous être dans la cinquième, mais nous avons bien de la difficulté à faire tout ce qu'il faut pour y accéder. Plusieurs pensent qu'il suffit de « suivre le courant » et que l'énergie nous y conduira. D'autres pensent qu'elle viendra à nous en un banc de brouillard que nous devrons traverser en 2012 !

Une autre information circule, à savoir qu'en 2012 nous n'entre-rons pas dans la cinquième dimension, mais plutôt dans une version supérieure de la quatrième, marquée par l'équilibre et l'harmonie, et que nous y demeurerons environ quatre-vingts ans.

— *Comment cela est-il possible si les dimensions ne se mesurent pas par la distance ou par le temps et que tout se vit en même temps ? Qui se trouve dans la quatrième dimension ? La Terre, l'humanité ?*

Pourquoi voulez-vous donc tous « être dans la cinquième dimension » ? Est-ce là l'expression d'une attente créée en vous par une source extérieure ?

— *Oui !*

Ce désir limite votre joie d'être où vous êtes à l'heure actuelle, tout comme il limite votre potentialité à dépasser complètement cette phase.

La quatrième dimension est une sorte de centre d'évacuation pour les âmes qui s'élèvent dans la spirale de lumière, un lieu où un pas de géant les éloignant de la conscience matérielle les amène à comprendre qu'elles créent elles-mêmes toute leur réalité.

Comme le temps n'y existe pas, nous sommes intrigués par votre précision quant à la période (une construction linéaire) de quatre-vingts ans. Cette recherche d'une définition spécifique de l'existence future selon votre perspective tridimensionnelle du temps linéaire est, encore une fois, un reflet de votre impression actuelle de limitation. Elle n'est pas du tout représentative du potentiel illimité qui vous sera présenté dans la quatrième dimension, mais plutôt de la possibilité que vous sabo-tiez vous-mêmes votre voyage par une conception prédéterminée de l'is-sue désirée.

Lorsque votre déité solaire s'élèvera à cette dimension, tous les êtres du corps solaire qui auront choisi (dans le champ des réalités possibles) de s'élever au lieu de retourner au cycle des incarnations se retrouveront dans l'intemporalité de la conscience quadridimensionnelle. De là, chaque essence animique déterminera sa prochaine station – ou densité – d'existence consciente.

Au quatrième niveau, les individus conservent toujours leur conscience corporelle et, pour plusieurs, c'est encore très important. L'identité du temple corporel est toujours intacte et la connexion avec la vie physique précédente est toujours prédominante.

Vous comprenez sans doute pourquoi, au début, vous ne vous rendrez peut-être même pas compte d'avoir effectué ce changement.

Au moment où votre soleil franchira la ligne d'ascension, votre corps solaire entier se retrouvera à l'extérieur de la sphère matérielle, en résonance avec un champ de conscience plus élevé et plus subtil.

Avant ce passage, il y aura de grands cataclysmes de la même nature que ceux que vous connaissez à ce jour. Les individus qui se trouveront dans ces régions dévastées auront décidé, bien avant de se réincarner sur votre planète, de passer davantage de temps dans le cycle des réincarnations. Même s'il vous est difficile d'accepter cette idée, rappelez-vous que l'âme choisit le moment et le lieu de son arrivée et de son départ.

Ceux qui sont engagés dans l'expérience des sens se réincarneront ailleurs dans l'univers matériel afin de poursuivre leur apprentissage. Ceux qui sont plutôt venus participer à l'ascension de votre soleil se verront transportés dans la quatrième dimension.

De là, votre développement spirituel et votre capacité de maintenir la lumière détermineront la signature vibratoire (dimension) à laquelle vous passerez.

Selon mon point de vue, chaque dimension apporte un degré supérieur de conscience. Les dimensions ne sont pas séparées par la distance. C'est notre système de croyances qui met de la distance entre elles. Elles se chevauchent les unes les autres, mais elles restent accessibles à chacun, et ce, non pas de l'extérieur, mais de l'intérieur. Nous devons croire qu'il est possible pour chacun de nous de connaître la cinquième dimension dans sa vie quotidienne.

Cette vibration alimentera notre lumière plutôt que notre densité. Quand je pense à la cinquième dimension, je vois les mots « grâce, perfectionnement, illumination et service ». Nous ne réagirons plus de la même façon aux situations dramatiques, la créativité sera beaucoup plus présente, l'existence en général sera moins compliquée et le service envers autrui sera notre but principal. Le passage d'une dimension à la suivante se fera en douceur. Nous ressentirons simplement le monde très différemment et nous serons toujours en contact avec notre Soi supérieur.

Cela dit, je ne pense pas que les problèmes mondiaux que nous connaissons toujours dans la troisième dimension vont disparaître tout bonnement parce que nous vivrons dans la cinquième. Nous ne passons que de la troisième dimension à la quatrième puis à la cinquième, non à la dixième. À mon avis, nous verrons encore des guerres, de la famine et de la corruption économique, mais nos réactions à ces calamités seront différentes. Des difficultés surviendront, mais nous les gérerons autrement. La cinquième dimension ne sera pas un refuge pour ceux qui auront eu une existence difficile ni une récompense pour les bonnes actions. Nous ne pourrons y parvenir que si nous travaillons sur nous-mêmes à partir des qualités du cœur et si nous comprenons le sens du mot compassion.

— *Est-il exact de dire cela ?*

Il n'est pas exact de dire que vous passerez automatiquement d'une dimension à la suivante en un mouvement séquentiel. Encore une fois, c'est là une conception linéaire reflétant votre réalité présente, non celle des sphères supérieures.

Il s'agit plutôt de la quantité de lumière qu'un être peut fixer en lui et de la fréquence vibratoire qui émane de son champ énergétique conscient. Toute la réalité est une question de fréquence vibratoire et d'aptitude de l'âme à s'ajuster à une plus grande quantité de lumière et à la fixer.

Si vous recherchez le plaisir dans le monde matériel, où la densité de la matière ralentit la fréquence vibratoire de la conscience et l'attache à l'obscurité, vous poursuivrez alors votre cycle de réincarnations, où que cela vous mènera dans la sphère physique aux innombrables possibilités, et vous vibrerez au rythme lent de cette sphère.

Dans le cas de votre système solaire, un énorme bond est franchi, car un très grand nombre d'âmes s'incarnent au même moment et au même endroit du continuum spatiotemporel. La planète s'élève jusqu'à la quatrième dimension, où le temps ne gouverne plus le rythme et la pulsation de la déité planétaire et des êtres vivants qui y résident.

Ce que vous croyez être la quatrième dimension est un tremplin duquel vous êtes libres de sauter dans de nouvelles expériences, comme le déterminera votre champ énergétique individuel ou collectif. Dans le cas de notre processus ascensionnel, l'interaction entre les êtres de notre famille solaire était si harmonieuse que nous avons à peine « effleuré » la quatrième dimension quand nous nous sommes retrouvés entourés de tellement de lumière que nous ne pouvions plus nous maintenir aux séquences vibratoires du quatrième niveau. Nous nous sommes donc retrouvés dans une lumière si brillante que notre conscience corporelle a presque immédiatement disparu.

Si nous parlons si souvent de l'importance de vous concentrer sur l'expérience collective plutôt que sur votre expérience individuelle, c'est pour cette raison, illustrée par l'expérience que nous venons de décrire. Plus il y a d'âmes en transition concentrées sur le bien supérieur du Tout, plus la capacité de ces âmes à fixer la lumière est grande.

— *Puisque la quatrième dimension comporte davantage de lumière, ai-je raison de penser que le temps y est défini tout à fait différemment ?*

Le temps disparaît dans la quatrième dimension ! C'est cet aspect de la quatrième dimension qui vous sépare de la densité du monde physique. Vous passez à une réalité où votre conception du passé, du présent et du futur est remplacée par l'expérience consciente du temps simultané. Il s'agit là d'un énorme bond de la conscience, peut-être le plus grand de tous.

Dans les sphères supérieures, vous perdez le désir d'un résultat particulier ainsi que le besoin d'une plus grande réussite et vous célébrez simplement le passage que vous effectuez.

— *Puisque vous êtes dans la sixième dimension, pourriez-vous nous dire quelle est la différence entre la cinquième et la sixième ? Comment avez-vous vécu la cinquième ?*

N'ayant jamais existé dans la cinquième densité, il nous est impossible de vous en parler. L'ensemble des êtres de Satais s'est retrouvé dans la sixième dimension après son ascension. Plusieurs ont continué jusqu'à d'autres champs tandis que plusieurs autres sont demeurés à titre de gardiens lumineux de cette dimension-ci pour servir tous ceux qui y passent.

— *Tous les habitants de Sirius vivent-ils actuellement dans la même dimension ?*

Le système de Sirius comporte trois étoiles. Sirius A, Sothis, demeure toujours dans l'univers physique. Elle ne porte présentement aucune vie consciente en raison des forces galactiques qui l'entourent. Sirius B, Satais, a progressé entièrement jusqu'à la sixième dimension. Sirius C, Anu, contient toujours de la conscience dans la quatrième dimension.

— *En quoi diffère la communication entre les êtres de la sixième dimension, par exemple, et ceux de la treizième ?*

Nous ne nous soucions pas de ce qui se situe au-delà de nous. Nous savons toutefois qu'il s'y trouve incontestablement une quantité de lumière et d'amour tout simplement inconcevable à notre actuel niveau de conscience. Et nous sommes confiants que si notre destin consiste à atteindre une telle fréquence vibratoire, nous serons alors très près de la lumière divine.

À ce stade-ci, nous existons pour célébrer la lumière et servir ceux qui se déplacent vers elle.

Encore une fois, nous vous le rappelons, la seule chose qui importe vraiment, c'est votre capacité à aimer ce qui est devant vous en ce moment même. Toute projection vers ce qui se trouve au-delà de vous ne fait que troubler la joie de ce qui est. En un sens, cette projection est totalement vouée à l'échec, car vous poursuivez alors une ombre tandis que la lumière brille sur vous.

Quelle est la véritable nature de l'espoir ?

Dernièrement, je m'interrogeais sur le concept de l'espoir. D'un côté, des millions de gens vivant sur cette planète n'auraient pas la volonté de survivre ou de continuer à lutter en vue d'un meilleur avenir pour eux-mêmes et leurs enfants s'ils n'avaient pas l'espoir d'y parvenir. Selon mes observations, quand nous enlevons l'espoir à une personne ou à un groupe d'individus, le désespoir s'installe et une certaine forme de violence s'ensuit habituellement, car la foi a complètement disparu. L'espoir offre donc de meilleures possibilités.

D'un autre côté, l'espoir nous éloigne du moment présent. Nous voulons que les choses soient différentes de ce qu'elles sont, car nous n'aimons pas ce qui existe dans le maintenant. Nous donnons le pouvoir au futur, plutôt qu'au présent, en espérant qu'un facteur extérieur à nous viendra changer les choses. Sous cet aspect, l'espoir n'a pas de valeur réelle.

À mon avis, la foi consiste à « savoir » que tout est parfait en ce moment. C'est l'abandon à une force supérieure. Mais ceux qui n'ont pas la foi ne comprennent pas ces concepts spirituels. D'après mes observations encore, tout le monde comprend l'espoir. Il est indiscutable, tandis que la foi suscite bien des discussions. Est-elle réelle ? Qui la possède ? Que faut-il pour l'avoir ? Il est toutefois très difficile de dire à quelqu'un qui n'a presque rien à manger ou qui subit la violence de la guerre ou toute autre forme de violence que seul le moment présent existe et que tout y est parfait.

— L'espoir n'est-il pas en réalité une forme de foi ou de confiance ?

Qu'est-ce que la foi ? Elle est la fille de la confiance, laquelle résulte du savoir absolu de l'individu, sur le plan fondamental et caractéristique de la conscience, que tout est d'ordre divin et que toute vie est éternelle.

L'espoir est moins puissant que la foi, qui est inconditionnelle. Il manifeste une volonté de croire, tandis que la foi est sans équivoque.

Tu demandes ce qu'il faut pour avoir la foi ? Savoir que la mort n'existe pas – maîtriser votre peur de la mort –, voilà le principal fondement de la foi. Croire que vous choisissez votre propre destin, tout comme ceux qui souffrent ont choisi le leur, voilà un autre de ses fondements importants.

Évidemment, ceux qui souffrent n'entendront pas ton message selon lequel seul le moment présent existe. Dans leur misère et leur douleur, leur seule vision a trait au fait d'échapper au présent. Dans la conscience de victime, il est très difficile de comprendre que l'être crée sa propre misère. Souvent, cette création a eu lieu dans d'autres « existences » ou « réalités » et elle est voilée à la mémoire et à la vision présente.

S'il vous est possible d'aider les autres à se libérer suffisamment de la souffrance pour atteindre un point où ils seront en mesure de la regarder, peut-être pourrez-vous alors leur parler de ces concepts. Toutefois, pour aider les gens qui sont victimes de leur condition ou de la souffrance qu'ils se sont infligée, vous devrez d'abord soulager quelque peu l'intensité de leur douleur avant de pouvoir les atteindre sur les plans intellectuel et spirituel.

— L'espoir peut-il être « vivant » dans le maintenant ? Je vous pose cette question parce que je désire réaliser un projet humanitaire. Je veux que ce dernier suscite le changement dans le présent, où se trouvent toutes les potentialités, et non dans le futur. Ai-je l'espoir que cela peut marcher, ou bien la foi de réussir ?

Chaque fois que tu touches quelqu'un, Martine, tu tends la main de Dieu. Quand tu parles, tu es capable de donner une voix à la lumière. Astu confiance en ta propre divinité? Te souviens-tu que tu es une étincelle de cette lumière? Dans l'affirmative, tu as la foi qui déplace les montagnes, et tu les déplaceras.

Dans le cas contraire, tu ne feras qu'« essayer » de manifester le changement. Il est fort louable d'essayer, mais il s'agit là davantage d'une réalité « possible » que de l'effet de quelqu'un qui sait au plus profond de lui-même qu'il réussira.

Tout est déterminé par ta compréhension de ta divinité.

Fais confiance et vas-y. Fais briller la lumière partout où tu verras de l'obscurité. Que ton cœur ne mette aucune condition à ton intention d'aider les autres.

Patricia, avant d'aborder les potentialités de 2010, je pense qu'il pourrait être intéressant pour les lecteurs de lire un aperçu de nos souvenirs aux derniers temps de l'Atlantide. Je pense qu'ils apprécieront le récit de deux personnes qui y vivaient à l'époque et qui se sont retrouvées dans le monde d'aujourd'hui pour remplir deux missions différentes, mais dans un même but, celui de rapporter une connaissance et de contribuer à l'élévation de la conscience d'une planète.

— Patricia, pourriez-vous nous raconter comment vous avez récupéré votre existence de gardienne du crâne de cristal en Atlantide? J'imagine que le Conseil vous y a aidée.

Comme nous l'apprennent les véritables maîtres spirituels de toutes les traditions, nous devons trouver nos propres réponses à la question de notre immortalité, tout comme nous devons trouver nous-mêmes notre chemin autour du pendule oscillant entre l'obscurité et la lumière afin de gravir la spirale du retour. Sinon, nous obtenons des autres de l'information subjective à partir de laquelle nous créons souvent de notre propre expérience un mythe que nous transformons facilement en souvenir. Parfois, ces impressions sont exactes, mais elles sont parfois aussi de simples conjectures, même si elles nous ont été données avec une bonne intention, et elles ne sont donc pas nécessairement représentatives de notre véritable voyage.

Dès le début de mon travail avec les porte-parole de Sirius, je savais que les questions au sujet de ma propre réalité ne seraient pas abordées, hormis celles qui étaient liées à mon service. Ils m'ont toujours encouragée à trouver « ma propre vérité », comme tous ceux qui se connectent à eux par l'intermédiaire des livres. Ce message valorisant, mais parfois frustrant, a eu un impact incroyable sur ma croissance comme être humain et comme enseignante spirituelle. S'ils m'avaient fourni cette vérité, je ne l'aurais sans doute jamais trouvée toute seule et j'aurais ainsi raté l'une des plus importantes découvertes de ma vie.

Les souvenirs appartenant à des vies antérieures refont souvent surface dans les rêves récurrents et les cauchemars, par lesquels une expérience habituellement traumatique continue à se présenter dans cet état altéré de conscience. Parfois, une idée soudaine, un événement spécifique semble donc nous hanter et solliciter notre attention. D'autres fois, des histoires complètes émergent, avec des personnages formulant des répliques précises et semblant vouloir être reconnus.

Très jeune, je disais déjà à ma mère que je venais de l'Atlantide. À l'époque, dans les années cinquante, il n'y avait presque pas d'informations sur cette île mythique, et ma mère était un peu troublée chaque fois que j'insistais pour lui raconter mon histoire, toujours la même, celle d'une mort traumatique.

Je me souvenais parfaitement de m'être noyée au cours d'une énorme inondation, comme je l'ai raconté dans mon livre *Atlantis Rising*, et c'est pourquoi, quand j'étais adolescente, j'avais tellement peur des ponts et de la mer.

En vieillissant, j'ai récupéré un autre souvenir de l'Atlantide, celui d'une existence glorieuse où j'étais prêtresse et je pratiquais la guérison dans des cavernes et des grottes. Mais aussi, au cours de ces premières années de ma jeunesse (et même plus tard), je faisais ce rêve récurrent et troublant qui refusait tout simplement de disparaître. C'était toujours la même histoire, avec les mêmes détails, se terminant toujours par ma noyade au cours d'une grande inondation.

> « *Au tout début du rêve, je suis debout sur la terrasse d'un palais, regardant une mer grise et lugubre. Vu l'environnement et ma robe somptueuse, il est évident que j'appartiens à une noble lignée.*
>
> « *La scène est déprimante. Le ciel est couvert de nuages, le soleil est absent et tout le paysage semble imprégné de la froideur d'un monde agonisant.*
>
> « *En proie au désespoir, je regarde ce monde en sachant — en pressentant — que sa fin approche. Sur un autel délibérément camouflé par les racines et les tiges de vignes moribondes se trouve un crâne de cristal dont je suis la gardienne et que je dois transmettre à mon fils unique, alors en période d'apprentissage. Il me rejoint sur la terrasse et me demande de rentrer, car il fait froid.*
>
> « *Un violent tremblement de terre survient à ce moment, projetant mon fils contre le mur de la cour. Tout va s'écrouler. De la terrasse qui se disloque, je tente de le rejoindre, mais je suis moi-même déséquilibrée par le sol qui ondule sous mes pieds.*
>
> « *Puis une immense colonne d'eau s'élève de la mer et s'écrase contre le mur de la terrasse, inondant instantanément tout l'édifice. Mon fils disparaît dans l'eau et je tente désespérément de le rejoindre pour le sauver. Toujours consciente, je réussis à trouver son corps frêle parmi les débris et j'essaie d'attraper sa main, mais il est déjà parti...*
>
> « *Juste avant de mourir, je vois le crâne de cristal vaciller sur sa base et tomber dans l'eau.*
>
> « *Cherchant à l'atteindre, en ce dernier instant de ma vie, j'en vois surgir un rayon de lumière, puis je perds connaissance.* »

C'est après avoir vécu plusieurs années avec ces images obsédantes d'un enfant perdu sous les débris que je me suis rendu compte que j'avais très bien pu être cette prêtresse dans une lointaine vie antérieure, tout comme j'avais très bien pu être ce jeune garçon, dans une autre réalité à laquelle j'étais toujours liée. Ce scénario comporte peut-être plusieurs niveaux, mais il est en fait un composé de plusieurs événements et de plusieurs plans de conscience.

Le Conseil nous amène à comprendre que nous existons simultanément dans toutes ces réalités et que, bien que nous tentions de les classer temporellement en référence à des vies antérieures, nous les vivons toujours depuis notre situation contemporaine, tout autant que nous faisons l'expérience de cette vie-ci dans ces autres contextes, en une conceptualisation futuriste.

> *Votre histoire m'interpelle, car la mienne semble reliée, bien que la mémoire en soit vraiment incomplète. Moi aussi, je vois toujours la même chose, encore et encore. Voici ce que je vois.*
>
> *Je suis une prêtresse dans les derniers jours de l'Atlantide. Je semble faire partie d'un groupe qui a travaillé avec les crânes de cristal. Je suis à regarder au loin et je sais que la fin approche. Puis, je vois une immense vague arriver. Je sais que je dois sauver au moins un crâne de cristal. Toute cette connaissance qui risque d'être perdue à jamais ! Je vois du chaos partout. Les gens crient et meurent autour de moi… ma famille, mes amis…*
>
> *Ensuite, je me vois nageant dans l'océan en tenant d'une main un crâne de cristal hors de l'eau. Je suis très fatiguée et je ressens du désespoir. Je me demande si je vais y arriver ou mourir noyée comme tous les autres. Puis j'aperçois une île un peu plus loin… je sais que je vais y arriver. C'est l'île de Poséidon. Je veux regarder derrière moi, mais je n'ose pas.*

— *J'essaie de voir d'autres images, mais rien ne se présente à mon esprit. Je pense que j'ai peur de connaître le reste…*

Martine, je ne peux te dire précisément qui tu étais alors, car on m'enseigne (et je le crois vraiment) que nous devons récupérer nous-mêmes nos propres souvenirs pour qu'ils servent à notre évolution personnelle. Je peux cependant t'expliquer comment ton histoire est liée à ce que j'ai appris sur cette époque au cours de plusieurs stages de conscience altérée et d'un travail sur le rêve, et aussi grâce aux visions que j'ai eues de ce monde ancien lors de mes séances avec le Conseil pour la rédaction de mon livre *Atlantis Rising*.

Ces visions révèlent que les crânes sirio-atlantes donnés à l'humanité pendant le deuxième cycle de l'Atlantide représentaient la conscience collective de l'humanité, qui se trouvait alors dans un état d'exaltation de son pouvoir de maintenir la lumière dans la structure de la troisième dimension. À un moment précis de ce grand cycle, douze prêtresses furent choisies comme gardiennes individuelles de ces crânes, tandis qu'elles devaient également se consacrer au maintien de la fréquence vibratoire qui permettait au Maître Crâne, le treizième, de se matérialiser à un taux vibratoire dépassant de loin ce qu'aurait pu produire tout autre mécanisme – ou toute autre technologie – connu de cette civilisation.

À la fin du troisième cycle de l'Atlantide, des dizaines de milliers d'années plus tard, le souvenir de ceux de l'époque précédente qui s'étaient réincarnés était toujours gravé dans le subconscient de ces individus comme dans celui des prêtresses de la sororité investies de cette énorme responsabilité pour la race humaine entière.

Ces visions révèlent aussi que les prêtresses visionnaires à qui l'on avait confié dès le début la tâche d'assurer la sécurité des douze crânes de cristal savaient quand viendrait le temps de quitter l'Atlantide et qu'elles se réfugièrent donc sur de plus hautes terres avant que le déluge n'engloutisse leur pays.

Par conséquent, je dirais que mon expérience et la tienne sont peut-être les empreintes d'anciennes âmes qui avaient l'heureuse tâche de garder les crânes et que plus tard, dans une autre existence vécue à l'époque du cataclysme, nous portions toujours en nous le souvenir de cette responsabilité, que nous ayons été ou non en contact physique avec les crânes pendant cette vie-là.

Quelle tâche immense que d'imaginer une existence passée où nous nous rappelions une autre existence encore plus ancienne, remontant peut-être à cinquante mille ans selon nos calendriers terrestres ! Tout s'embrouille alors, tout s'emmêle, et nous nous retrouvons, comme je l'ai laissé entendre plus haut, avec d'innombrables expériences se chevauchant sur un canevas, tel un montage de scènes parfois sans aucun lien entre elles.

Néanmoins, j'ai vraiment ces souvenirs depuis mon enfance. Il me fallait absolument un crâne de cristal quand j'avais dix ans, à une époque où il était presque miraculeux d'en dénicher un. Je vois des cristaux en rêve et en voyage, et je me souviens de villes éclairées par de grands générateurs de cristal utilisant la pensée humaine pour produire de l'énergie comme nous le faisons avec le soleil. Tout cela constitue pour moi la preuve que j'ai vécu en Atlantide et il ne fait aucun doute que tu as aussi vécu cette expérience étant donné tes souvenirs, semblables aux miens.

Je crois que ces souvenirs ont refait surface en nous au cours de cette vie-ci parce que le temps de réunir ces anciens crânes est venu. Selon la légende atlante, perpétuée par tradition orale chez les peuples indigènes dont les ancêtres étaient en contact avec les Atlantes, le prochain âge de l'homme, l'âge de l'Éveil, verra le retour du Conseil des crânes, un élément du processus de notre ascension.

Le fait que toi et moi ayons des souvenirs remarquablement similaires émergeant dans des rêves récurrents porte à croire que nous avons partagé en Atlantide une expérience semblable, liée à l'énorme responsabilité de la sécurité des crânes… ou du savoir qu'ils engendraient pour l'humanité entière. C'est donc une joie de revenir ici ensemble comme le font tellement d'anciens Atlantes en cette époque d'émergence de la lumière.

L'année 2010

Le retour d'un grand Maître
*porteur des codes uniques alignant tous les êtres célestes**

Cet être grandiose de fréquence féminine, toujours imperceptible à la plus grande partie de votre monde, entrera dans l'esprit collectif seulement quand vous serez assez nombreux à vous être épurés pour maintenir son schème vibratoire à votre propre fréquence, ce qui, nous pouvons vous le préciser, aura lieu en votre année terrestre 2010. Cet être de fréquence féminine n'est pas le « messie » et nous n'avons pas non plus l'intention de le présenter comme votre sauveur. Nous vous prions donc de ne pas vous laisser séduire par cette possibilité, car cela signifierait que vous avez mal interprété l'ensemble de notre message.

Ceux d'entre vous qui ont entrepris un travail d'épuration pour abolir la peur ont pris conscience qu'ils avançaient dans la bonne direction, guidés par leur conscience supérieure, et que rien d'extérieur ne pourrait le faire à leur place.

C'est la focalisation de votre intention pure qui vous conduira tout au long du désert de l'hiver gaïen. C'est votre sens de la collectivité, votre sentiment d'appartenance à l'ensemble, qui fera traverser à la planète cette nuit sans étoiles. Il faut remplacer les rêves de messie ou de sauveur par la connaissance intérieure (votre force et votre sentiment d'utilité), grâce à laquelle vous maintenez votre propre vibration, assumant la responsabilité de toutes les pensées que vous envoyez dans l'éther, de chaque action que vous faites, de chaque mot que vous prononcez.

Des guérisseurs sont maintenant à votre disposition pour vous aider à transformer l'énergie, et les véritables instructeurs transmettent le message. Avez-vous senti des ondes de lumière scintillante vous traverser ? Vous êtes sûrement étonnés par l'accélération qui se produit à de si nombreux niveaux, car votre famille de corps célestes n'a jamais connu auparavant une telle intensité vibratoire. Chaque planète de votre système solaire a

---

* Extrait de *The Cosmos of Soul*, par Patricia Cori, North Atlantic Books.

aussi commencé à se métamorphoser. Tout est interdépendant, tout est vécu par chaque créature vivante de votre déité solaire, des orbites les plus lointaines aux sphères les plus proches, jusqu'à la masse explosive de l'étoile gazeuse qu'est votre Soleil central.

Voici qu'apparaissent maintenant dans les domaines de l'astronomie et de l'astrologie de nouveaux penseurs révolutionnaires qui sont suffisamment dégagés intérieurement pour consigner les nouveaux parcours des planètes, car les relations entre celles-ci vont bientôt se modifier à mesure qu'elles traverseront les phases aiguës de leur transmutation, et les vieux paradigmes ne conviendront plus. Les archétypes s'épanouissent en des personnages plus complexes et de nouveaux corps célestes émergent de l'obscurité inexplorée. Alors que votre soleil s'effondre petit à petit, tout est attiré vers l'intérieur, et ce qui n'a pas encore été découvert deviendra visible, puis traversera le vortex avec vous.

Il y a à ce jour de nouveaux dirigeants, de puissants héros en qui vous pouvez avoir confiance, qui vous guideront lorsque des cataclysmes déchireront votre réalité et qui vous calmeront. Des fréquences féminines et des équipes de guérison vous alimenteront et restaureront votre énergie. Des prophètes et d'autres porte-parole doués vous conduiront à la sagesse. D'autres feront office d'archivistes, portant les codes génétiques dans la dimension suivante. Les gardiens de la Terre maintiendront la vibration de Gaia et faciliteront votre activation quand vous vous transporterez sur les sites. Toutefois, ne vous leurrez pas en imaginant la venue d'un grand sauveur, car il s'agit seulement d'une allégorie mythique. En tant qu'êtres de lumière, vous vous rassemblerez et vous trouverez à l'intérieur du cercle sacré de votre union la protection et la sécurité dans votre amour pour Gaia et pour tout ce qui vibre au rythme des battements de cœur de l'univers.

Quand, précédemment, nous vous avons présenté ce *grand Maître porteur de codes uniques* comme quelqu'un ayant pour mission de vous ramener dans la lumière, nous ne voulions pas dire que ce maître de fréquence féminine est un être physique, bien que plusieurs seraient ravis d'en revendiquer le titre. Pour cette raison même, nous ne l'évoquerons que dans la mesure où cela sera nécessaire à l'objectif de ces transmissions, lequel objectif consiste à susciter la perception de sa présence à ce stade difficile de votre évolution planétaire et à étendre cette conscience au plus grand nombre d'humains possible, afin que vous puissiez le recevoir dans votre cœur et l'accepter dans l'esprit collectif.

Quand nous parlons de cette déité exceptionnelle, nous référons à un maître ascensionné qui a servi lors de plusieurs intervalles de conscience dans l'Être universel. Cette déité vient dans votre sphère telle une sage-femme galactique venue vous assister dans la renaissance de votre déité solaire. Elle est déjà descendue d'au-delà de la galaxie d'Andromède, la dixième dimension, en prévision de la tâche monumentale qui sera requise d'elle, soit d'établir les points de verrouillage des corps célestes de votre déité solaire. Cette tâche exige des pouvoirs de l'esprit conscient qui dépassent tellement nos propres capacités que nous sommes ébahis par leur puissance… car nous parlons ici d'une entité unique qui influencera le cours de tout un système solaire alors que ce dernier glissera d'une dimension à une autre.

Il s'agit là d'une mission inimaginable, même de notre point de vue, et il serait donc futile pour nous de tenter de la décrire à ce stade de notre développement commun. Nous pouvons toutefois vous dire que cette déité vient déverrouiller le portail de chaque corps céleste de votre système solaire et établir la liaison gravitationnelle pour le voyage dans le grand vortex des cordes astrales de l'Être universel. Cela se produira lorsque les conjonctions planétaires et les alignements galactiques appropriés coïncideront avec les coordonnées mayas, et cela engagera des univers parallèles, des êtres célestes multidimensionnels, ainsi que votre chère famille solaire de planètes, de lunes et d'astéroïdes, qui se seront tous déplacés dans une position optimale au point de projection maya du 21 décembre 2012.

Au sujet de la descente de ce grand Maître, nous ne voulons pas dire que celui-ci prendra une forme humaine ou qu'il se cristallisera dans la matière, car une essence vibratoire de cette intensité ne peut se condenser dans un corps physique. Disons seulement que ce serait comme de vouloir contenir un litre d'uranium pur dans une bouteille de plastique. Son essence imprègne déjà votre atmosphère, concentrée particulièrement au-dessus des vortex, car c'est depuis la sphère terrestre que cette déité coordonnera la liaison planétaire.

Comme vous ne la percevrez pas comme une déité physique, nous vous conseillons de vous méfier de ceux qui prétendront voir son image dans les formes abstraites des nuages et des arbres. Elle est au-delà de la forme un être d'une telle magnitude vibratoire qu'elle ne peut susciter aucune référence visuelle précise ni aucune parole sonore. Elle est essence, conscience de la plus pure intensité accomplissant une mission, celle de faciliter la renaissance d'une déité.

Certains parmi vous ont déjà commencé à se relier à elle au niveau énergétique primordial, le premier d'une série de stades de communication de plus en plus intenses qui seront atteints au moyen d'un processus progressif d'alignements, tant sa lumière est grande. Sa présence entrera dans votre conscience comme un éclat très intense aux reflets irisés éclatants qui n'existent pas dans votre spectre lumineux actuel, mais soyez assurés que vous le saurez quand elle vous traversera.

Depuis le début du nouveau millénaire, plus nombreux sont ceux qui sont conscients de sa présence, et c'est cette brillance même qui stimulera votre conscience, un signe que vous aurez atteint l'acclimatation de premier niveau. Vous sentirez cette couleur au plus profond de vous, alors qu'elle y créera les changements nécessaires au niveau subatomique, exactement comme vous avez absorbé, à d'autres moments de votre évolution, les fréquences vibratoires d'autres dimensions qui vous ont mis en résonance. Son rayonnement entrera dans la constitution subatomique de chaque être habitant cette planète et au-delà, par tout le corps de votre déité solaire, grisant prélude de votre passage final au niveau suivant.

Si vous prenez connaissance de cette entité par le présent enseignement, dites-vous que vous amorcez en ce moment même votre perception consciente de celle-ci, comme un préliminaire à la réception des ajustements vibratoires qui s'amorceront dès que vous consentirez à la probabilité qu'un tel être soit présent dans vos pensées conscientes. Votre esprit rationnel ne l'acceptera pas facilement, car vous ne pouvez encore concevoir l'existence d'un être d'une telle grandeur. Nous vous parlons ici d'un maître ascensionné ayant la résonance d'une déité et nous savons à quel point il est difficile pour la civilisation occidentale, toujours asservie par ses religions à dominance masculine et blanche, d'adopter la Déesse.

Durant le processus d'ascension dans la spirale, tous les êtres s'apparentent davantage à Dieu. Veuillez considérer cette affirmation comme une donnée spirituelle. Tout comme vous avancez dans votre karma à mesure qu'il se manifeste dans votre vie physique, vous évoluez également, en tant qu'êtres spirituels, jusqu'à atteindre finalement la vibration lumineuse irrépressible du luminaire, l'âme évoluée. Le voyage qui mène à l'initiation est long, et celui qui mène ensuite à la maîtrise et à l'ascension l'est encore davantage. Toutes les âmes suivent la même route, celle qui conduit au foyer de l'Être suprême. Toute la création est dans cet état de mobilité ascendante du devenir et du retour à la Source. Cette Déesse a atteint le point de fusion, mais elle doit d'abord accomplir un dernier acte en tant que conscience individuelle : *contribuer au grand Œuvre alchimique.* Ce processus d'alignements gravitationnels et de guérison fera traverser le tunnel à votre déité solaire, et, par ce passage, tout le système deviendra or.

Notre canal, Trydjya, se prépare actuellement à l'acclimatation de troisième niveau, qui la mettra en plus grande synergie avec les réverbérations de l'énergie de ce grand Maître. Cela facilitera ensuite son interaction avec le Conseil et les êtres des dimensions supérieures, qui entameront la communication avec la Terre dans un avenir très rapproché. Tout cela fait partie du processus continu d'harmonisation nécessaire à son travail futur comme instrument de notre voix collective.

Ce grand Maître de fréquence féminine vient définir les alignements requis pour assurer une transition sûre, rétablissant dans le corps de la déité solaire les fréquences sonores qui aideront à maintenir ensemble les éléments de votre système solaire, tout comme les dauphins ont soutenu vos mers. Il détient les codes de tous les points clés des vortex de chaque corps céleste de votre système solaire, et sa mission est triple : *épurer les méridiens énergétiques de la déité solaire, établir la liaison gravitationnelle correcte entre les champs de force de tous les corps et, en un sens, diriger l'orchestre de cette symphonie finale.*

Sans son intervention, votre système solaire s'effondrerait, car, à moins que les corps célestes n'aient été dynamiquement intégrés, l'effet siphonnant de ce passage magnétique projetterait les planètes, les lunes et les amas d'astéroïdes les uns contre les autres en un immense carambolage galactique ou les catapulterait dans les quadrants les plus lointains de l'espace hyperdimensionnel. D'autres disparaîtraient simplement dans la zone grise « entre » les dimensions, le destin le moins désirable qui soit pour toutes les âmes en transition.

On pourrait comparer cette zone grise à un brouillard très épais, une impénétrable nébulosité entre la vie et la mort où l'âme en suspens peut demeurer piégée en traversant les phases transitoires du processus de la mort, quelque part entre la matière et l'esprit. Nous pensons bien que vous ne désirez pas aller dans cet endroit, ni comme entités individuelles dans votre propre cycle de vie/mort ni comme corps céleste transitant dans la dimension suivante. C'est là que résident les ignobles « gris », vos méchants extraterrestres. De ces vapeurs sombres, ils se sont glissés dans diverses structures de l'univers matériel, perturbant l'harmonie des êtres tridimensionnels. N'appartenant ni au monde spirituel ni au monde physique, ils suscitent beaucoup de peur et de malaise quand ils font une apparition dans votre réalité. Par ailleurs, nous désirons souligner que ces êtres n'appartiennent pas non plus à la lumière et que votre engouement croissant pour eux – référence aux livres et aux films, aux tee-shirts, aux statuettes et autres babioles – les maintient dans votre conscience. Cette attitude de votre part est malavisée, particulièrement en ce moment où l'enjeu est si grand.

Vous êtes tellement plus perspicaces lorsque vous concentrez vos visions créatives d'êtres extraplanétaires sur des images qui apportent de la lumière à votre aura, au lieu de remplir vos espaces d'illusions issues du monde gris. Vous savez que la pensée peut se manifester quand vous la projetez dans votre structure, et c'est là une réalité qu'il vaut mieux laisser de côté, croyez-nous.

Cette déité deviendra une force prédominante au cours de l'année 2010, alors que le temps entrera dans la phase extrême de sa boucle avant de s'arrêter, au solstice d'hiver de 2012. Vous serez témoins de plusieurs incongruités alors que le temps linéaire commencera à se refermer autour de vous. Aussi bizarres que vous semblent les événements actuels, vous ne pouvez imaginer ce dont vous serez témoins lorsque vous aurez atteint ce point du cycle. Des espèces disparues réapparaîtront, des êtres multidimensionnels s'infiltreront, des événements précis de votre passé se produiront de nouveau et les frontières de la réalité éclateront. Il y aura une infinité d'images contradictoires de toutes sortes, et la confusion régnera à ce stade de la transformation alors que les êtres de tous les milieux sociaux seront confrontés à l'incompatibilité des réalités fusionnantes.

Alors que les effets du changement vibratoire intensifieront vos corps physique, mental et émotionnel, les conditions géologiques de la Terre s'intensifieront tout autant. Avec l'accélération du temps et les déchirures croissantes de la charpente spatiotemporelle, vous serez forcés d'affronter d'innombrables « non-réalités ». Plusieurs chercheront frénétiquement une explication rationnelle et (dans votre langage) « perdront » simplement la raison, tandis que d'autres, qui auront accéléré leur corps de lumière et transcendé leurs limites, reconnaîtront que cet écroulement des murs du temps constituera en fait une expansion au-delà des limites de la troisième dimension, en la traversant au point d'appui.

Ceux d'entre vous qui sont capables de comprendre la puissante augmentation vibratoire qui survient maintenant avec la venue de ce grand Maître, et de vibrer en harmonie avec cette déité, sont privilégiés. Ils ont « défriché leurs champs » et éliminé toute peur résiduelle, anticipant désormais la transformation et sachant qu'elle sera glorieuse. Ce sera l'épuration de la polarité, la fin du temps et la libération de l'illusion. Les émanations de ce grand Maître constitueront une partie importante de votre accélération, une source d'inspiration inconsciente. Vous serez alors prêts à vous élever sur les ailes de l'anticipation.

Cet être est personnifié par les effigies de la déesse égyptienne Hathor, représentée avec le disque solaire enchâssé entre ses cornes, car les anciens Égyptiens savaient qu'elle tenait en équilibre votre déité solaire, Râ. Nous vous rappelons que tout est écrit dans l'Akash, que tout est prévu dans le non-temps, et que plusieurs prêtres d'Égypte étaient des prophètes guidés par les êtres stellaires des Pléiades et de Sirius qui vivaient parmi eux.

Hathor est comme Sothis, l'étoile-chien Sirius s'élevant symboliquement à votre aube, tout comme dans l'ancienne Égypte quand la montée de Sothis à l'horizon de l'est (avant l'aube) annonçait toujours le débordement du Nil, qui fertilisait ainsi les terres arides de la vallée égyptienne. Malheureusement, on ne peut comparer les eaux diluviennes du nouveau millénaire au gonflement cyclique de la vallée du Nil, la grande ligne de vie de l'Égypte, car les bouleversements océaniques que vous connaissez actuellement ne sont que le début d'une grande colère de la nature, la réaction de Gaia au déséquilibre et à la disharmonie résultant de votre indifférence et de votre négligence.

Vous avez souvent été prévenus des bouleversements terrestres qui ont déjà commencé à se manifester furieusement partout sur le globe et ce n'est pas notre fonction de vous rebattre constamment les oreilles des descriptions des crises auxquelles votre planète est confrontée à ce jour. Nous n'insisterons jamais assez, cependant, sur le fait que vous avez le pouvoir de modifier les projections courantes d'une transition violente et dévastatrice pour Gaia, même si les signes et les prophéties tendent à nier pour vous une issue positive.

Il n'est pas trop tard pour amorcer une résolution. La partie qui se joue est cruciale, mais le moment de l'échec et mat n'est pas encore arrivé. Cependant, pour revenir à notre observation au sujet des « yeux qui refusent de voir », nous nous demandons si votre espèce agira à temps pour gagner la partie, renversant les effets de ses erreurs et établissant un nouveau paradigme pour la Terre quadridimensionnelle.

Par sa transition à la dimension supérieure, Gaia subit une mort planétaire naturelle, car c'est précisément en quoi consiste cette transition. Si cette idée vous dérange, c'est que vous craignez encore l'inconnue merveille du passage hors de la sphère physique. Rappelez-vous toutefois que la mort vous est familière, car la plupart d'entre vous ont déjà effectué leur transition personnelle plusieurs centaines de fois. Cette information se trouve dans votre matériel génétique, enfouie dans l'étang du subconscient, comme nous vous l'avons répété maintes et maintes fois.

La présente crise que traverse Gaia est un prélude non naturel à sa transmutation, un symptôme de la séparation de l'humanité d'avec la nature et la Terre. Vous exacerbez le processus de sa transition par la destruction massive des écosystèmes, mais il n'est pas nécessaire que les choses se passent ainsi. À l'instar de l'expérience humaine de la mort, le passage peut se faire en douceur. Ce sont votre karma et votre approche individuelle de la santé corporelle qui font que votre transition personnelle s'apparentera à une douce brise ou à une violente tempête. Il en est de même pour Gaia, dont la maladie est le résultat de votre inconscience collective. Comme vous avez tous contribué à sa souffrance, vous pouvez tous également unir vos forces pour la guérir, en préparation à la phase finale de sa transition.

Les autorités – les principaux décideurs – n'entendent toujours pas votre voix, car elle est trop douce et trop faible. Nous vous exhortons à aller vers les masses et à les informer que le nombre augmentera la puissance de cette voix, ce qui forcera les décideurs à vous écouter. Il ne suffit pas de s'indigner des crimes commis contre la Terre Mère ; il faut aussi contribuer à la collectivité pour influencer le changement. Votre union est vitale, une force agissante, tout comme votre engagement individuel à réduire la consommation, à éliminer soigneusement et correctement les déchets, et votre comportement conscient contribuant au rééquilibrage harmonieux de Gaia.

Nos avertissements prendront fin bientôt, car il sera trop tard et vous ne pourrez plus revenir en arrière si vous ne réagissez pas au message en entreprenant une action décisive. Il n'en tient maintenant qu'à vous. Ayez la situation bien en main par amour pour votre planète et pour toute la beauté de la vie qu'elle a connue au cours de son histoire incommensurable. Et n'oubliez pas que vous serez toujours centrés sur la Terre dans la nouvelle dimension. Autrement dit, vous progresserez avec elle puisque vous êtes ses enfants. Ainsi, si vous voyez cela comme un dénouement heureux à la Disneyland où tout sera rectifié dans le neuf, rappelez-vous que le karma doit être résolu et que les maux de Gaia seront tout aussi réels dans la quatrième dimension, même si l'ascension en aura modifié la manifestation.

Sachez que vous ne pourrez vous libérer que par la liquidation de vos dettes karmiques et qu'il en est de même pour votre planète. Nous désirons vous faire réfléchir à ce que la réalité quadridimensionnelle peut réserver à Gaia si vous ne passez pas à l'action immédiatement, car vous êtes sur le point d'entrer dans la phase irréversible où tout sera attiré dans le vortex à une vitesse plus rapide que celle de la lumière.

Le grand Maître n'a aucune juridiction sur la santé et l'équilibre des écosystèmes de la Terre, car cette responsabilité karmique doit être résolue par la conscience de votre espèce. Cette question étant liée à l'ensemble, elle constitue donc un aspect de sa fonction de guérisseuse, mais n'allez pas croire qu'un sauveur survient maintenant au dernier moment pour délivrer le monde de ses calamités, car ce serait là l'expression d'une conscience de victime, l'antithèse de ce qui est désormais requis de votre part.

Nous pouvons vous affirmer que Gaia est actuellement le corps céleste le plus instable de votre système solaire et qu'elle est considérée pour plusieurs raisons comme le maillon faible de la déité solaire. Paradoxalement, elle est aussi la plus dynamique, car le potentiel de la conscience humaine est vaste et inépuisable, et nous pouvons témoigner, à la lecture des Annales akashiques, que les êtres terrestres sont capables d'accomplir des actes d'une compassion et d'un amour infinis, particulièrement à l'apogée d'une crise. Votre immense capacité à ressentir une intense émotion est un aspect vital de votre humanité et nous vous encourageons à connaître votre corps émotionnel dans toute sa complexité.

Nous sommes fascinés par votre émotivité, car lorsque l'amour vous anime, vous êtes capables d'éprouver une joie extrême, un immense plaisir et toute l'extase que peut procurer la vie, et c'est pour nous un délice que de sentir ces ondes parcourir notre sphère. Nous vous en sommes reconnaissants. Quand vos émotions sont exaltées par l'amour, elles constituent l'aspect le plus puissant de votre humanité, celui qui vous mène à la grandeur. Votre ravissement se répercute jusqu'aux cieux.

C'est l'une des principales raisons pour lesquelles tant d'yeux vous observent si attentivement et c'est aussi pourquoi cette déité a décidé d'effectuer son grand travail depuis votre champ planétaire.

— *À ce stade-ci, comment pouvons-nous nous connecter à ce grand Maître ?*

En entretenant la croyance consciente en elle, vous émettez des schèmes énergétiques qu'elle peut identifier comme réceptifs et en résonance avec l'intention propre à sa mission de créer le réseau énergétique interactif de la famille planétaire qui forme le corps de Râ.

Plus vous serez nombreux à comprendre la dynamique des relations interplanétaires quant aux alignements cosmométriques, plus elle pourra intégrer de luminosité dans le treillis de lumière établissant la liaison pour que tous les corps célestes traversent le tube ascensionnel.

Si vous reconnaissez qu'une telle grille de lumière existe entre tous les éléments de la vie sur votre planète, vous aiderez à liquider la dualité qui l'imprègne. Sachant que toute vie est interconnectée aux autres, interchangeable et interdépendante, vous élevez le taux vibratoire de la planète, créant les ondes de communication nécessaires pour vous ouvrir à l'échange avec d'autres êtres – partageant avec vous la sphère physique sur leurs stations planétaires – et d'autres dimensions.

— *D'autres grands maîtres arriveront-ils en 2010 ? Si c'est le cas, quelle sera leur fonction ?*

Les maîtres de l'Univers de la lumière travaillent avec Râ, votre soleil, qui constitue leur foyer préliminaire quant aux événements ayant lieu dans votre corps solaire. Ils voient à la régulation des émissions photoniques interstellaires et des courants énergétiques qui touchent directement l'ensemble de votre système solaire. Ils se concentrent maintenant sur les corps célestes et sur leurs interactions et leur expérience mutuelle.

Alors que votre soleil atteint son apogée vibratoire, il élève la conscience des êtres stellaires avoisinants, tout comme les événements de Sirius affectaient Râ jadis.

Dernières réflexions sur 2010

> – *Quel est le changement le plus important que vous entrevoyez pour l'année 2010 ?*

Il y en a plusieurs, mais nous vous voyons détruire les structures par lesquelles les forces globales qui désirent vous dominer ont réussi à vous séparer en différentes classes sociales, races ou religions. Même si plusieurs d'entre vous ont beaucoup de craintes en cette période de changement profond, vous commencez tous à reconnaître que la vie sur votre planète ne sera jamais plus « la même ».

La situation confortable dans laquelle plusieurs d'entre vous ont vécu, insensibles sous plusieurs aspects à la souffrance de tant d'êtres qui partagent la Terre avec eux, se rétrécit. Pendant que s'écroulent les murs des conventions, l'humanité entière prend conscience des grands changements qui caractérisent la transformation de Gaia, alors que celle-ci se prépare à quitter la troisième dimension pour accéder au palier supérieur.

Pensez aux difficultés éprouvées lorsque vous faites des choix nécessitant des changements dans votre environnement personnel, votre travail et vos relations, puis demandez-vous ce qu'il faut pour faire des pas de géant sur cette spirale évolutive aux proportions cosmiques.

C'est là votre réalité à ce point de transformation qu'est l'an 2010. Vous détruisez ce qui est vieux, vous passez au travers de la souffrance et vous commencez à construire un nouveau paradigme par l'épuration des structures de l'extrême dualité qui vous ont maintenus dans un état de séparation, par l'unification de l'espèce humaine avec les autres espèces de votre planète, et par la reconstruction d'un monde qui a besoin d'une plus grande compassion et d'une intention plus consciente.

— *Comment pouvons-nous travailler avec les potentialités de cette année-là ?*

En incarnant le changement, la conscience et la compassion que vous désirez voir dans le monde, pour vous-mêmes, pour ceux que vous aimez et pour tous ceux qui semblent loin ou séparés de vous. En apportant aux autres la lumière constante et stable de votre sagesse, de votre service désintéressé et de votre amour inconditionnel.

— *Dans quel domaine les plus grands changements se produiront-ils ? En science, en technologie, en médecine, en écologie ? Dans tous ces domaines ?*

Ces domaines sont tous interconnectés. Les changements les plus importants surviendront cependant dans la perception humaine de la réalité, alors que vous prendrez conscience de ce que vous pouvez créer collectivement. En vous harmonisant davantage avec la Terre, vous reconnaîtrez que l'« environnement » est une représentation stérile de l'expérience émotionnelle de Gaia. Plus on abuse de cette dernière, plus elle réagit, déterminée à se libérer de la disharmonie engendrée surtout par votre espèce.

Vous vous rendrez compte que tous les outils dont vous disposez pour améliorer votre existence ont été utilisés dans une très large mesure pour entraver le mouvement de la nature. Devant la détérioration rapide de vos écosystèmes, ces disciplines (la science, la technologie et la médecine) s'efforceront de corriger les déséquilibres planétaires par l'amour de la Terre, non par la destruction aveugle qui a marqué votre histoire récente.

— *L'année 2012 est-elle toujours un repère, ou cette potentialité a-t-elle changé aussi ?*

Vos attentes d'une issue déterminée temporellement agissent toujours sur le temps, qui n'est qu'un point de référence dans votre dimension. Toutefois, nous reconnaissons que ce point significatif du continuum spatiotemporel, structure de la troisième dimension, marque la phase finale de votre préparation au passage.

— *De votre côté, que désirez-vous que nous ayons accompli en 2010?*

Nous désirons vous voir comprendre que, où que vous soyez dans le temps et dans l'espace, vous êtes toujours là où vous devez être et que vous êtes guidés à chaque pas que vous faites.

Pour le Haut Conseil

En terminant cette série de questions que j'avais pour vous ce soir, je ne peux m'empêcher de ressentir une immense gratitude envers un groupe d'êtres de lumière qui œuvrent avec nous depuis des milliers d'années.

Même si nous n'arrivons pas à nous souvenir de tout à ce stade-ci, je veux que vous sachiez à quel point nous vous sommes tous reconnaissants de votre présence, de votre amour et de votre patience en vue de ramener cette humanité à la maison. Je sais que nous avons tous voyagé ensemble à un certain moment, et que nous le ferons de nouveau, et ce sera alors un grand moment pour nous tous.

L'univers entier semble concentré sur nous, sur ce qui se passe ici, sur la Terre. Tant d'êtres de lumière travaillent sans relâche pour nous que j'ai parfois l'impression que nous oublions d'exprimer notre gratitude à vous tous de l'autre côté du voile.

Je sais, au plus profond de mon être, que vous n'êtes pas séparés de nous, que nous formons tous une grande famille, et que nous nous sommes quittés il y a très longtemps pour participer à cette grande aventure.

Très souvent, le soir, je me demande comment se portent tous ceux que j'ai quittés. J'aimerais pouvoir leur demander tout simplement s'ils vont bien. Qu'ils puissent me parler de Sirius, de leur vie, de leur travail, et me dire si tout se passe comme prévu.

Ce soir, mon plus profond désir serait que nous soyons tous ensemble.

Fille de beauté et de lumière, tu es nous et nous sommes toi. Nous sommes tous des étincelles de la Lumière divine, des âmes de la conscience du « Je Suis » s'élevant dans la brillante spirale qui nous ramène à la brillance infinie.

Personne n'a été quitté. Cette construction mentale de la « séparation » est simplement une illusion du domaine de la matière, où la plupart ne peuvent pas encore voir à travers le voile. Sache que chaque âme progresse superbement, divinement, au rythme qu'elle a établi pour elle-même quand elle a plongé dans la nuit obscure de l'ignorance et entrepris sa remontée vers la lumière.

Nous avons connu ce voyage, à un moment qui nous a déjà paru « le passé » mais dont nous comprenons maintenant qu'il est le « toujours ». Nous avons connu l'obscurité, l'ombre, l'extrême dualité, sa résolution, et nous sommes désormais dans un état de service pour ceux qui sortent de ces sphères ténébreuses.

Malgré ton inquiétude pour la Terre et les perturbations qui marquent la progression évolutive de Gaia, créant des champs de disharmonie et de souffrance, vous êtes tous sur la bonne voie, nageant dans la mer des probabilités que vous avez créées vous-mêmes, et vous préparant à ce qui vient. Cependant, rappelez-vous toujours qu'il est très important de célébrer ce qui a été déposé à vos pieds, tout autant que vous rêvez de ce qui se trouve plus loin ou que vous regrettez ce qui est disparu.

En tant qu'aînés de votre expérience, nous désirons pour vous un voyage aussi splendide que le nôtre, où nous avons connu la magnificence de l'ascension de notre propre déité solaire.

Cependant, tout comme vous, nous avons dû faire face à nous-mêmes, soit affronter notre karma personnel et collectif, et vaincre nos propres craintes et nos propres doutes. C'est cette route que nous avons choisie individuellement et collectivement en tant qu'êtres de Satais, l'étoile de Sirius qui brillait jadis dans la densité de l'univers matériel. C'est la route de tous les êtres conscients, celle du passage de l'obscurité à la lumière et du retour conscient et délibéré.

Comme plusieurs d'entre vous, nous avons attendu et espéré de l'aide des autres mondes, des autres réalités. Et comme vous tous, nous nous sommes inquiétés… pour rien. Nous avons découvert que le passage n'est pas moins important et pas moins stupéfiant que l'arrivée. Cela, très chère, est la plus grande réalisation qui soit, si simple et pourtant si difficile à saisir depuis les ténèbres de la dualité.

Nous nous demandons souvent comment nous pourrions vous réconforter, conscients que votre décision de souffrir ou de célébrer la transformation de votre réalité est fonction de votre perception de l'existence dans la sphère de vie terrestre.

Aujourd'hui, très chère, nous te demandons d'imaginer une splendide rose rouge, symbole de l'intention cultivée, où, en essence, l'homme, la femme et la semence s'unissent pour produire la beauté dans le monde. La conscience de la semence renferme cette potentialité grâce à laquelle *« je peux atteindre la perfection grâce à ta nourriture et à ton amour »*.

Toi, la jardinière consciente, crée de ton mieux l'environnement le plus propice au résultat désiré, et toi, la semence porteuse des codes d'intelligence qui donneront ce résultat, reçois l'expression de ton amour et de ta protection.

Cette semence est naturellement encodée de toute la sagesse requise pour lui permettre d'atteindre son plein potentiel, qui est la nature de toute vie. Tel est le don divin de ta conception unique et collective.

Tu nourris la semence de tous les éléments dont elle a besoin pour se développer, puis tu attends patiemment son épanouissement.

La chaleur du soleil printanier fait signe au sol de la nourrir.

Les oiseaux entonnent le chant du renouveau et ces douces vibrations font fleurir le bourgeon.

Un jour, au moment de la manifestation, s'ouvrent dans ton cœur la capacité et la conscience de célébrer cette beauté, cette intention, cette explosion de vie.

À chacun de vous, nous demandons : *Sur quoi concentrez-vous votre esprit ?*

Vous attardez-vous dans un champ de rendements décroissants en vous demandant pourquoi seule cette semence a fleuri tandis que les autres n'ont pas encore répondu à vos attentes ? Ou vous projetez-vous dans l'avenir en sachant qu'il y aura d'autres fleurs, peut-être même plus belles que celle-ci, plus grosses, plus éclatantes et plus odorantes ?

Ou, encore, célébrez-vous cet événement particulier, ce moment différent de tous les autres, unique en lui-même, pour sa perfection et son incommensurabilité ?

Vous êtes chacun cette fleur.

Vous êtes la semence et la fleur, la sagesse et l'intelligence encodée de la vie.

Vous êtes la conscience pourvoyeuse ayant la chance d'observer ce moment de perfection.

Simplement parce qu'il peut être.

Simplement parce qu'il est.

Et vous en faites entièrement partie, tout comme vous êtes un inconnaissable quantum de lumière en émergence dans le futur et dans le passé.

Ma vie à Alexandrie

Témoignage

Je viens de lire le chapitre sur Alexandrie dans *2009* et j'éprouve le besoin impérieux de vous écrire.

Je suis une Française âgée de 67 ans. J'ai retrouvé il y a quatre ans un ami d'enfance, Jean-Pierre, et depuis, nous vivons en harmonie à la campagne, à 70 km de Paris. En fait, nous devons nous connaître depuis des vies, et depuis ces retrouvailles nous nous efforçons de mettre notre bonheur et notre sérénité au service des autres.

J'ai déjà eu, quant à moi, la chance d'avoir accès à quelques épisodes de vies antérieures, souvent par flashes. Les rêves de ma petite enfance semblent également être des jalons. Ce sont toujours des pistes pour nettoyer de vieilles mémoires et j'arrive ainsi à progresser.

Petite, je faisais le cauchemar récurrent de livres qui brûlaient et je me réveillais en criant : « Les livres… les livres brûlent ! » Au cours de ma vie, l'amour des livres et le besoin d'apprendre ne se sont jamais démentis. Toutefois, j'ai toujours eu beaucoup de recul par rapport à la transmission du savoir, bien que je sois une fille d'enseignante, ou pour cette raison justement. En tout cas, c'est ce que je me disais devant mon incapacité à transmettre correctement ce que je sais, surtout si je le sais parfaitement. C'est allé jusqu'au blocage total.

Je suis allée deux fois en Égypte, sans pouvoir me rendre à Alexandrie. C'était chaque fois à regret, comme un rendez-vous manqué, car je savais depuis toujours que je devais y aller.

En janvier 2008, j'ai enfin pu réaliser mon rêve, grâce à l'aide de Jean-Pierre. En partant, je savais que j'allais trouver le souvenir d'une vie antérieure, sans avoir toutefois aucune idée préconçue. Jean-Pierre et moi avons flâné sur le bord de mer, dans les petites rues, dans les catacombes, etc., sans que rien ne vienne me rappeler quoi que ce soit. Puis nous sommes allés à la grande bibliothèque refaite il y a peu, dans une architecture respectueuse de son passé. J'avais « oublié » à ce moment-là ma quête de réminiscences. La petite guide commençait à nous donner des explications à l'intérieur de la grande nef, lorsque j'ai cru voir s'ouvrir un des pylônes. Ce fut comme un cataclysme intérieur. J'ai su instantanément que c'était moi qui avais mis le feu à la grande bibliothèque, ou plutôt que je faisais partie d'un groupe de conspirateurs qui avaient commandité cet acte de barbarie. J'étais submergée par l'émotion, secouée de gros sanglots incoercibles. Incapable de contenir mes larmes, je me réfugiai contre mon compagnon pour ne pas gêner le groupe par mes pleurs. Les sentiments de honte et de culpabilité m'envahissaient. Je suis sortie de la bibliothèque soutenue par Jean-Pierre, dans un état second, assommée par cette révélation. Certes, je savais que j'avais vécu à Alexandrie et que l'incendie de la grande bibliothèque me remplissait d'horreur chaque fois qu'il en était question, mais je n'avais jamais imaginé que j'en avais été un des protagonistes !

Petit à petit, je compris que j'avais dû être un prêtre de la religion catholique, un de ceux qui voulaient que leur religion supplante les autres et pour qui le savoir est une menace. Au bout d'une heure ou deux, je rassemblai assez d'idées pour penser qu'il fallait que je demande pardon à l'humanité pour ce crime. J'ai passé ma soirée à le faire, les larmes me venant à tout moment.

Le lendemain, l'idée que je devais réparer s'est fait jour. J'ai demandé à mes anges de trouver une réparation à la hauteur des dégâts que j'avais causés, ayant le sentiment que moi seule ne pouvais grand-chose. J'étais désespérée devant l'ampleur de la tâche. En même temps, je compris aussi que deux des conspirateurs qui m'entouraient à l'époque sont actuellement des membres de ma famille. Il s'agit de ma sœur aînée et de son mari. Tous deux ont une immense érudition et parlent plusieurs langues, mais ne font rien de leur savoir. Mon beau-frère a fait ses études au séminaire et a failli être prêtre. Ma sœur a acheté des livres toute sa vie et en avait quelques milliers lorsque survint l'incendie de leur maison, la nuit de Noël 2007, soit trois semaines avant ma venue à Alexandrie. La maison entière a brûlé, sans aucune explication, la plus grosse perte étant les livres. Leur fille qualifiait d'ailleurs leur maison de « bibliothèque d'Alexandrie ». Malheureusement, je n'ai pas pu en discuter avec eux, car ils sont confinés dans la religion catholique, justement, et peu ouverts sur le monde.

Je commençai à comprendre que cette vision n'était pas le fruit du hasard et que j'avais beaucoup de chance d'avoir l'occasion de me libérer de cette grande culpabilité. Au bout de deux jours, je sus qu'il fallait que je me pardonne et je dus concevoir un nouveau mantra. Ce processus dura une semaine environ, et peu à peu je sentis la culpabilité desserrer un peu son étau. De plus, je repensai à deux visions que j'avais eues antérieurement. Dans l'une, j'avais été un médecin atlante soignant à l'aide de cristaux et d'autres méthodes perdues. J'avais profité de mon savoir pour dominer les autres. Dans l'autre vision, j'étais templier, et au moment de ma mort violente je regrettais de mourir sans avoir transmis mon savoir, que j'avais jalousement gardé. La cohérence des souvenirs de toutes ces errances passées m'apparaissait, et si j'avais déjà à maintes reprises fait un travail de pardon, je trouvais cette fois la tâche beaucoup plus ardue.

Depuis cet évènement, j'essayais de me persuader que j'avais fait le nécessaire pour ne plus me sentir coupable. Cependant, je savais que je n'étais pas arrivée au bout de ma démarche et je ne manquais pas une occasion de lire tout ce que je trouvais sur la grande bibliothèque pour avoir des indices. Lorsque j'ai vu ce chapitre dans *2009*, mon cœur s'est mis à battre, car je savais que j'allais y trouver ce que je cherchais.

Tout d'abord, merci d'avoir inclus la vision que vous aviez eue de la destruction de la bibliothèque d'Alexandrie. J'ai eu l'impression qu'elle était écrite pour moi. Ensuite, je crois que je suis en partie responsable de la brûlure de vos mains à ce moment-là et de votre culpabilité liée à cet épisode dans vos vies postérieures. Je vous en demande grandement pardon. C'est une grande chance pour moi de pouvoir le faire et j'aimerais y inclure tous ceux à qui j'ai porté préjudice lors de l'incendie et après.

Ensuite, l'explication donnée par le Haut Conseil de Sirius m'a soulagée d'un grand poids. Je suis enfin rassurée sur le devenir du savoir perdu par ma faute. De plus, je suis maintenant dans l'acceptation de notre nature duelle qui m'a fait commettre, entre autres, cet acte de barbarie.

L'éclairage apporté m'a permis de me libérer de cet énorme fardeau que je devais porter depuis pas mal de vies.

Je vous remercie de faire si bien votre travail d'éditrice qui contribue à l'avancée d'un grand nombre d'entre nous.

Avec toute mon admiration et mon amitié.

Marie-Claude

Troisième partie

Gaia

canalisée par Pepper Lewis

Le voyage que vous accomplissez,
les difficultés que vous y rencontrez,
les sujets que vous abordez,
tout cela représente votre « chemin héroïque »,
votre « voyage héroïque », et avec raison.

Message de Pepper Lewis

Chers lecteurs,

J'ai l'heureux privilège de recevoir par *channeling* depuis plus de quinze ans la sagesse de Gaia, c'est-à-dire l'âme de notre planète, et je suis très reconnaissante de pouvoir la partager ici avec vous. La canalisation procure une connaissance que je n'ai trouvée dans aucun autre enseignement ni aucune autre pratique. On définit parfois la méditation comme l'écoute de Dieu/Tout ce qui est, et la prière comme un dialogue avec Dieu/l'Univers, mais le *channeling* représente les deux à la fois.

Bien que je me sente parfois très seule, je ne le suis pas quand l'Esprit parle par mon entremise. Ses paroles sont toujours chaleureuses, directes et compatissantes, et l'information qu'elles véhiculent est encourageante et réconfortante. Peut-être devrais-je ajouter que j'ai toujours été libre de choisir la direction à donner à mon existence avec l'Esprit (ou Gaia) comme copilote.

Notre vie change maintenant très rapidement. Dès que nous avons l'impression d'avoir maîtrisé le moment présent ou surmonté une difficulté, une autre embûche apparaît. Même si le *channeling* n'élimine pas les obstacles rencontrés sur notre route, il nous aide sans contredit à mieux comprendre ce qui se passe et nous offre un moyen de naviguer plus facilement dans le tumulte.

Gaia nous dit que 2010 sera une année de découvertes tant personnelles que planétaires, une année où il faudra penser par le cœur et sentir par l'esprit. Elle affirme également que ce sera une année de « revirements », c'est-à-dire que nous pourrons changer d'idée, de direction ou de destin. « Soyez d'abord un observateur, puis un participant. Soyez un témoin plutôt qu'un juge. Soyez la voix de la raison quand on ne l'entendra nulle part et, surtout, faites-la d'abord entendre par votre propre cœur afin que votre vérité soit communiquée exactement comme vous le désirez. »

Je laisserai Gaia vous présenter elle-même son âme à sa manière unique et vous inviter à faire l'expérience de la Terre, de ses règnes et de ses éléments de manière nouvelle.

Avec le plus profond respect pour votre propre parcours.

Introduction de Gaia

Chers lecteurs très estimés,

Je suis l'âme ou la sentience de cette planète. Par sentience, j'entends une pensée qui est à la fois un sentiment et une connaissance, donc l'expression de tout cela. Je suis consciente de vos pensées individuelles même quand je ne m'adresse pas à vous individuellement. Je suis également consciente de votre sentiment au sujet de la Terre et de votre existence. Ma conscience ne me permet pas de modifier des situations personnelles ou planétaires, mais bien d'examiner de nouvelles possibilités et de les favoriser, particulièrement quand elles servent aussi vos intérêts.

Cette planète est votre foyer pour le moment et vous pouvez l'aménager comme bon vous semble. En tant que représentants uniques de l'espèce humaine, vous êtes libres d'explorer les dimensions et les minces voiles qui les unissent en laissant croire qu'il n'existe qu'une seule dimension et qu'une seule réalité. Ensemble, il nous est possible d'explorer de multiples dimensions et de multiples réalités où il y a également un « ici ». Je ne vise aucunement à raccourcir votre voyage en vous empêchant de vivre pleinement chaque expérience, et vous découvrirez que vous pouvez être plus sélectifs, et ce, avec facilité et créativité.

Avez-vous déjà défait un vêtement pour mieux l'ajuster à votre taille ? Même défait, il vous appartenait toujours et vous pouviez imaginer comment il vous irait une fois refait. Eh bien, l'année 2010 sera un peu ainsi. Au début, ce sera comme si l'on vous avait donné un vêtement mal ajusté en vous disant d'en tirer le meilleur parti possible. Vous vous rendrez compte ensuite que vous pourriez grandement l'améliorer avec un peu de créativité et d'habileté. Même si vous ne vous sentez pas assez habile pour effectuer les changements nécessaires, vous saurez qu'il vous est possible de vous faire aider par d'autres.

Peut-être m'inclurez-vous dans la famille élargie à laquelle vous faites appel dans tous les moments difficiles. Peut-être remarquerez-vous ma présence dans votre être, dans vos actes, dans vos pensées, et même dans votre nourriture. Je suis à la fois ressource et ingéniosité. Je suis la mère de tout ce qui est terrestre, comme je suis une compagne et une amie fidèle.

Un aperçu

Je vous salue et je vous souhaite la bienvenue dans ce moment particulier de votre existence. Voici venu le temps d'entrer au cœur même de la vie, laquelle est une expérience, la découverte de l'instant présent et un déroulement continu, que vous soyez attentifs ou non à ce qu'elle offre en particulier ou en général. Par conséquent, le but de cette planète, de ce corps céleste appelé la Terre est de poursuivre le déroulement de la vie. Pendant que celle-ci se déroule, il est important de l'entretenir. Il faut maintenir son caractère sacré afin qu'elle continue à se révéler. Lorsqu'elle devient moins sacrée, il faut rétablir l'équilibre, et il est temps désormais de le faire, de *restaurer*, de *rééquilibrer* et de *reconsacrer*. Ce n'est donc pas un temps d'achèvement, mais de commencement.

Le temps est venu de vous reconsacrer à la Terre, de réengager votre vie et votre cœur. C'est aussi le temps de raviver la passion, de redécouvrir le soi, tout d'abord en reconnaissant le caractère sacré de chaque instant. Cela fait, toutes choses se dérouleront plus légèrement. Sans cette reconnaissance, la vie sera un peu plus dense, un peu plus lourde à porter, avec un peu plus de responsabilités. Sachez que la vie désire toujours être rééquilibrée afin d'être soulagée de ce fardeau. Celui-ci tombé, la vie acquiert sa propre force. Que cette force soit légère ou dense, quelle qu'en soit la nature, elle se déplace et s'accroît jusqu'à ce qu'elle se pose quelque part!

Voici que cette accumulation d'énergie s'est posée et que tous peuvent voir où elle se trouve, car elle a atteint des proportions monumentales.

Plus personne ne peut prétendre ne pas la voir. Certains peuvent dire qu'ils ne l'ont pas vue venir, mais ils ne peuvent affirmer qu'ils ne la voient pas et qu'ils n'en reconnaissent pas l'existence. Ce qu'elle est, nous en parlerons bientôt. Votre monde, tel que vous le percevez à présent, se débarrasse de ce qui ne lui sert plus, de ce qui n'est plus approprié, de ce qui ne peut s'entretenir tout seul. Afin que votre monde puisse durer, il doit se maintenir en bon état. Afin de conserver la santé en ce monde, vous devez aussi vous maintenir en bon état. Autrement dit, il vous faut respirer convenablement, vous hydrater adéquatement et bien vous nourrir afin de bien digérer. Il vous faut entretenir votre corps pour participer adéquatement à la vie.

Mon propre corps, la Terre, doit faire de même. Il doit s'entretenir afin que la vie puisse persister. C'est cet équilibre qui se rétablit à présent. On peut reconnaître l'existence d'un déséquilibre, mais le problème, chez les humains, c'est que les accusations surgissent dès qu'un déséquilibre apparaît : « C'est votre faute, vous l'avez créé vous-mêmes, c'est la faute de ce gouvernement, de ce président, du pillage des ressources », et ainsi de suite. Pourtant, la vie se déséquilibre et se rééquilibre constamment, et il en est ainsi de vos journées. C'est un phénomène naturel, une progression continue vers la durabilité. L'équilibre l'emporte sur le déséquilibre, mais il possède lui-même un flux et un reflux. Il s'agit d'une force qui s'attire et se repousse elle-même. Attraction et répulsion, voilà la constante.

Pour la période de 2009 à 2012 et au-delà, il s'agit de restaurer et de raviver, de rééquilibrer, de promouvoir toutes les nouvelles ressources et les nouvelles idées, le nouveau paradigme de la Terre et de l'humanité. Ce sera donc l'affaire de tous. Au sein de vos propres préoccupations, voyez ce qui peut être ravivé, restauré et découvert. Dites-vous qu'il s'agit à la fois d'un début et d'une continuation. Ainsi, vous n'aurez aucune difficulté à voir loin dans l'avenir, car ce dernier est déjà là. Tout ce dont vous avez besoin est déjà là ou presque. Qu'est-ce qui manque à l'humanité ? Simplement la reconnaissance, la volonté de dire : « Oui, je le désire, je l'appelle, je l'accueille, j'y travaille, je le découvre. »

L'économie mondiale et la gestion de la richesse

L'économie mondiale occupe aujourd'hui le devant de la scène. Sans doute serez-vous tous d'accord pour dire qu'elle paraît à cette heure en difficulté. Il faut donc la restaurer, et cela ne s'accomplira pas du jour au lendemain. En fait, ce serait possible, mais l'humanité ne le fera pas. Pourquoi ? Entre autres parce qu'elle a pour référence « le passé ». Chacun a sa propre vision idéale d'un temps où les conditions de vie étaient appropriées, où il avait l'impression d'être productif et créatif. Cette vision réside en chacun de vous, comme en chaque structure ou chaque entité. En tant qu'entité, une société commerciale peut très bien posséder, comme un individu, cette vision d'une époque particulière dont elle se sert comme mesure comparative.

En ce moment, la difficulté réside dans le fait que l'humanité désire restaurer l'économie en la ramenant à son état antérieur. Vous dites : « Ramenons l'économie à ce qu'elle était sous tel président. » Sachez que cela n'arrivera point. Il n'est pas approprié de revivre une période déjà vécue. Il faut plutôt recréer, redécouvrir et raviver. Le nouveau doit naître de l'ancien ou de ce qui existe actuellement. Tant que vous n'aurez pas fait ce choix, vous continuerez à vous débattre avec des hauts et des bas, qu'il s'agisse de votre humeur ou de votre monnaie. En fait, votre humeur gère les fluctuations monétaires, et ces chiffres que vous voyez à la télévision influent sur votre humeur.

Il faut donc changer la mesure dont se sert l'humanité pour faire « le bon choix » ou posséder « la bonne économie ». Pour l'instant, l'humanité dit : « *Il faut changer les choses, car nous avons voté pour le changement.* » Ce n'est pas tout à fait vrai. Elle a voté pour *le mot* « changement ». Votre vie n'a pas encore changé. Vous avez voté pour un idéal. Il s'agit cette fois de voir si vous vivrez ou non cet idéal.

Au cours des quatre prochaines années, vous comprendrez le sens véritable du mot « changement ». C'est ensuite que vous le vivrez. Ce ne sera donc pas immédiatement comme vous l'aimeriez ou l'espériez, et ce n'est pas à cause « d'eux là-bas » qui ne veulent rien changer, mais plutôt à cause de «vous ici» qui n'êtes pas tout à fait prêts au changement à venir.

C'est maintenant une période de découverte. Il s'agit de trouver la paix dans ce qui est et ce qui n'est pas. En ce qui concerne l'économie en 2009, les hauts et les bas se poursuivront.

De plus, au moment où vous lirez ces lignes, une ou deux monnaies auront sans doute chuté, échoué, ou seront au bord de l'échec. Elles pourront toutefois être achetées ou absorbées par une autre monnaie mondiale. Dès lors, le monde possédera, dans une certaine mesure, les propriétés foncières ou immobilières associées à ces monnaies, de sorte qu'une redistribution des richesses aura lieu par le biais des devises. Un pays pourra prendre possession d'un autre sans lui faire la guerre pour obtenir ces propriétés, car le deuxième pays se soumettra tout simplement au premier.

Ainsi, certaines monnaies disparaîtront tandis que d'autres se renforceront. Toute cette question des devises sera au centre de l'actualité. Au sein de la communauté bancaire, on ne saura pas quelle monnaie renforcer en premier, car dès que l'une montera en puissance, l'autre descendra, et dès qu'une amélioration dans un secteur du monde se produira, un autre se trouvera gravement menacé.

Tandis que certaines monnaies chuteront, d'autres se renforceront, comme nous l'avons dit, et ces dernières deviendront encore plus prédominantes. Comme vous pouvez l'imaginer, il s'agira de celles qui occupent actuellement la plus grande place sur la scène mondiale.

Voici maintenant comment voir la chose. Les monnaies qui connaîtront la plus forte hausse sont celles des pays les plus endettés, ceux dont la dette peut être recouverte ou redistribuée. Le dollar américain pourrait donc se renforcer. La devise chinoise, le renminbi [ou le yuan], se renforcera également, tandis que la devise japonaise ainsi que la monnaie européenne subiront possiblement une hausse suivie d'une chute. Pour l'instant, les devises sud-américaines ne subiront aucune fluctuation.

Au cours des deux prochaines années, tout le système de valeurs des marchés boursiers sera redéfini. Votre indice «Dow» et tous les autres seront abandonnés au profit d'un autre système, car le précédent ne sera plus adéquat. Comme cette inadéquation suscitera de plus en plus de crainte et de méfiance, il faudra inventer une autre mesure pour les investissements. Avec l'installation de ce nouveau système, on établira des règles protectrices pour les investisseurs. On cherchera à réunir tous les marchés. Ce ne sera donc plus la monnaie d'un seul pays qui servira à évaluer le marché. On créera une organisation mondiale qui aura pour fonction de maintenir la valeur de toutes les devises et de tous les marchés boursiers du monde. Au moment où vous lisez ces lignes, des gens se réunissent déjà pour étudier cette possibilité ainsi que les moyens de l'exploiter. Nous parlons donc ici d'un événement qui aura lieu dans un avenir très proche.

L'instauration du nouveau système provoquera l'effondrement de l'ancien, mais il ne s'agira pas d'un véritable effondrement. Il s'agira plutôt d'une absorption de l'un par l'autre, à l'instar d'une société commerciale qui absorbe la dette d'une autre et la coiffe d'un nouveau logo un peu plus attrayant. La même chose se passera donc sur le plan boursier et tout sera très bien présenté afin de vous rassurer. Vous aurez de nouveau le sentiment que vos gouvernements et vos institutions bancaires protègent vos capitaux et ceux des autres.

Pendant un certain temps, toutefois, il y aura un sparadrap sur les économies mondiales, particulièrement l'économie nord-américaine. Qu'on le veuille ou non, c'est sur celle-là que sont fixés les yeux du reste du monde. On aura l'impression que si l'Amérique du Nord peut trouver des solutions à ses problèmes, le reste du monde suivra. C'est exactement ce qui se produira.

Dans un proche avenir, vous assisterez à la diminution de certaines ressources, au contrôle de certaines autres, à la protection de certaines autres encore, et au développement de programmes destinés à soutenir et à renforcer l'économie mondiale.

Cette économie doit s'entretenir de la façon dont vous devez le faire, comme nous l'avons précisé plus haut. Certains pays le feront très bien, mais d'autres non, de sorte que vous verrez certaines conditions s'établir sur la planète. Des pays atteindront un apogée, comme un feu d'artifice se déployant aux yeux de tous, puis ils seront vite oubliés.

Ce sera le cas de presque chaque pays, non seulement des États-Unis. Le monde désire si ardemment une solution qu'il saisira pratiquement n'importe laquelle qui sera le moindrement prometteuse, même si elle comporte des contraintes inhérentes dont certaines seront invisibles, du moins sur le moment. C'est là le danger de l'époque présente. Ces contraintes que vous ne pourrez discerner sont transparentes aux dires des autres, mais je vous dis qu'elles sont plutôt invisibles. Ce n'est pas la même chose.

Soyez donc prudents quant au choix que vous faites à ce jour. Choisissez le monde dans lequel vous désirez vivre. Si vous le faites, vous verrez que votre conscience commencera à appliquer cette même philosophie dans votre vie. C'est la raison de ce qui se passe maintenant. Alors que l'économie mondiale se transforme, que des échanges se produisent, ses dirigeants changeront également.

Le chemin des héros et le nouveau leadership

Ce qui suit est très important. Je vais vous indiquer comment choisir vos héros personnels sur la scène du monde actuel. Observez ces gens en réfléchissant en toute conscience. Regardez où ils vont et voyez si votre conscience désire les suivre. Voyez s'il s'agit de véritables héros ou de simples acteurs occupant temporairement la scène et vêtus d'une certaine façon, pour vous séduire. Décidez ensuite chacun par vous-même. Peut-être découvrirez-vous alors que *vous* êtes un héros.

Le chemin sur lequel vous avancez et que vous avez choisi, ce chemin qui vous a conduits sur la Terre, est le « chemin héroïque ». Peut-être ne le saviez-vous pas. Le voyage que vous accomplissez, les difficultés que vous y rencontrez, les sujets que vous abordez, tout cela représente votre « chemin héroïque », votre « voyage héroïque », et avec raison. Peut-être découvrirez-vous les héros que vous êtes et verrez-vous que les dirigeants qui occupent la scène mondiale sont moins qu'héroïques. Et peut-être découvrirez-vous au sein de votre propre communauté, ainsi qu'à l'intérieur de vous-mêmes, les véritables héros. Peut-être les renforcerez-vous en leur donnant la parole et un but.

C'est peut-être cette passion-là qui sera ravivée. Aujourd'hui, le cœur n'est plus à sa place. Il faut le stimuler pour lui redonner sa position glorieuse. Remettez-le où il doit être. Votre cœur est intelligent et compatissant. Il n'est que connaissance. Chez ceux qui le voudront bien, le cœur sera même « voyant ». Permettez-lui donc de voir, de découvrir consciemment le prochain monde, celui qui se développe maintenant. Laissez-le vous diriger, ce qui ne veut pas dire que vous devez « ressentir le moment et laisser votre cœur suivre ce sentiment ». Il s'agit plutôt de laisser le cœur diriger tous les organes du corps, toutes les pensées qui vous occupent. C'est le cœur qui détermine le but de votre vie. Il gère l'énergie du corps. Comme cet organe décide dans quelle mesure vous participez activement et directement à cette énergie, il doit être vraiment stimulé en le replaçant au centre de votre être. Ce faisant, vous stimulerez aussi votre économie. Encore une fois, l'économie mondiale ne peut plus continuer d'être ce qu'elle est.

Il est temps de faire exception aux règles et aux dirigeants. Vous constaterez alors que plusieurs de ceux qui occupent la scène mondiale à l'heure actuelle n'y resteront pas longtemps. Tout cela est écrit sur vos murs ou dans vos publications, selon la vision que vous en avez. Certains tomberont même en disgrâce très rapidement et seront remplacés. Pendant un certain temps, il sera difficile de se rappeler qui est au pouvoir à tel ou tel endroit.

La nouvelle économie suscitera aussi de nouveaux *leaders* économiques. Ces derniers ne font pas nécessairement partie de votre gouvernement. La différence entre un leader et un élu est grande. On ne peut comparer les deux. Toutefois, les élus peuvent développer des qualités de dirigeant, mais certains les développent après avoir quitté leurs fonctions. Peut-être l'avez-vous remarqué.

Lorsqu'ils sont en poste, les élus sont dominés par le pouvoir. Il leur faut maîtriser leur désir d'être assez puissants pour agir sur le monde. De la sorte, ils ne deviennent de véritables dirigeants qu'une fois qu'ils ont maîtrisé leur réaction au pouvoir. Par conséquent, si vous voulez savoir qui sont vos vrais dirigeants quand il s'agit du véritable pouvoir, des décisions créant de véritables changements, regardez si la personne veut vraiment appliquer les décisions fondées sur le désir du bien commun ou sur l'application du pouvoir pour tout le monde. Ainsi, vous pourrez juger par vous-mêmes.

Les nouveaux dirigeants du secteur privé auront de grandes qualités de leader. Ils comprendront que pour demeurer dirigeants ils ne doivent pas entrer au gouvernement, car les couloirs du pouvoir sont extrêmement corrompus. Même les nouveaux élus, acclamés pour les changements qu'ils apporteront, devront marcher dans les mêmes couloirs que leurs prédécesseurs, respirer le même air. Dans une certaine mesure, ils ne pourront échapper facilement à la corruption au début. Ils ont été élus essentiellement comme dirigeants d'un monde libre, mais ils sont prisonniers d'un appareil gouvernemental qui gêne leur capacité de diriger un monde libre.

Plusieurs de vos véritables dirigeants émergeront donc du secteur privé. Ce sont ceux-là qu'il faudra célébrer et assister. Regardez dans vos communautés. Regardez dans vos vies, tout près de vous. Cherchez le leadership à l'intérieur de vous, pour l'activer, et quand vous aurez découvert vos véritables dirigeants, observez leurs actions. Quand quelqu'un leur dira qu'ils sont aptes à gouverner et qu'ils devraient se présenter aux élections, espérez qu'ils ne le feront pas.

La prochaine ressource

Vous vous demandez sans doute quelle sera la prochaine ressource où investir… Elle se trouve dans les océans, dans ce qu'ils recèlent. C'est là le meilleur « prochain » investissement. La fonte des glaciers libère à ce jour des particules qui sont demeurées captives durant des milliers d'années et dont plusieurs ont pour effet de restaurer les océans. Elles sont mesurables. On se posera donc la question suivante : « Si toutes ces particules peuvent restaurer les océans, peuvent-elles également avoir des effets bénéfiques sur la santé de la Terre et de l'humanité ? » Je le dis à ceux et celles qui le demandent : *ajoutez à votre alimentation tout ce qui provient des océans et possède des qualités nutritives ; non seulement le sel de mer, mais tous les types d'algues et tout ce qui renferme des minéraux océaniques. Ces aliments aideront beaucoup plus rapidement que les autres votre corps à se régénérer et à recouvrer la santé.*

Autre aspect : le dessalement. Il s'agit d'une autre ressource actuellement importante pour le monde entier, car il *semblera* y avoir moins d'eau disponible. Ce n'est pas le cas, mais on l'interprétera ainsi et c'est ce que l'on vous dira. De plus, en fondant, les calottes glaciaires des pôles révèlent des ressources auparavant inaccessibles. Il était tout simplement trop difficile de les atteindre pour les exploiter. La grande course est commencée. Il y a de cela un millénaire, c'était la course à la découverte d'autres mondes, d'autres continents ; aujourd'hui, c'est la course aux ressources, pour les posséder et les gérer. Ainsi, les États-Unis d'Amérique, la Russie et d'autres pays plus petits vont rivaliser en vue de posséder ces ressources.

Je vous le dis, tout va bien dans le monde malgré les apparences. Il y a assez de ressources pour nourrir tous les affamés. Il existe suffisamment d'argent pour en distribuer dans le monde entier, et assez de crédits ou de débits pour restaurer l'économie mondiale. Il existe d'autres ressources que vos carburants fossiles, le pétrole ou le gaz, et elles apparaîtront peu à peu en 2010, car, pour stimuler l'économie, il faut de nouvelles ressources, de nouvelles technologies, de nouvelles entreprises.

La consolidation des déchets

Pour aborder convenablement notre prochain sujet, il faut que vous vous sentiez plus responsables que redevables. Vous devez reconnaître que vous êtes, dans une certaine mesure, humains, divins, conscients et aptes à choisir. En même temps, vous devez admettre non pas votre culpabilité, mais le fait que vous ne connaissez ni ne comprenez pas tout et que vous ne faites pas toujours les meilleurs choix.

Ce faisant, vous acquerrez la capacité de choisir sagement de restructurer et de restaurer.

C'est là une nécessité pour que nous puissions aborder la question des déchets, qui est très importante dans le monde actuel. Il est donc vital de l'examiner afin de savoir comment consolider les déchets, quels moyens utiliser pour les éliminer.

Il vous faut d'abord régler ce problème dans ce monde-ci. Ainsi, ce que vous prendrez ou emprunterez ensuite à d'autres mondes, d'autres planètes ou corps célestes ne leur causera aucune injustice ni aucun déséquilibre. Autrement, ce problème augmentera davantage et sa solution vous échappera. Pour que l'humanité découvre quoi faire des déchets accumulés, elle doit d'abord reconnaître qu'elle a gaspillé plusieurs ressources. Il ne suffit pas de dire : « J'ai acheté un peu trop, beaucoup plus que ce dont j'avais besoin, et c'est du gaspillage. » Il faut faire quelque chose pour régler le problème.

Avant de parler des déchets physiques accumulés sur votre planète, parlons des déchets sur le plan personnel. En ce monde, il existe plusieurs sortes de déchets, pas seulement ceux qui s'accumulent dans les sites d'enfouissement, qui sont brûlés dans des incinérateurs ou éliminés de toute autre façon. Le mental et le cœur produisent aussi des déchets, lesquels, dans un certain sens, sont plus encombrants que les déchets physiques. Ce qui reste de l'année 2009 devrait constituer l'occasion de rééquilibrer votre être intérieur ainsi que votre cellule familiale et vos relations avec les autres. Cette prise de conscience vous conduira à une abondance de réponses, de ressources et de solutions.

Sachez ceci : lorsqu'un aspect du monde ou de vous-mêmes se déséquilibre, cela fait boule de neige. Autrement dit, la petite balle roule et grossit jusqu'à ce que vous ne puissiez plus l'ignorer et que vous soyez forcés de la voir. C'est le cas du problème des déchets.

Quand vous ne pourrez plus acheter autant de choses ou les mêmes choses qu'avant, il y aura une accumulation de produits invendus, qui deviendront alors des déchets. Ce ne seront plus seulement des produits entreposés, mais des déchets supplémentaires qui auront ainsi été créés. Pour trouver une solution à ce problème le plus rapidement possible, mieux vaut vous arrêter un peu pour voir quels déchets encombrent votre vie.

Il ne s'agit pas de désigner des coupables. Gaia ne dit pas de vider vos garde-robes et vos garages, bien que ce ne soit pas du tout une mauvaise idée. Il s'agit simplement de voir tous les gaspillages dans votre vie. Pensez aussi au gaspillage d'énergie personnelle. Une partie de votre être est constamment engagée dans la créativité et désire utiliser chaque parcelle de son énergie à des fins créatives.

Libérez votre esprit des idées ou pensées non créatives. Écartez-les ou écrivez-les, puis mettez-les de côté, libérant ainsi votre esprit afin d'en contempler d'autres qui soient créatives, qui ne soient pas inutiles ou extravagantes. En reconnaissant cela intérieurement, vous verrez bientôt votre vie extérieure changer en se restructurant autour de ces idées. Ou bien vous jouirez d'une accalmie qui vous permettra de réfléchir de nouveau avec créativité au moment où vous en aurez le plus besoin, ou bien vous trouverez une solution qui, jusque-là, vous avait échappé. Dès lors, vous serez libres de communiquer avec les autres ouvertement et avec créativité. Vous verrez remonter très simplement à la surface certaines questions importantes que vous craigniez d'aborder auparavant. Je vous demande de leur porter attention. Voyez si elles sont utiles ou inutiles. Dans le premier cas, ravivez-les en leur redonnant un but ; dans le second, éliminez-les comme il convient.

Maintenant, imaginez un peu ce qui se passerait si une grande partie de l'humanité faisait la même chose. Le problème des déchets et de leur gestion deviendrait primordial. On se demanderait quoi faire des déchets nucléaires, des déchets industriels, des déchets de consommation. Les gens ont soif de solutions. L'humanité se poserait enfin ces questions.

L'une des idées qui surgiraient serait d'envoyer tout bonnement cela dans l'espace. On se dirait : « On va les comprimer au maximum et les expédier dans l'espace, où il ne manque pas de place. » Cette solution aurait des conséquences néfastes. Sachez que ce qui peut se décomposer ici sans problème ne se décomposerait pas nécessairement ailleurs sans en créer un.

Que se produirait-il si on appliquait cette idée ? Si on expédiait ces déchets dans une certaine zone de l'espace qui semble stable et qui est invisible de la Terre, quelque part dans le vide ? Ce processus d'élimination déstabiliserait cette partie de l'espace. Cette grande idée, cette idée vaine, viendrait percuter la Terre, de sorte qu'on ne pourrait plus l'éviter ni l'ignorer.

Je vous le dis, en éliminant de votre esprit et de votre cœur tout ce qui est inutile ou inefficace, peut-être sauverez-vous votre arrière-cour.

Ce n'est là que l'une des idées qui seront examinées en vue de se débarrasser des déchets physiques. En voici une autre : elle consiste à enfouir de plus en plus profondément sous la terre de plus en plus de déchets. Vous avez aujourd'hui la capacité d'excaver plus rapidement et plus profondément dans le sol. Certains voudront aménager des espaces de stockage pour compresser les déchets et les enfoncer dans le sol. Si vous faites cela, la surface de la planète se réchauffera davantage. Le processus de décomposition des déchets qui auront été compressés et enfoncés de plus en plus profondément dans la terre accélérera le cycle de réchauffement et déclenchera des effets connexes.

Les tremblements de terre seront plus intenses. Ce n'est pas difficile à comprendre. La science peut facilement prévoir cette conséquence à très court terme. Ces idées sont d'ailleurs déjà à l'étude.

Ce qui rend difficile la gestion adéquate et imminente des déchets, c'est l'idée de pénurie, qui est déjà avancée – pénurie de devises, de pétrole, de ressources, etc. Cette idée est bien vivante, que l'on y pense ou non. Elle a été semée et elle s'est déjà répandue dans le monde entier.

Avant même que l'on ait pu considérer la pénurie comme un problème du tiers-monde, voilà que cette idée s'est répandue partout sur la planète. La gestion des déchets est donc cruciale, car l'humanité désirera disposer de plus d'espace pour cultiver des aliments afin de nourrir un monde affamé qui ne cesse de croître. Pour avoir ainsi davantage de zones de culture, il faudra savoir comment disposer des déchets ou de tous les sous-produits qui seront ainsi créés.

Une autre idée infantile sera alors proposée, car c'est bien ainsi qu'il faut qualifier ces solutions. Elle consistera à compresser et enfouir davantage de déchets et à les recouvrir d'un sol très sain comportant tous les éléments essentiels à la vie, puis à recommencer à cultiver au même endroit. Vous verrez ce qui arrivera.

Voilà pourquoi il deviendra de plus en plus difficile de savoir où les aliments auront été cultivés ou manufacturés, et de quel pays ils auront été importés. Il y aura de la nourriture certifiée et de la nourriture organique certifiée, ce qui n'est pas la même chose. Celle qui sera certifiée par un gouvernement ou une quelconque autorité sera simplement autorisée dans certaines circonstances. Il y aura également d'autres catégories – aliments organiques, naturels, certifiés, importés –, de sorte qu'il vous sera de plus en plus difficile d'en connaître la provenance.

Malheureusement, les questions de l'élimination des déchets, de la culture des aliments et de votre bien-être sur cette planète doivent être abordées ensemble, non séparément.

Alors que le monde continuera à évoluer et à chercher comment se débarrasser de ses déchets, certains pays fourniront davantage d'efforts que d'autres. Certains admettront un taux de toxicité, mais d'autres non.

Cela créera aussi des emplois pour ceux qui ne craindront pas d'effectuer le dangereux travail de démantèlement des installations existantes. Tout d'abord, ces dernières seront détruites par des moyens tout aussi toxiques, ce qui veut dire, évidemment, que si on recourt à la toxicité pour éliminer la toxicité, celle-ci sera toujours présente. Ces moyens erronés doivent donc aussi être réévalués.

À ceux qui se consacrent actuellement à la gestion des déchets, je dis qu'ils ont beaucoup de pain sur la planche et que d'énormes défis les attendent, dont certains sont de nature morale.

D'autres moyens d'éliminer les déchets seront proposés, et chaque individu devra fournir l'effort nécessaire pour mieux gérer les déchets qu'il crée et dont il est responsable.

Les communautés défavorisées économiquement deviendront très créatives quant aux moyens de limiter leurs propres besoins et de manifester pour elles-mêmes plus d'abondance. Certaines y réussiront mieux que d'autres et serviront de modèles.

Par conséquent, vos actuels programmes de recyclage deviendront presque désuets par rapport à ce qu'il est déjà possible de faire. Ces idées seront de plus en plus mises de l'avant. Originales et créatives, elles donneront naissance à une nouvelle industrie qui laissera place à de nouvelles carrières et créera une nouvelle économie.

Le bien-être et la peur

À ce jour, l'humanité vit dans le stress. Plus ce stress augmentera, moins l'espèce humaine sera apte à gérer son alimentation et plus elle sera sujette à la maladie.

Il est facile d'imaginer que le corps physique des êtres qui vivent dans certaines régions du monde, où les pensées et donc les milieux de vie sont plus toxiques, souffrira davantage.

Leur corps n'assimilera pas la nourriture comme il se doit. Même s'ils consomment des éléments nutritifs, plusieurs de ces éléments seront très rapidement absorbés par le sang et utilisés par le corps, mais pas suffisamment pour parcourir entièrement ce dernier et régénérer les pensées, le cerveau ou le cœur.

Vous verrez donc apparaître de plus en plus de tumeurs au cerveau, lesquelles seront de plus en plus malignes. Les affections cardiaques augmenteront également, car les artères ne fonctionneront pas normalement.

Par conséquent, vous devez restaurer l'idée de la santé. Votre bien-être doit devenir une priorité. Il est plus important que jamais d'avoir une pensée créatrice, ce qui diffère des «pensées positives». Une pensée positive possède une direction; elle va dans un certain sens, tandis qu'une pensée négative va dans l'autre sens. Ni l'une ni l'autre ne sont des pensées puissantes.

Une pensée créatrice s'épanouit. Elle se crée elle-même. Une pensée créatrice, originale, donne naissance à elle-même. Elle apporte la santé, le bien-être du corps et de l'esprit. Quand vous avez une pensée créatrice, vous avez aussi une respiration créatrice, de sorte que le diaphragme se modifie, se restructure lui-même.

Quand vous générez une pensée créatrice, l'esprit est tellement engagé qu'il y mobilise tout le cerveau, lequel modifie la chimie du corps, le flux énergétique dans les méridiens. La structure et la posture de l'être se modifient.

Cela m'amène à parler de la peur. Vous avez sûrement déjà vu des gens en proie à la peur et vous l'avez sans doute été aussi. La peur n'a pas d'ouverture. Elle empêche la respiration. Prise dans la poitrine, elle ne peut même pas se régénérer avant l'expiration.

En cette époque de grand changement, plusieurs sont en proie à la peur. « Vais-je avancer ou reculer ? Vais-je retourner à ce que je faisais auparavant, ou avancer vers l'inconnu ? » Cette peur, cette incertitude, porte son propre manque, lequel affecte d'abord votre santé, votre bien-être. Ce malaise n'est pas la maladie, mais une simple détresse momentanée. Il signifie que vous n'êtes pas dans votre vérité. Vous êtes vivant, sans être bien. Afin de réengager votre conscience et votre créativité, vous devez vous dégager au moins de l'instant. C'est là une manière sophistiquée de dire que *vous devez dégager votre esprit du brouillard qui l'occupe au moment de la peur.*

Cette peur rampante fera perdre la santé physique à plusieurs. La mauvaise qualité de l'air causera aussi des maladies respiratoires, car il y a maintenant beaucoup plus de cendres dans l'air qu'auparavant étant donné l'accroissement du nombre d'incendies. De plus, un autre type de poussière a été libéré par les tremblements de terre. Cette poussière a été comprimée dans le sol pendant des milliers d'années. Tout cela affecte les poumons.

Ce sont toutefois surtout le stress et l'anxiété qui sont nocifs pour votre santé. Ils nuisent grandement à votre bien-être, à vos aptitudes créatrices et à votre capacité de trouver des solutions déjà existantes. Vous ne reconnaîtrez pas ces dernières si vous êtes aveuglé par le brouillard de la peur. Vous ne verrez pas la lumineuse solution qui réside derrière. Choisissez donc la vie. Il est important de l'affirmer comme suit : « Je choisis la vie. J'ai des affinités avec la vie, avec le souffle divin. J'ai des affinités pour créer la vie et les solutions de la vie elle-même. » Ce faisant, vous verrez que votre corps redistribuera son énergie plus adéquatement, que le souffle et le diaphragme se modifieront et se restructureront, que les battements cardiaques et le pouls se modifieront et se rééquilibreront aussi. Puis, vous vous apercevrez que vous avez faim d'une nourriture différente.

La nouvelle médecine de pointe

Des capitaux privés seront injectés dans le secteur de la « médecine de pointe ». Cette médecine va même au-delà de ce que vous appelez les *frontières* de la science. Elle est rendue plus loin que la médecine traditionnelle et la science ou, du moins, que leur point de rencontre. S'il y a une frontière au-delà du point où elles ont fusionné, nous la qualifierons de « pointe ». Parce qu'elle sera financée par des capitaux privés, cette médecine de pointe sera non seulement permise, mais encouragée. On s'efforcera de la promouvoir particulièrement lorsque la maladie atteindra des proportions endémiques, surtout dans certains secteurs.

Cette médecine de pointe permettra de parler au cerveau et de communiquer avec le foie pour restaurer ce dernier. Elle permettra aussi de communiquer avec la rate et de l'informer qu'elle doit comporter davantage de globules rouges ou blancs pour rétablir l'équilibre. Comme il est question ici d'intelligence, nous pouvons donc qualifier cette médecine de pointe de « médecine intelligente ».

Certains éléments proviendront également de la nature : du règne végétal, des minéraux océaniques ou des métaux nécessaires à toute cette restructuration. En somme, cette nouvelle médecine s'ajoutera à la vieille médecine allopathique. Toutes deux coexisteront pendant un certain temps.

La nouvelle économie qui se pointe à l'horizon permettra à cette médecine de pointe, par l'entremise des compagnies d'assurances privées et endossées par les investisseurs de fonds, de produire de magnifiques résultats.

Plusieurs personnes pourront donc bénéficier de ces programmes. Au début, ces derniers ne seront offerts qu'aux individus très courageux ou très riches. Par la suite, ils seront offerts aux autres. Les deux types de médecine coexisteront donc. Cela a commencé en 2009, mais 2009 n'en verra pas l'entière réalisation.

— *Vous parlez de médecine de pointe, mais cela inclut-il la médecine régénératrice par les cellules souches?*

Cette médecine n'est pas une médecine de pointe. Elle relève de la médecine déjà connue. Cette science découvrira cependant certaines cellules, ce qui l'associera à la médecine de pointe dont nous parlons. Elle est même au-delà de cela. La science des cellules souches est toutefois nécessaire pour établir la nouvelle science.

— *La médecine de pointe inclut-elle la médecine énergétique? La conscience du corps sera-t-elle reconnue?*

Elle le sera dans une certaine mesure. On reconnaîtra également l'énergie du corps, les moyens de l'utiliser, d'exister avec elle et au-delà, d'attirer l'énergie dans le corps de la même façon que l'on consomme de l'eau.

N'allez pas croire que ce que je viens de dire est tiré par les cheveux. Tout ce dont je parle ici existe déjà en 2009 et sera de plus en plus connu, même si ce n'est pas tout à fait manifeste en cette année.

— *La médecine de pointe aidera-t-elle les enfants autistiques?*

Ils ne seront pas les premiers candidats à bénéficier de cette médecine. Il y en aura d'autres avant eux. Les premiers à être ainsi rétablis seront les soldats de retour de la guerre. Ils seront les premiers à prendre le risque. Ayant déjà risqué leur vie, ils seront plus volontaires.

On donnera au cerveau l'instruction de *régénérer un bras ou une jambe*. Cela viendra un peu plus tard, mais le cerveau obéira à l'instruction en produisant de nouvelles cellules pour restructurer le corps.

Ultérieurement, on viendra en aide aux enfants autistiques et à tous les autres. Ceux qui se seront ressuscités, qui se seront guéris et régénérés, autrement dit ceux qui auront émergé de cet état, créeront une solution pour ceux qui y seront demeurés. Ils sauront quelle route suivre puisqu'ils l'auront eux-mêmes parcourue et ils pourront donc l'indiquer à ceux qui voudront émerger. Cela viendra cependant d'un type de médecine particulier qui n'est pas précisément celui que nous avons décrit ici.

Les divers règnes

Plusieurs d'entre vous se demandent si les différents règnes sont conscients du réchauffement global de la planète ou de l'inquiétude de l'humanité devant ce qui est perçu comme la diminution des ressources telles que l'eau et le pétrole. En réalité, les autres règnes et les éléments ne sont pas réellement séparés de vous, malgré les apparences. De même, les problèmes de l'humanité ne sont pas réels, même s'ils semblent assez graves. Chaque règne, chaque élément, chaque atome et chaque particule possède en soi la conscience que l'évolution s'accélère sur tous les plans, à un rythme inattendu. La peur de l'inconnu n'est cependant pas aussi prononcée au sein des autres règnes qu'elle l'est chez une certaine partie de l'humanité, de sorte que l'on n'y trouve pas la même réaction aux changements actuels. Évidemment, les autres règnes ne regardent pas les informations télévisées et n'ont donc pas leur dose quotidienne de déprime, laquelle explique au moins en partie pourquoi vous dirigez votre conscience sur ces problèmes.

Les divers règnes et les éléments sont ce qu'ils sont ; ils savent ce qu'ils savent et sont liés à la vie comme celle-ci leur est liée, en toute réciprocité. La *réciprocité* est l'état ou la condition qui accorde un avantage égal à toutes choses et un échange mutuel dans toutes les relations. L'humanité ne s'aperçoit pas que cette condition est aussi la sienne, mais elle s'en rendra compte un jour. Cet état de conscience non réalisée révèle silencieusement que tout est bien, et ce message se répand vibratoirement dans tous les règnes de la nature, y compris l'espèce humaine. Cette révélation tranquille supplante toute connaissance du réchauffement global et toute préoccupation environnementale. Elle reconnaît tout changement comme la prochaine manifestation ou expérience. D'un point de vue extérieur à cette expérience, les autres règnes peuvent sembler indifférents à ce qui se déroule à l'heure actuelle, mais ce n'est pas le cas.

Soyons plus précis. Il n'y a aucune pénurie de pétrole, d'eau ni de quelque autre ressource. Il y a simplement une redistribution des richesses et des ressources de toutes sortes, y compris l'eau et le pétrole. En outre, de nouvelles ressources vitales n'ont pas encore été découvertes et demeurent inexploitées. Les autres règnes savent ce qu'est la pénurie, mais ils comprennent naturellement qu'elle n'est que temporaire, qu'une expression du « moment présent ». Par exemple, les écureuils ne feront pas plus de réserves de noix (ressources) l'hiver prochain que l'hiver dernier.

Les prochaines années seront créatrices pour certains, mais horribles pour d'autres. Comme toujours, il y a maintenant un choix à faire. Le temps est venu pour chacun et chacune de se refaire et de refaire son monde. La polarité change de forme. Le positif et le négatif ne sont plus aux extrémités opposées de l'échelle, mais tout près l'un de l'autre, avec l'ombre et la lumière. Si vous désirez vous attarder à l'idée de pénurie, libre à vous, mais, dans la mesure du possible, n'en faites pas une obsession, car il y a tellement d'idées plus merveilleuses à explorer !

La Terre physique et la sentience (mon âme) qui la gouverne ont toutes deux le besoin et le désir d'une restructuration pour transcender la dimension qui, autrement, les détruirait. L'humanité emboîtera bientôt le pas pour revendiquer sa juste place en tant qu'espèce divine plutôt qu'oubliée. Alors que la restructuration a lieu au niveau submoléculaire et à un rythme non linéaire, ses résultats sont observables sur le plan expérientiel. Tout comme je l'ai fait il y a longtemps, je vous offre maintenant une expérience directe, quoique non subtile, de chaque règne. Chacun de vous possède sa propre voix collective et aurait avantage à la recevoir ainsi, pour autant qu'il ne la perçoive pas comme séparée de la sentience qui se voit elle-même comme un tout. Dans le cas contraire, vous commettriez une injustice à la fois envers le message et le messager. Votre cœur et votre esprit sont uniques et distincts l'un de l'autre, et pourtant l'âme les alimente tous les deux comme s'ils ne faisaient qu'un.

La voix du règne végétal

Notre voix est collective. Nous vous paraissons différents les uns des autres simplement parce qu'un arbre n'est pas une fleur et qu'une fleur n'est pas un légume. C'est exact, mais nous ne sommes pas aussi différents que vous l'imaginez, tout comme vous ne l'êtes pas tellement non plus entre vous. Nous choisissons donc d'honorer ce qui nous unit et de célébrer ce qui nous rend uniques. L'humanité aurait avantage à suivre notre exemple, et nous espérons qu'elle le fera. C'est avec un peu d'appréhension que nous vous livrons ces propos, car nous ne désirons pas être perçus comme des critiques des autres règnes. Nous sommes seulement des acteurs dans un rôle de soutien aux autres règnes. Nous sommes une ressource naturelle, une extension de l'âme de la planète physique. Autrement dit, nous sommes conscients de nous-mêmes comme espèce individuelle et comme conscience collective de ce que vous appelez le règne végétal. Notre conscience nous permet d'être en communication avec plusieurs autres espèces et nous sommes en harmonie vibratoire avec les besoins des autres règnes, car c'est là notre fonction.

Le soutien de toute vie physique terrestre

Notre but est de soutenir la Terre physique et toute vie présente sur elle et en elle. En tant que ressource renouvelable, nous nous réjouissons des nombreux usages qui sont faits de nous. Par exemple, nous sommes heureux d'offrir une contribution médicinale quand c'est nécessaire et approprié. La guérison nous intéresse beaucoup, et plusieurs de nos plantes possèdent des propriétés qui n'ont pas encore été découvertes et que nous avons hâte de partager avec vous. Il est intéressant de souligner que certaines de ces propriétés seraient controversées et très probablement illégales à l'intérieur de vos sociétés, en raison de leurs effets narcotiques. Pourtant, ces plantes, ou plutôt les fibres qu'elles contiennent, vous seraient d'une aide considérable puisqu'elles sont guérisseuses en soi, c'est-à-dire qu'elles savent pourquoi elles sont introduites dans un système ou dans un corps. Cette intelligence améliorerait et accélérerait le processus de guérison, puisqu'il y aurait communication entre les deux systèmes (ou plus) et qu'ainsi ce processus ne serait plus ralenti ni amoindri comme il l'est aujourd'hui. Il y a choc toxique quand existe une incapacité d'envoyer ou de recevoir des messages guérisseurs chez l'un ou plusieurs aspects de l'être physique. Il y a impasse quand le corps croit à l'imminence d'une énorme invasion du système qu'il a juré de défendre. Quand un règne est incapable d'en reconnaître un autre comme le miroir de sa propre perfection, souvent les difficultés, le désastre et même la mort s'ensuivent. Cela est vrai sur tous les plans de l'expérience, tant physique que superphysique et supraphysique. L'expérience nous l'a démontré maintes fois.

Nourrir tous ceux qui ont faim de légumes et de plantes

En tant qu'espèces individuelles, nous sommes amenés à réagir de telle ou telle façon. Par exemple, nous sommes incités à nourrir autant d'affamés qu'il en existe avec ce que nous offrons. À cette fin, nous nous permettons d'ingérer les produits chimiques qui sont introduits dans notre sol, même si nous préférerions les rejeter. Nous n'avons pas de volonté individuelle, c'est-à-dire que nous ne pouvons pas, en tant que plantes individuelles, choisir de rejeter ce avec quoi on nous nourrit. Nous sommes cependant destinés à laisser la nature suivre son cours et nous avons confiance en la longévité et en la régénération de cette planète (notre foyer), ce qui nous soutient et nous guide en des époques incertaines comme celle-ci.

Il ne nous déplaît pas d'être consommés ou autrement utilisés au bénéfice de l'humanité et des autres espèces. Cela nous permet de remplir la fonction pour laquelle nous avons été créés (cultivés). Nous préférerions être consommés complètement, de sorte qu'il y ait moins de déchets. En fait, si c'était le cas, il n'y aurait pas de déchets, sinon très peu, puisque la plupart des espèces ont été conçues organiquement pour profiter à la terre de plusieurs façons qui sont encore mal comprises de vous. Selon notre expérience, l'attitude mentale de ceux qui nous étudient ralentit davantage notre évolution et la vôtre que la malheureuse qualité environnementale que subissent actuellement tous les règnes.

Notre règne, constitué de plantes, d'arbres, de semences, de fruits, de légumes, de racines, de feuilles, de frondes, de tiges, de fleurs et de tous leurs sous-produits, y compris ceux qui sont libérés dans l'air, dans l'eau, dans le sol et détruits par le feu, compose ces paroles qui parviennent maintenant jusqu'à vous. Cette même voix collective reconnaît notre parenté avec vous et avec les autres règnes. Nous croissons quand vous croissez, et notre conscience évolue en même temps que la vôtre. Les êtres les plus évolués de notre espèce sont ceux dont la fonction est parfaitement comprise et appliquée. Il y a peu de différences entre servir à nettoyer le foie de toxines cancérigènes ou procurer par le parfum un sentiment de bien-être à un cœur esseulé ou ébranlé. Nous désirons simplement être en communion avec toute vie sur le plan de la transformation cellulaire.

Nous n'existons que dans le moment présent. Nous sommes parfaitement conscients de notre permanence dans l'instant présent, mais nous n'avons pas comme vous la conscience du futur. Par exemple, un chou est conscient de ses racines et de chaque aspect du sol qui le soutient. Il est conscient de sa croissance et de sa fonction, de ses voisins de potager et de tous les éléments qui le nourrissent. Il est conscient de servir un bien supérieur. À maturité, il fait l'expérience d'une transformation lorsqu'on le cueille dans le potager pour le placer dans un environnement différent, où il subit une autre transformation quand il est absorbé par un autre règne. Toutes ces expériences ont lieu au niveau de la pensée cellulaire ; elles appartiennent à l'espèce et au règne.

Nous sommes conscients que votre avenir vous préoccupe, mais nous nous demandons pourquoi, si c'est bien le cas, votre présent ne vous préoccupe guère. C'est l'un des nombreux aspects de l'humanité que nous ne comprenons pas. En ce qui nous concerne, nous continuerons à nous offrir comme nous le faisons déjà, c'est-à-dire pleinement, parfaitement et dans un service inconditionnel à ce que nous appelons la Grande Merveille. Nous sommes satisfaits d'être ce que nous sommes.

La voix du règne animal

Nous vous offrons ces paroles dans l'une de vos langues usuelles. Nous parlons plusieurs langues et nous produisons plusieurs sons, mais notre méthode de communication la plus commune est celle que vous appelez le langage corporel. Vous utilisez aussi ce langage plus souvent que vous ne le pensez, mais vous préférez la plupart du temps employer des mots pour vous exprimer, même quand vos yeux et votre corps les contredisent. Dans notre langue, il n'y a pas de méprises subtiles, de tentatives de tromperie. Quand nous avons faim, nos intentions sont bien connues, et, même dans les broussailles ou dans l'obscurité, notre énergie émet une fréquence vibratoire qui exprime ce que des mots ne pourraient dire.

La communication énergétique

Plusieurs d'entre nous sont des prédateurs, à l'instar de plusieurs humains. Nos méthodes de chasse et nos efforts pour nourrir nos familles affamées diffèrent cependant des vôtres sous plusieurs aspects. Par exemple, notre vibration et notre langage corporel pourraient signifier ceci : « Je suis une mère qui doit nourrir ses petits affamés. J'honore votre force vitale et votre choix de vous placer devant moi. En prenant votre vie, je vous honore encore plus, car je placerai votre force vitale dans mon propre corps et celui de mes jeunes. » Chaque espèce de notre règne a-t-elle de telles pensées avant de s'emparer d'une vie ? Non, car toutes les espèces ne sont pas conscientes d'elles-mêmes. Pourtant, dans ce que vous appelez l'instinct animal, il existe une communication sur le plan énergétique. L'humanité n'aime pas trop se voir comme prédatrice ; elle préfère sans doute se qualifier de consommatrice.

Nous sommes vus comme les plus proches de l'espèce humaine quant à la capacité et au développement du cerveau. Vous considérez certains primates comme de lointains cousins de l'espèce humaine. Nous espérons ne pas trop vous offenser en affirmant que ce n'est pas toujours flatteur. Ceux qui se proposent volontaires pour vos expériences le font par choix, de même que ceux qui tentent de communiquer avec vous par un langage symbolique. Vous croyez que la science étudie la nature, mais celle-ci, par nécessité, doit être vigilante à son endroit. Des volontaires de chaque espèce participent à vos expériences et vivent parmi vous comme vous l'entendez. Il s'agit d'une collaboration mutuelle, mais, fréquemment, ce qui est appris semble n'avoir que peu d'utilité ou de signification tant pour vous que pour nous.

Notre histoire est aussi variée que la vôtre. Plusieurs d'entre nous sont originaires de cette planète, mais certaines espèces sont nées ailleurs, génétiquement parlant. Nous trouvons intéressant (et heureux) que votre instinct de prédateurs porte peu d'intérêt aux espèces provenant d'ailleurs. Ce qui n'est pas dans votre mémoire cellulaire ne semble pas vous intéresser beaucoup, de sorte que nos chemins sont parallèles et ne se croisent jamais. Nous nous intéressons au présent et au futur, mais nous n'avons aucun intérêt à reconstruire notre passé. Ce n'est pas parce que nous nous intéressons uniquement à la survie de nos espèces individuelles, mais plutôt parce que nous comprenons que la perfection nous a conduits jusqu'à ce moment et qu'elle nous conduira encore plus loin. Dans le règne animal, le développement ne se fait pas au même niveau d'expérience que chez les humains. Nous le comprenons et nous n'envions pas les nombreux chemins que suit l'humanité dans ses efforts pour comprendre ce qu'elle est tandis que sa conscience s'accroît.

L'absence de préoccupation pour les animaux peut devenir une préoccupation pour les humains

Qu'est-ce qui préoccupe le plus notre règne ? La longévité de certaines espèces, la disparition de plusieurs de nos compagnons, l'empiètement de l'humanité sur des habitats qui nous sont précieux et déjà trop peu nombreux, et le manque de conscience avec lequel le gibier est chassé comme de la simple marchandise. Est-ce que nous vous recommandons de devenir végétariens pour que nous demeurions nombreux ? Non. Nous comprenons vos besoins, car nous comprenons les nôtres, mais ce manque aigu de préoccupation pour nous risque de devenir bientôt une préoccupation pour vous-mêmes. Lorsqu'une espèce se retourne contre une autre, le résultat est souvent désastreux pour les deux. Déjà, il y a des virus, des infections et d'autres anomalies chez le gibier qui fait partie de votre approvisionnement alimentaire. Cela n'est pas dû uniquement à de mauvaises conditions de transport et d'élevage, mais à une véritable rupture des communications à l'intérieur des espèces et entre elles. Un véritable respect et une véritable communication entretiennent le bien-être chez les espèces et entre elles, tandis qu'un manque de respect et une mauvaise communication génèrent des maladies qui, ignorées ou négligées, compliquent davantage la situation. Nous ne blâmons personne. Nous soumettons simplement ce sujet à votre réflexion, puisque l'occasion de dire notre vérité nous est offerte.

Des espèces qui songent à se retirer

Nous savons que vous vous préoccupez de nos amis océaniques, et avec raison. Cependant, leur bonne volonté envers l'humanité n'a pas suscité beaucoup de gentillesse en retour. Vous vous émerveillez de la beauté des océans, de leur profondeur, de leurs couleurs et des myriades de formes de vie qu'ils renferment, mais vous en tenez la permanence pour acquise alors que ce n'est plus le cas. Le niveau de conscience des espèces leur permet de faire des choix collectifs. La présence continue de certaines de ces espèces, même celles qui comptent des milliers d'individus, n'est plus assurée. L'histoire passée ne peut servir de garantie, car jamais auparavant autant d'adaptations n'ont été nécessaires à l'intérieur d'autant d'espèces. Il y a de la confusion même au sein des espèces les plus sensibles, où l'on envisage, sur le plan énergétique, le choix de se retirer en masse. Ce

choix pourrait affecter sévèrement l'humanité et les autres règnes terrestres. Qu'arriverait-il si certaines des cellules essentielles de votre corps
disparaissaient toutes en même temps ? Votre corps serait contraint de se
recréer si c'était possible, des cellules utilisées normalement pour une certaine fonction devraient immédiatement se redéployer ailleurs, et votre
corps serait en état d'urgence. Il en serait de même pour les océans, car ils
sont un corps d'eau. Nous espérons collectivement que cela ne surviendra
pas et que l'humanité, en continuant à s'éveiller, se préoccupera adéquatement de ce problème, car nous ne pouvons le régler seuls.

Nous avons plus de choses en commun avec vous que votre expérience quotidienne ne vous permet de le voir. Bien que nos circonstances
présentes diffèrent peut-être beaucoup des vôtres, notre avenir comportera
davantage de ressemblances. Nous dépendons tous de la Terre pour notre
survie, mais, en outre, nous dépendons les uns des autres pour l'évolution
de notre conscience. Vous croyez que le développement de votre espèce est
lié à la chronologie des étoiles et à ce qu'elles vous apporteront, mais n'oubliez pas que, vue de l'espace, la Terre apparaît également comme une
étoile. Si vous désirez apprendre, croître et prospérer à partir de ce que
vous espérez apprendre des autres, n'aimeriez-vous pas avoir quelque chose
à partager ou à démontrer en retour ?

La voix du règne minéral

Nous sommes le plus ancien règne connu. Il est vrai qu'il s'agit d'un
règne terrestre, mais nous sommes aussi beaucoup plus. La diversité de
nos ressources englobe une vaste partie de l'univers. Plusieurs d'entre vous
se sentent mieux de vivre dans telle région plutôt qu'une autre. Peut-être
croyez-vous que c'est l'époustouflante beauté du rivage, de la plaine ou de
la forêt qui vous retient dans ces lieux, mais il est plus probable que ce soit
la composition du sous-sol. La Terre est composée de particules universelles dont la densité crée la masse physique de la planète. Ses composantes ne sont pas distribuées également, mais dans des vortex
stratégiquement situés. Ces anomalies apparentes procurent à la Terre la

diversité dont elle s'enrichit. Elles servent aussi de champs de force énergétiques actifs/passifs et de récepteurs/conducteurs qui canalisent l'énergie universelle vers tout ce qui existe sur la planète et à l'intérieur de celle-ci. Les radiations solaires maximisent ces énergies, intensifiant ou diminuant leurs effets afin de favoriser la croissance accélérée de tout ce qui se trouve sous l'influence de la Terre. Ces champs de force énergétiques peuvent causer un accroissement ou un décroissement de la population de n'importe quelle espèce. Ils influencent également votre relation avec l'environnement, car, en tant qu'espèce, vous « suivez » ces énergies partout où vous allez. Ce qui fait que vous vous sentez plus à l'aise dans telle ou telle grande ville plutôt que dans telle autre se trouve sous vos pieds, dans le substrat terrestre, dont le contenu exerce l'influence du règne minéral.

L'harmonisation avec le règne minéral
assurera une douce transition

Notre influence sur les autres règnes sera bientôt évidente. Chaque ère cosmique apporte d'importants changements et de grandes transformations. Alors que l'humanité connaît un éveil particulier, le réchauffement planétaire et les autres phénomènes environnementaux incitent le règne minéral à accroître le flux d'énergie qu'il reçoit du centre de la Terre. Cette stimulation agit sur le règne entier, mais plus particulièrement sur les fils cristallins qui tissent des motifs énergétiques spécifiques partout sur le globe. Il n'est pas étonnant que vos montres et vos appareils d'horlogerie soient régis par les oscillations du quartz et que vos ordinateurs fonctionnent au moyen du silicium organique ou artificiel. Alors que le XXIᵉ siècle poursuivra son évolution, une ère prendra fin et une autre débutera. Bien que ces transitions soient toutes naturelles, leur douceur ou leur violence pour l'humanité dépend de l'harmonisation de celle-ci avec son environnement physique ou non physique.

Le règne minéral est lié à l'humanité par des liens physiques et non physiques. Nos règnes respectifs sont unis et ne sont donc jamais loin ou séparés l'un de l'autre. Le corps humain contient des minéraux qui sont également liés à la Terre ; même le niveau nécessaire pour entretenir l'équilibre et le bien-être est en rapport avec celui de la Terre. Il faut donc comprendre que si cette dernière continue à subir le pillage de ses ressources, l'humanité connaîtra le même sort. Si la planète perd son équilibre, l'humanité aussi perdra le sien. Vous en avez déjà la preuve, et cette affirmation ne vous étonne donc probablement pas. Si vous désirez renforcer votre corps, il est bon d'ajouter des suppléments minéraux à votre alimentation. Ne serait-il pas logique aussi de fournir un supplément aux réserves terrestres, au lieu de les saccager ?

C'est l'une des raisons pour lesquelles l'espèce humaine est si attirée par les cristaux de toutes sortes, de toutes tailles, de toutes formes et de toutes couleurs. À un profond niveau de conscience, vous savez que c'est là l'énergie de la création. En participant à cette énergie, vous reconnaissez chacun votre désir d'être équilibré et bien portant de cœur et d'âme, physiquement et sur un plan plus abstrait. Chaque espèce du règne minéral attire une forme d'énergie très particulière qu'ensuite elle « anime », ce qui en augmente les propriétés curatives et bénéfiques, la personnalisant en quelque sorte. Cette personnalisation la rend plus ou moins attrayante selon les besoins et les désirs.

Les pierres, les cristaux, les gemmes et les métaux précieux jouent tous un rôle important dans votre vie. Pourquoi, par exemple, êtes-vous tous attirés davantage par l'or jaune que par l'or blanc, ou moins intéressés par le cuivre que par le platine ? Ces préférences ne sont pas fondées uniquement sur des valeurs esthétiques ou financières, comme vous pourriez l'imaginer, bien que l'hérédité et la culture influencent très certainement vos sociétés. Cette attirance est fondée sur la polarité et sur l'origine animique plus que sur tout autre facteur, et c'est le devoir de votre corps, en tant que prolongement de votre âme, de faire en sorte que vous soyez le plus à l'aise possible ici.

Le règne minéral vous influence et vous assiste de l'intérieur et de l'extérieur ; la guérison lui est naturelle, car sa nature est de guérir.

Un partenariat avec le règne minéral

L'énergie cristalline a déjà été utilisée auparavant pour guérir et améliorer la planète. Ce n'est donc pas une idée nouvelle, bien que son approche puisse certainement l'être. L'humanité comprend petit à petit que le quartz peut avoir de nombreuses utilisations. En extrapolant à partir de ces théories, vous découvrirez bientôt d'autres façons de canaliser cette énergie curative des minéraux au lieu de simplement l'exploiter. Quelle est la différence ? L'une des deux méthodes sous-entend un partenariat entre les règnes, tandis que l'autre les met en opposition. L'humanité est toujours en conflit avec elle-même sur tellement de questions qu'elle doit reconnaître que les cristaux ne révéleront leur énergie qu'en temps et lieu. L'énergie cristalline ne se laissera pas utiliser pour la fabrication des armes. On a déjà démontré que cela nuisait à la planète sous tous les aspects. Nous prêterons nos efforts à la technologie, non aux armements. La preuve est faite. Une montagne ne se dépêche pas à créer son sommet, car elle sait que celui-ci est assuré, que rien d'autre n'attend d'en prendre la place. Le règne minéral fut le premier, et il sera un jour le dernier, mais ce temps se révélera au-delà du moment présent.

Il est évident que le règne minéral est le plus dense ou le plus solide de tous, mais les propriétés qui le gouvernent sont aussi les plus subtiles. La croissance de l'humanité également a été subtile en comparaison de celle de la vie dans d'autres mondes, mais cela changera bientôt. Tous les règnes, en partenariat, atteindront une conscience supérieure. C'est le désir du règne minéral de rendre votre transition le plus douce possible. Nous espérons que vous continuerez à accueillir l'aide que nous vous offrons de l'intérieur, de l'extérieur et du dessous. Nous serons encore disponibles pour vous tant que la sagesse et l'intelligence supérieures à la nôtre nous indiqueront de le faire.

Les fleurs et les animaux domestiques

Les fleurs

Les fleurs ont déjà été parmi les espèces les plus avancées et les plus conscientes de cette planète. Vous serez peut-être étonnés d'apprendre que certaines variétés ont même été les enseignantes des premières générations de Lémuriens. Ces variétés très intelligentes et très puissantes rappelaient à l'humanité naissante qu'elles étaient leurs gardiennes. Elles affirmaient l'importance de « cultiver son jardin ». Vous vous en souvenez ? Les fleurs et les plantes possédant la plus haute vibration sont les descendantes de ces variétés conscientes. Plus que toutes les autres, elles comprennent l'humanité, ses besoins et son évolution.

Nous avons précisé déjà que les plantes *restaurent*. Nous ajouterons ici que les fleurs *réapprovisionnent*. Autrement dit, elles alimentent et ravivent le feu intérieur ou la passion de la vie. Voilà pourquoi certains parfums et certains arômes ont toujours été très recherchés. Les Lémuriens, vos plus anciens ancêtres doués de conscience, avaient le sens de l'odorat très développé, grâce aux dons reçus de leurs enseignantes, des fleurs géantes mesurant parfois tout près de deux mètres de diamètre. Les premiers Lémuriens, qui se souciaient très peu de leur corps physique, se sont facilement dissociés de leur environnement. Les fleurs enseignantes leur ont appris à respirer de manière à régénérer la capacité de l'âme-esprit à demeurer dans un véhicule physique. Elles ont aussi contribué à la création et au développement des poumons physiques. L'histoire véritable de ces êtres floraux a sombré dans la mythologie et le folklore comme tant d'autres espèces merveilleuses qui se sont éteintes. Nous dirons simplement ici que ce qui passe aujourd'hui pour une énergie fantaisiste et infantile fut jadis une sagesse élémentaire très puissante, quoique innocente.

Les animaux domestiques

Plusieurs d'entre vous se demandent si les animaux domestiques ont la capacité de guérir leur propriétaire ou d'absorber des énergies négatives à leur place. La réponse est oui, mais cela n'est pas aussi fréquent que plusieurs semblent le croire. Le règne animal est d'abord sauvage et ensuite domestique. L'espèce humaine est d'abord domestique et ensuite sauvage. Les animaux domestiques sont une sous-catégorie d'une famille non domestiquée, et non de simples descendants d'ancêtres sauvages. Presque n'importe quel animal peut devenir domestique, mais toutes les espèces ne peuvent être domestiquées. La différence réside dans la sous-catégorie elle-même, quelque peu comparable à une famille animique. Il est également intéressant de noter qu'il y a une différence entre un animal domestique et un animal de compagnie, tout comme il y en a une entre le gibier et un animal élevé pour la consommation humaine, même s'ils appartiennent à la même espèce.

Un animal de compagnie peut détourner ou rediriger une énergie qui autrement affecterait son compagnon humain. Il ne s'agit pas de guérison au sens où vous l'entendez habituellement, mais le résultat est le même. Très sensibles aux vibrations, les animaux peuvent en distinguer les fréquences. Les énergies discordantes leur sont désagréables et ils sentent souvent qu'il vaut mieux pour eux en débarrasser le plus possible leur environnement immédiat. Les chiens peuvent parfois le faire en jappant, remplaçant ainsi une énergie néfaste par une autre qu'ils préfèrent. La prochaine fois que vous verrez un chien japper sans raison apparente, dites-vous que son action a peut-être un motif approprié. De même, un chat peut bondir sur une proie qui semble inexistante, mais il est probable que ce sur quoi il s'est jeté s'est dissous.

Compte tenu des activités que nous venons de mentionner, les animaux de compagnie peuvent aussi détourner de leur maître les énergies destructrices avant qu'elles soient absorbées par l'aura ou la matrice de celui-ci. Ils sont capables de diriger cette énergie ailleurs et de la remplacer par une autre, plus équilibrée. Plus l'animal est proche de son maître, plus cette tâche est facile et rapide à effectuer. C'est pour les animaux qui ont la possibilité de dormir près de leur maître que c'est le plus facile. Une maladie chronique ou mortelle est plus difficile à traiter. La capacité de l'animal de compagnie de guérir sa contrepartie humaine dépend du lien qui les unit et de leur compatibilité. L'énergie doit trouver une résonance ou une *attraction* à laquelle s'attacher afin de libérer son poison. Si un animal devient trop attaché au poison (par exemple le cancer), il ne pourra peut-être pas s'en séparer assez souvent pour restaurer sa propre harmonie. Les propriétaires d'animaux de compagnie ignorent souvent les cadeaux que leur font leurs compagnons ou les sacrifices qu'ils font pour eux.

Une plante ou un arbre a une existence différente et offre donc un autre type de compagnonnage. Une plante domestique inhale, exhale, fait une pause, puis recommence le même cycle. Puisque ces cycles sont constants, vous ne pouvez pas observer la plus légère nuance de changement, mais chaque pause comporte un moment d'unité. Elle constitue le cycle réparateur qui restaure tout ce qui se trouve dans le « champ d'influence » de la plante. Il en est de même pour les plantes d'extérieur et les arbres, ce qui explique pourquoi la plupart des gens se sentent régénérés au contact de la nature. Tout le monde ne peut pas adorer enlacer un arbre, mais il suffit de s'installer tout près pour en retirer les bénéfices.

Terminer et débuter

[Extrait du site Internet de Pepper, cet entretien porte sur ce que nous sommes et sur qui nous sommes au-delà de notre état d'humains. Il porte également sur les transitions et sur ce qui nous attend au-delà de cette vie-ci. Ce n'est ni Pepper Lewis ni moi, Martine Vallée, qui posons les questions ici, mais une lectrice des écrits de Gaia. Nous sommes reconnaissantes de pouvoir publier ces propos qui expriment une si riche vision de la vie et de la mort.]

Il y a quelques années, on m'a diagnostiqué une maladie mortelle. J'ai évidemment pris ce diagnostic au sérieux, mais j'ai cru que ma pra-

tique spirituelle, mon adhésion stricte à la loi d'attraction et ma croyance, en toute ouverture d'esprit, dans les méthodes de guérison parallèles pouvaient défaire tous les dommages déjà causés. Pendant un moment, j'ai semblé réussir, mais récemment on m'a pronostiqué moins d'un an à vivre et je savais que c'était exact. Ironie du sort, le même jour, mes amis et moi avions parlé de notre volonté commune de contribuer à l'avènement d'une nouvelle vision pour la Terre et l'humanité ainsi que de l'endroit où nous célébrerions le solstice d'hiver de 2012. Mes préoccupations et mes recherches sont maintenant d'un autre ordre et j'espère que mes questions et vos réponses seront utiles à d'autres autant qu'à moi.

— *Pourquoi n'ai-je pas pu me guérir de cette maladie malgré mes efforts honnêtes pour y parvenir ? Pourquoi les professionnels et les guérisseurs qualifiés en qui j'avais confiance ne l'ont-ils pas pu non plus ?*

Étrangement, vous vous êtes guérie en prenant la décision que vous avez prise, même si, à vos yeux, cela ne ressemble pas à une guérison. Une guérison est la solution d'un problème. Votre âme a considéré que cette issue constituait une solution valable et sage. Autrement dit, votre présence pourra s'exprimer avec plus de vitalité ailleurs, où vous recevrez davantage de soutien qu'ici. Quelque chose de plus grand que la situation du moment a placé cette difficulté sur votre route et vous avez surmonté cette dernière grâce à votre choix. Vous n'avez pas perdu de bataille et votre corps n'est pas en guerre contre lui-même ni contre vous. Les guérisseurs et autres professionnels à qui vous avez fait confiance ont été des compagnons de route temporaires. Ce fut pour eux et pour vous une expérience importante. Votre conscience et votre corps (qualité essentielle) ont aussi appris, se sont ajustés et se sont étendus dans un nouvel environnement. L'expansion du soi est toujours une action positive.

Si jamais vous rencontrez la même difficulté dans une autre vie, l'issue sera très certainement différente en raison de ce que vous avez appris dans celle-ci. Dans l'avenir, les corps humains seront plus aptes à s'autodiagnostiquer et à se guérir eux-mêmes. La santé et le bien-être se définissent aujourd'hui par une réalité extérieure et des symptômes. Il existe de meilleurs moyens de réguler le corps ; l'humanité les découvrira bientôt et les utilisera comme elle sera inspirée à le faire. Elle doit d'abord en venir à faire confiance à sa relation intuitive et instinctive avec le soi et avec les qualités intérieures de la vie. Cette perspective plus dimensionnelle lui assurera une meilleure qualité de vie. Vous avez aidé immensément le futur de votre corps intuitif en vous associant à lui pendant toute cette expérience.

— *Une fois qu'un diagnostic comme le mien a été établi et accepté, la vie a-t-elle encore une utilité quelconque ? Me reste-t-il des choses importantes à dire et à faire, ou bien n'ai-je plus qu'à compter les jours ?*

Un diagnostic ne change rien à l'utilité de la vie ni à son intérêt, mais il peut en changer votre perception. À ce stade-ci, la seule chose qui a changé en réalité, c'est votre point de vue. Vous voyez maintenant votre vie dans une perspective de quelques mois (ce qui, à propos, est davantage que ce que votre médecin a établi) au lieu de quelques années. Vous serez peut-être d'accord avec moi pour dire que plusieurs mois et même plusieurs années d'une vie humaine peuvent être vides s'ils ne sont pas remplis d'expériences significatives. La mesure dans laquelle on remplit sa vie est donc très relative.

Plusieurs croient que s'ils recevaient un diagnostic comme le vôtre, ils se mettraient immédiatement à faire tout ce qu'ils croient avoir manqué – des aventures non vécues, des actes courageux, des voyages exotiques, etc. –, mais c'est rarement le cas. Le plus souvent, les gens se rappellent plutôt les petits moments et y deviennent étrangement attachés, comme les promesses non tenues, les ententes et les mésententes. Au lieu de considérer les jours qu'il vous reste à vivre comme les derniers, voyez-les, je vous le suggère, comme les premiers dans un nouveau contexte. L'être humain a une capacité extraordinaire de combiner la pensée créatrice avec l'action divinement inspirée. Tant que vous êtes vivante, il n'est pas trop tard pour le faire. Cela a une utilité évidente, car autrement vous ne le feriez pas. Il serait lamentable de seulement compter les jours quand tant d'autres options sont envisageables.

— *Pourriez-vous me décrire l'expérience de la mort ou du passage dans l'au-delà ? Où allons-nous exactement quand nous franchissons cette frontière ?*

D'un point de vue humain, c'est un peu comme se glisser dans un étang ou dans un bain chaud. À un moment donné, vous quittez un environnement pour un autre. Quand, par exemple, vous vous glissez dans un bain chaud, vous êtes d'abord au sec, hors de l'eau, puis mouillée, dans l'eau. Alors que le nouvel environnement devient pour vous plus agréable que l'ancien, le choix d'y entrer ou de demeurer sur le seuil vous appartient entièrement. Vous vous éveillerez comme d'un sommeil, sans n'être aucunement pressée de le faire.

Vous n'irez pas vraiment quelque part, sauf que vous ne serez plus ici. L'expérience sera la suivante : vous vous trouverez alors dans une version plus étendue de l'« ici », une version que vous ne pouviez expérimenter auparavant. Puis vous remarquerez avec un brin d'humour (et peut-être de frustration) qu'elle avait toujours été présente, mais que vous ne la perceviez pas. Vous aurez toujours l'impression d'appartenir à votre vie et à tout ce qui vous était familier, mais tout sentiment d'urgence aura disparu. D'autres aspects de l'ici/là deviendront intéressants pour vous et vous voudrez les explorer. Quand vous étiez très jeune, votre vie dépendait de votre famille. Plus tard, ce sont vos amis ou votre carrière qui vous ont aidée à déterminer les directions que vous avez prises. Votre adaptation était naturelle et opportune. Il en sera alors de même.

— *À quoi l'autre côté ressemblera-t-il ?*

Au début, cela vous paraîtra étrangement familier, comme un lieu déjà connu il y a longtemps. Ce lieu ne vous semblera pas physique ou non physique, mais simplement d'une plus légère densité, agréable comme si vous vous trouviez physiquement dans un étang. Votre environnement dépendra de votre conscience au moment d'entrer dans cette nouvelle réalité. Plus vous serez calme, plus votre réalité sera diverse. Vous ne sentirez pas la température comme vous le faites maintenant, car cette sensation est surtout la réaction de votre corps, non la vôtre. Vous vous sentirez davantage vous-même, bien que ce soit un peu difficile à comprendre dans votre condition présente. Vous « verrez » les choses autrement, car votre nouvelle conscience vous permettra de tout percevoir dans un rayon de 360 degrés au lieu de voir uniquement ce qui est devant vous. Vous ressentirez peut-être un léger vertige au début, en vous habituant à votre nouvel environnement. Ce ne sera que passager. Vous aurez l'impression d'avoir un plancher en dessous de vous et un plafond au-dessus. Ce sera le cas, mais ils seront faits d'une substance plus fine que tout ce qui se trouve sur la Terre tridimensionnelle. Au début, votre expérience sera aussi artificielle que l'a été votre expérience terrestre, mais elle vous semblera très réelle. Votre point d'arrivée sera un lieu temporaire, un peu comme l'utérus d'une mère. Quand il aura rempli sa fonction, ce lieu disparaîtra pour être remplacé par un autre, plus approprié. Comme vous saurez déjà ce qui s'en vient, vous ne serez pas aussi surprise que d'autres, qui seront peut-être en état de choc quand ils se trouveront soudainement en dehors de leur corps et sans aucun moyen d'y retourner.

— *Que serai-je, que ferai-je et que sentirai-je de l'autre côté ?*

Vous vous sentirez davantage vous-même que maintenant. Vous ressentirez encore beaucoup votre soi individuel, mais vous serez aussi connectée agréablement aux autres. Vous aurez le sentiment d'appartenir à la toile de la vie davantage que maintenant. Vous ne vous sentirez pas seule ni séparée comme c'est parfois le cas à présent. Vous vous souviendrez graduellement des expériences de vos vies antérieures. Ce ne sera pas instantané, mais comme vous ne mesurerez pas le temps comme vous le faites aujourd'hui, vous ne vous sentirez pas pressée de récupérer quoi que ce soit et vous n'aurez même pas l'impression que quelque chose vous manque. Vous aurez accès à des souvenirs qui seront aussi précis que vous le désirerez. Vous pourrez presque revivre certaines situations, si vous choisissez de le faire. Vous trouverez cette aptitude très intéressante au début, mais ensuite l'instant présent vous intéressera davantage que le passé, car vous serez détachée de ce passé comme vous l'êtes aujourd'hui de votre enfance.

Vous serez encore vous-même, mais en une version pour ainsi dire plus raffinée. Vous aurez un corps, mais il n'aura pas nécessairement l'apparence d'un corps humain. Il sera translucide et vous aurez l'impression d'être habillée de lumière ou d'une substance apparentée à la lumière. Il est difficile de décrire cette expérience où l'être est à la fois lui-même et quelque chose d'entièrement différent, car les mots sont insuffisants. Vous ne serez pas déçue, et votre corps ne vous manquera pas. Vous vous sentirez plus agile et moins limitée qu'à ce jour.

Vous aurez le choix entre plusieurs activités, mais celles-ci n'auront pas le même sens que dans votre vie présente. Elles seront plus significatives et plus satisfaisantes. Vous ne mesurerez pas votre temps sous l'angle de la productivité ou de toute autre approche menant à un but. Les sujets qui vous intéresseront vous seront simplement plus accessibles. Vous attirerez facilement à vous ce qui vous intéressera le plus, ainsi que d'autres êtres ayant des intérêts similaires aux vôtres et même des enseignants dans ce domaine si cela peut vous aider. Si vous étiez intéressée par le service quand vous viviez sur terre, vous pourrez poursuivre dans cette voie.

À mesure que vous prendrez conscience de votre nouvel environnement et de vos nouvelles aptitudes, vous aurez encore davantage d'options ainsi que l'accès à d'autres mondes et d'autres dimensions. Même si tout cela vous paraît plutôt fantastique actuellement, ce sera, au moment venu, une chose tout à fait normale. D'autres êtres seront là pour vous aider à vous souvenir ou à vous acclimater à votre nouvel environnement.

— *Lorsque toutes les transitions et tous les ajustements auront été effectués, qui ou quoi serai-je, et que ferai-je ? Verrai-je une différence entre le jour et la nuit, ou aurai-je des humeurs diverses ?*

Vous serez encore vous-même ; rien n'aura changé à cet égard. Il s'agira tout bonnement d'un passage à un autre état. Dans votre culture, les gens ont coutume de dire qu'il n'y a que deux certitudes dans la vie : la mort et les impôts. C'est sans doute vrai sur la Terre tridimensionnelle, mais c'est drôlement faux dans les sphères supérieures à celle-ci. Peut-être avez-vous un peu de difficulté à l'imaginer aujourd'hui, mais quand tout aura été dit et accompli, vous serez plus vivante que maintenant. Vous repenserez à votre vie terrestre avec affection et très peu de regrets. Vous serez émerveillée d'avoir pu faire entrer autant de lumière et d'essence dans un corps si petit et si dense. Vous serez redevenue radieuse et resplendissante, et votre bien-être sera d'une qualité rarement connue sur terre, sauf par ceux qui ont acquis la capacité de conserver leurs facultés séquentielles [leurs éternelles facultés étendues].

Au cours de votre vie présente, vous vous êtes demandé si vos pensées étaient utiles et si vos activités étaient productives. Toutefois, il s'agit là d'une certitude qui vous a échappé, car vous ne pouviez voir aussi loin que vous l'auriez souhaité. Les expériences qui vous attendent ne seront pas limitées et vous saurez presque instantanément que vous vous situez désormais à un niveau supérieur. Vos intérêts ne changeront pas autant que vous l'imaginez. Par exemple, votre présent intérêt pour l'art de la communication pourra s'élargir en incluant d'autres facultés et moyens d'expression. Votre présent intérêt pour le *channeling* pourra être exploré depuis l'autre côté, et je me permets d'ajouter avec une pointe d'humour que vous aurez beaucoup de travail à faire pour convaincre de votre réalité ceux qui sont de ce côté-ci du voile ! Vous pourrez observer les baleines d'encore plus près et vous aurez accès beaucoup plus qu'auparavant à des expériences personnelles et à des échanges culturels de toutes sortes (et dans plusieurs mondes).

Vous ne ressentirez pas le passage du temps comme maintenant, mais vous serez parfaitement consciente de passer d'une activité à une autre. Vous vous préoccuperez du moment du jour jusqu'à ce que vous vous rendiez compte qu'il n'intervient plus dans vos choix et vos décisions. Vous pourrez diriger vos mouvements et vos déplacements à volonté. Vous n'aurez ni à marcher ni à conduire de véhicule, sauf si vous choisissez d'en faire l'expérience. Vous serez partie intégrante d'un mouvement gracieux et d'un échange exquis de nature vibratoire. Vous vous sentirez très vivante !

— *Une fois de l'autre côté, les gens revoient-ils réellement leur vie et la réévaluent-ils ? Je sais que Dieu ne nous juge pas, mais que se passe-t-il si nous nous jugeons nous-mêmes ?*

Le jugement est une forme-pensée humaine. Il n'existe pas sur les autres plans, mais il y est compris. Le jugement existe à l'échelle de la polarité et de la dualité. C'est peut-être difficile à comprendre dans votre condition présente, mais vous ne pourrez vous juger vous-même, et voici pourquoi. Aussitôt que vous aurez une pensée du genre « J'aurais dû être plus indulgente », vous deviendrez instantanément plus indulgente et vous renouvellerez l'expérience de cette pensée à partir de ce point de vue nouveau. Ainsi, la pensée « j'aurais dû être » se transformera en « j'ai été », « je peux être » ou « je suis ». L'expansion de votre soi vous permettra d'explorer le concept de jugement, sans toutefois vous y attarder. Vous saisissez ? Il en sera de même pour toute pensée dépréciative ou critique envers vous-même. Vous pourrez explorer toute expérience de vie aussi longtemps que vous le désirerez, si c'est pour la comprendre et la dépasser. De l'autre côté du voile, vous découvrirez que vous êtes désormais juste au-delà de la densité de la dualité. Plus tard, vous découvrirez que vous avez la possibilité de vous en éloigner encore davantage en dirigeant vos pensées ailleurs. La même loi s'applique sur le plan terrestre, mais l'humanité ne veut pas le croire. « *Nous sommes ce que nous pensons* », voilà une vérité valable et bien établie. S'il vous faut adopter un système de croyances, retenez celui-là !

— *Est-il vrai que je reverrai mes anciens amis et les membres de ma famille ? Seront-ils là pour m'accueillir, et les reconnaîtrai-je ? Et mes chers animaux de compagnie, les reverrai-je aussi ?*

Cela se produit parfois, mais ce n'est pas toujours le cas. Il s'agit de l'une des plus profondes croyances de l'humanité et elle semble persister malgré toutes les informations supplémentaires qui sont offertes. C'est la peur d'être perdu, de se retrouver seul dans un environnement inconnu qui fait perdurer cette croyance. Tant qu'elle demeurera ancrée dans une grande partie de la population humaine, elle restera une possibilité pour plusieurs. Vous aurez accès à des guides. Vous ne serez pas seule et vous n'aurez pas peur. Si vous désirez revoir votre famille et vos amis, vous les reverrez. Ils seront conformes à votre souvenir, même s'ils n'ont plus la même apparence. Vous les reconnaîtrez, et eux aussi, car vous vous êtes tous toujours connus. Il existe un langage universel qui « sait » ce dont vous avez besoin dans l'instant et qui peut vous le procurer.

Si vous désirez revoir vos animaux de compagnie, vous le pourrez également, mais ce sera une expérience holographique. Il vous sera alors possible de les toucher, de les sentir et même de jouer avec eux. Cette expérience sera réelle, mais elle ne sera pas fondée sur la même réalité. Vous comprenez ? Le règne animal est fait d'un tissu particulier ; il possède sa propre vibration expérientielle. Une fois que vous serez accoutumée à votre nouvel environnement, vous accueillerez ces expériences élargies avec le règne animal, qu'il s'agisse d'animaux domestiques ou autres. Il y a plusieurs façons d'expérimenter la vie, et c'en est une. Les expériences sont ce que vous avez de plus précieux ; elles font que la vie vaut la peine d'être vécue et elles continueront d'être aussi réelles que vous le permettrez.

— *Garderai-je tous mes souvenirs de cette vie-ci, et me seront-ils aussi précieux ?*

Vous pourrez conserver tout ce que vous voudrez. Personne ne vous enlèvera rien. En fait, il sera impossible à quiconque de le faire. Au début, vous aurez l'impression d'avoir apporté trop de choses, d'avoir besoin d'argent pour payer des choses ou un loyer. Vous éprouverez des symptômes très humains, comme la faim et la fatigue, mais quand vous serez fatiguée, vous trouverez comment vous reposer, et quand vous aurez faim, vous aurez la sensation de manger à satiété. Ces besoins et ces désirs s'amoindriront et, après un certain temps, ils ne vous paraîtront plus nécessaires.

La plupart de vos souvenirs demeureront, à l'exception des faux. Puisque la vérité est d'une fréquence vibratoire supérieure à la non-vérité, ces souvenirs-là resteront plus près de vous. Comme s'il s'agissait d'instruments désaccordés, vous vous éloignerez des pensées et souvenirs discordants. Les croyances sont faites d'une substance particulière, et si vous leur êtes trop attachée, vous les conserverez avec vous jusqu'au moment (ou jusqu'à l'existence) où vous consentirez à les rejeter. La culpabilité, le jugement, la colère et les autres imperfections humaines perdureront aussi longtemps que vous le voudrez. Vous verrez ces imperfections telles qu'elles sont.

Les meilleurs moments de votre vie demeureront intacts et deviendront des *perfections*, des connaissances parfaites devenues en elles-mêmes des philosophies. Finalement, ils aboutiront dans votre propre bibliothèque, faite d'Akash, une substance qui enregistre les images et les souvenirs de grande valeur. Tous vos souvenirs de vies antérieures s'y trouvent et vous voudrez sûrement vous réorienter dans une perspective nouvelle et plus vaste.

— *Est-il trop tôt pour savoir si je reviendrai sur la Terre, et quand? Me soucierai-je encore des événements terrestres?*

Vous ne serez pas si loin de la Terre, du moins pas au début. Vous vous intéresserez à la planète et au progrès de l'humanité, mais vous ne vous y sentirez plus attachée. Même si vous donnez suite à votre présent désir de devenir une ambassadrice de la Terre, ce ne sera pas comme vous l'imaginez à ce jour. Vous serez plus efficace dans votre rôle lorsque votre perspective s'élargira. Bien qu'il n'existe qu'une seule Terre, il y en a plusieurs versions dont vous êtes à même de faire l'expérience. Certaines sont parallèles entre elles tandis que d'autres se croisent ou sont juxtaposées. N'oubliez pas que les courbes du temps et des potentialités traversent et unissent toutes les dimensions et les densités. Vous voudrez refaire connaissance avec ces dernières.

Vous désirerez certainement revenir sur la Terre éventuellement, mais c'est vous, surtout, qui en déterminerez le moment. La plupart de ceux qui croient en être à leur dernière incarnation sur la Terre sont dans l'erreur, bien que ce soit peut-être la dernière fois qu'ils s'expriment dans leur densité actuelle. Quand le temps sera venu, vous vous sentirez attirée naturellement vers une incarnation ayant un but plus élevé. La Terre sera alors très différente de ce qu'elle est maintenant, mais votre curiosité l'emportera sur la peur. Les incarnations motivées par un but élevé ne sont pas sujettes aux récompenses et aux punitions de la roue des naissances et des réincarnations.

— *Pourquoi certaines personnes vieillissent-elles plus gracieusement ou en meilleure santé que d'autres? Comment certaines réussissent-elles à vivre plus de cent ans, même sans un mode de vie adéquat?*

Le corps humain est principalement un véhicule pour l'incarnation de l'Esprit, lequel est attiré par le véhicule le plus approprié à son but. Certains préfèrent une voiture de course ou encore un coupé luxueux, mais une jeep est mieux conçue pour voyager dans le désert. Ceux qui vivent pleinement le jour et rêvent la nuit, puis se réveillent pour refaire la même chose encore et encore sont ceux qui connaissent la signification de vivre avec grâce. Tout se fait naturellement, plutôt que mécaniquement. Ainsi, leur progrès est assuré et ce savoir leur procure la paix même s'ils ne savent pas grand-chose d'autre. Ceux qui vieillissent avec grâce vieillissent tout de même, mais à une vitesse décidément autre puisque leurs battements cardiaques sont d'une qualité et d'un rythme légèrement différents de la majorité.

Aussi, bien sûr, l'hérédité doit être reconnue comme un facteur entrant en ligne de compte. Le bagage génétique humain est surtout un mélange disparate, mais certains gènes sont demeurés proches du code original. Les mécanismes d'encodage très anciens assuraient une durée de vie beaucoup plus longue qu'à ce jour. Le code génétique originel s'est largement atrophié avec le temps et la plupart des gènes sont devenus récessifs. Il est possible de les réactiver par la conscience, mais il faut réapprendre à le faire. La plus grande partie de l'humanité ne peut décider si elle désire être ici ou ailleurs, car elle ne sait pas ce qu'est *ici* comparativement à *là-bas*. Elle souhaite donc vivre longtemps et en santé, et en même temps elle prétend n'avoir que peu d'intérêt pour cette vie et vouloir rentrer *à la maison*. La maison se trouve où votre conscience et votre expérience reflètent le plus votre vérité.

— *Quelle est la meilleure façon de disposer du corps que je laisserai derrière moi ?*

Puisqu'il sera devenu inutile, vous pourrez le faire incinérer si votre religion ne vous l'interdit pas. Il n'y a aucune raison de conserver vos restes et très peu de membres de votre famille voudront hériter de vos cendres pour longtemps ; une génération peut-être, mais guère plus. Les inhumations en mer ne sont pas nécessaires, même si on les a mythifiées de temps à autre. Les cimetières deviendront désuets dans un avenir assez rapproché, quelques générations tout au plus. Même si votre corps sera bientôt une coquille vide et un vestige du passé, je m'intéresse davantage à ce que vous en ferez demain. Il est encore un bon compagnon, capable et désireux d'être votre partenaire jusqu'à la fin. Il n'est pas aussi défectueux que vous le croyez, et quand vous en aurez fini d'inventorier ses imperfections, vous le trouverez très utile, même si c'est pour des périodes de temps plus brèves. Combien de gens ne veulent pas jeter leur vieux divan simplement parce qu'il leur a servi très longtemps ? Cette comparaison est peut-être absurde, mais elle traduit bien mon propos.

— *Pourquoi la vie fait-elle en sorte que je ne serai pas présente en 2012 alors que j'attends cet avènement depuis si longtemps ? Puisque je n'y serai pas, pouvez-vous me dire où je me trouverai au solstice d'hiver de 2012 ?*

La réponse la plus simple à cette question, c'est que, dans le grand schème, votre présence est plus vitale et plus précieuse ailleurs, quoi qu'il vous en semble vu d'ici. Cette vie-ci, tout en étant utile et créative, n'est que l'une de vos nombreuses expressions. Plus qu'un être humain, vous êtes un courant de vie, un fleuve de conscience s'écoulant sans cesse. D'innombrables gouttes d'eau le composent, mais c'est le fleuve lui-même qui coule, et ces gouttes individuelles sont soumises au voyage de ce puissant cours d'eau. Que votre présence soit requise ailleurs ne remet pas en question la valeur de cette vie-ci. Il y a un maintenant et un plus grand MAINTENANT en toutes choses. La conscience que vous êtes vous dirigera toujours vers le plus grand potentiel. La sagesse le veut ainsi. Même si vous vous sentez peut-être sur la voie ascendante, l'univers connaît un chemin plus rapide pour vous y conduire. Vous avez toutefois votre mot à dire en la matière, et, dans un moment d'apaisement, peut-être vous souviendrez-vous d'avoir participé à cette décision.

En ce qui vous concerne, vous devrez probablement régler une horloge humaine pour le solstice d'hiver de 2012, car les différentiels spatiotemporels modifieront votre expérience de ce jour-là et de tous les autres. Bien qu'il s'agisse d'un événement unique et d'une grande magnitude, son impact sera ressenti dans l'histoire à long terme, non dans la brève explosion d'intérêt qu'il suscitera alors. Vous pourrez expérimenter cet événement comme vous le désirerez. Faites-vous-en la promesse maintenant et vous verrez qu'une promesse est toujours bien tenue. Faites-vous aussi d'autres promesses si vous voulez. Faites-les légèrement et sans restriction, mais dans l'honneur et avec l'engagement de respecter votre parole.

Le processus ascensionnel

Durant cette transition, vous, Gaia, devez considérer à la fois les êtres qui vivent sur la Terre, la dualité de cette existence et votre propre processus ascensionnel. D'après mes recherches, il est déjà arrivé qu'une planète ait ascensionné, que des groupes de gens aient ascensionné également, mais jamais en même temps. C'est comme si nous écrivions notre propre histoire pendant que l'univers entier nous observe.

— *Comment percevez-vous tout ce processus du point de vue de votre essence ?*

Mon essence anticipe les changements des centaines et même des milliers d'années avant qu'ils se produisent. Il n'y a donc aucune surprise dans le processus. Bien sûr, toutes choses sont constamment en évolution sur tous les plans et mon essence s'en réjouit. Si les individus pouvaient voir d'avance les progrès énormes que leurs difficultés leur font accomplir à long terme, ils percevraient sans doute celles-ci autrement. J'ai l'avantage d'être toujours consciente. Ma conscience ne commence pas et ne se termine pas avec chaque existence, comme c'est le cas pour les humains. Il n'en sera pas toujours ainsi, mais ce l'est maintenant.

C'est comme si j'étais à la fois sage-femme et parturiente. Je connais des joies immenses, mais je suis parfois traversée de douleurs quand je dois dire adieu à une espèce magnifique afin d'en accueillir une nouvelle. La Terre appartient à une famille de planètes uniques dont chacune a sa fonction et son importance. Je partage cette aventure avec elles tout comme elles ont partagé la leur avec moi. Leur savoir et leur sagesse m'assistent et me guident tout comme j'assiste et je guide moi-même ceux qui, ici, sont moins conscients du processus. Seule l'ampleur du savoir diffère.

La dualité

D'après ma compréhension de la dualité en ce moment dans la troisième dimension, il s'agit d'une dualité dense qui nous donne l'illusion d'un temps linéaire. Nous nous concentrons uniquement sur un point, lequel devient alors notre réalité et nous empêche de voir les autres probabilités existantes. Comme dans les montagnes russes, nous ne voyons pas à l'avance ce qui se trouve de l'autre côté, nous ne voyons pas venir la descente. C'est à la fois excitant et terrifiant. Et même si nous avons eu très peur, nous voulons y retourner quand c'est fini… Lorsque nous sommes de l'autre côté, nous oublions la peur que nous avons eue, mais quand nous sommes de ce côté-ci, nous oublions qui nous sommes et nous recommençons à avoir peur.

— *Ce processus favorise-t-il un progrès? Puisque son but consiste à nous sortir de la dualité, comment pouvons-nous l'accélérer?*

Toutes les planètes de la troisième dimension vivent-elles dans la dualité ou bien sommes-nous une exception? S'il y a d'autres planètes, vivent-elles cette dualité au même titre que nous?

La dualité est une illusion que l'humanité ne comprend pas encore tout à fait. La troisième dimension semble de nature duelle parce que la Terre est représentée par deux pôles, deux genres, etc. Mais il existe une troisième expression, donc une troisième dimension. C'est le *nœud* lumière/obscurité, compassion/peur, Dieu/Don-dieu qui existe au centre de toutes les pensées et de toutes choses. Cette réconciliation de la dualité, voilà ce qu'est l'humanité et voilà aussi ce qu'elle fait, du moins pour l'instant. La peur n'existe pas quand la mortalité n'existe pas. Vous comprenez?

Le progrès ne vient pas du fait de cheminer dans une série d'existences imprégnées de dualité. Vous émergez de la dualité quand vous arrivez au centre ou au cœur de votre vie, ou peut-être d'une réalité devenue obsolète. C'est l'un des merveilleux aspects, des merveilleuses gratifications de cette vie-ci comparativement aux autres, car la réalité sur laquelle est fondée l'actuelle dualité a presque pris fin. C'est pourquoi vous voyez d'ailleurs s'écrouler tant de systèmes et de structures.

L'accélération est un mouvement vers le centre. C'est un choix qui requiert du courage et de la détermination. Bien qu'elle soit offerte à tous, plusieurs ne la choisiront pas, car ses bénéfices ne peuvent être confirmés d'avance. Il faut donc un acte de foi, et un grand. Voilà pourquoi les cœurs faibles et les jeunes âmes attendent de voir, pendant toute une saison, toute une vie ou plusieurs. L'accélération du temps ne garantit pas l'accélération chez l'individu. Ce concept est mal compris.

C'est la pensée qui crée la prochaine dimension. Dans une large mesure, même les dimensions numérotées sont des sphères mentales qui produisent des pensées, lesquelles créent à leur tour des réalités, des schèmes et des mondes. Alors que la troisième dimension devient trop dense et commence à se désagréger, la pensée de créer une autre dimension pour s'y exprimer émerge de l'Esprit de Tout ce qui est. L'immensité de cet Esprit est difficile à sonder, tout comme sa capacité créative. Néanmoins, chaque détail compte et chaque particule existante y trouve sa place. La quatrième dimension établit un pont entre la troisième et la cinquième. L'humanité peut y contribuer en se concentrant sur ce que vous appelez les quatrième et cinquième dimensions, quoi qu'il se passe dans la troisième... C'est là une tâche redoutable.

La Grande Expérience

À mon avis, ce qui rend cette expérience si unique dans l'univers, c'est que la Terre a été ensemencée du matériel génétique provenant de milliers de planètes. Dès lors, cette expérience a une « portée » énorme non seulement pour nous, mais pour tous ceux qui y ont participé. Cette transformation aura sûrement un effet profond sur tous ces êtres et toutes ces planètes qui ont fourni leur matériel. Ils ont participé à l'expérience et peuvent donc l'observer « en direct », sans toutefois y participer directement.

— *Comment influencent-ils notre parcours ? Est-ce la raison pour laquelle nous avons autant de hauts et de bas sur cette planète ?*

Les hauts et les bas sont la conséquence directe des croyances fondamentales de l'individu quant au sens de la vie, particulièrement la vie humaine sur la Terre. Tant que l'humanité n'aura pas découvert (et accepté) la vérité au sujet de son hérédité génétique, nous ne pourrons ni mesurer ni décrire avec précision les effets de la Grande Expérience. Pardonnez cette comparaison, mais le résultat d'une expérience dépend souvent du rat de laboratoire qui a servi à celle-ci. Vous saisissez ? Savez-vous d'où provient votre ADN, et dans quelle proportion ? À quel point du temps (ou hors du temps) a-t-il été inséré ? Comment étiez-vous avant : mieux ou pire ? En êtes-vous certains ? Vous voyez bien que si vous ne pouvez être sûrs de ce que vous étiez dans votre dernière vie ou entre deux vies, vous ne pouvez aucunement savoir avec certitude quel sera le résultat de la Grande Expérience.

Quand et comment allez-vous concilier tout cela ? Pour avoir une vraie vue d'ensemble et voir l'existence humaine d'un œil nouveau, l'humanité devra renoncer à presque toutes ses croyances concernant son histoire, la planète et même Dieu. Les livres saints qui sont devenus des prolongements d'un Dieu toujours étranger devront céder la place à une vision plus élargie et plus cosmique de votre monde et des autres. Plusieurs versions de l'histoire de cette planète existent, et certaines sont plus exactes que d'autres. Ce n'est pas parce qu'une histoire est bien racontée qu'elle est complète et qu'elle inclut les véritables origines de l'humanité.

— *Quelle place le réseau Internet occupera-t-il dans l'avenir ? D'après ce que je vois, il joue déjà un rôle énorme, car il nous permet de découvrir des histoires inspirantes, de participer à des projets collectifs et de connaître des gens qui communiquent réellement entre eux et s'entraident. Internet nous sort des limites des informations biaisées que nous procure la télévision.*

Le réseau Internet est un outil qui semble avoir des possibilités infinies, mais c'est inexact. L'accès à d'énormes quantités d'informations sur demande est un heureux ajout aux autres moyens désormais désuets, mais même cet instrument moderne sera remplacé par un autre, qui se révélera plus interactif et plus réaliste. Les ordinateurs holographiques se profilent déjà à l'horizon, combinant télévision, informatique, gestion personnelle et maintien de la santé, pour vous procurer une vie encore meilleure. Leur apparition sur le marché n'est pas si lointaine et ils auront un succès foudroyant, car ils seront d'un prix abordable pour la famille moyenne. Évidemment, ils présenteront quelques inconvénients puisqu'ils ne seront jamais inactifs, tels des robots. Vous devrez donc vous y habituer, mais c'est là votre avenir, en réponse aux exigences d'un monde très affairé.

L'industrie automobile

— *L'industrie automobile, si importante pour l'économie mondiale, est en grande difficulté. Y a-t-il autre chose en vue pour cette industrie ?*

Aux yeux de ceux qui considèrent l'humanité comme une espèce créative et évolutive, cet étrange moyen de transport est une insulte à l'ingéniosité humaine, mais il persistera tant que l'humanité ne s'en lassera pas et ne concevra pas un moyen qui plaira et conviendra davantage aux individus. Contrairement à la croyance populaire, ce n'est pas le monopole exercé par les riches pays et consortiums pétroliers qui empêche de passer à un autre type de véhicule. *C'est plutôt le fait que l'humanité elle-même croit que l'automobile est un symbole de personnalité et de statut social.* C'est une vieille croyance, mais elle est tenace et encore très répandue parmi la population de la planète. L'humanité n'a pas encore trouvé le moyen de construire des édifices sans se servir de grues pour soulever les matériaux et sans employer de la machinerie lourde pour tous les travaux afférents. Elle n'a pas encore créé un nouveau type de véhicule pour remplacer les camions qui transportent les déchets vers les sites d'enfouissement ou pour succéder aux diesels et aux trains au charbon qui trimballent les marchandises.

Le nouveau modèle apparaîtra quand le modèle actuel aura fait son temps. Cela ne saurait tarder. C'est l'une des raisons pour lesquelles vous vous préoccupez si peu du remboursement de la dette cumulée. Elle ne peut être remboursée et ne le sera pas. C'est comme la reine d'une ruche d'abeilles, qui vit durant plusieurs saisons au service de celles qui en ont fait leur monarque. Elle est protégée jalousement, mais, entre-temps, toutes se nourrissent d'elle peu à peu. Elle finit par épuiser son utilité et il faut la remplacer.

Le système actuel doit d'abord s'avérer obsolète. On ne le laissera pas disparaître facilement ni généreusement. Il sera décapité et l'on se moquera de sa tête (ou du symbole qui la représente). Ses faiblesses ont déjà été révélées, comme les richesses de ceux qui en ont largement profité. Quand le plan de secours fut présenté, il était déjà trop tard, mais, à l'époque, il était nécessaire de sauver les apparences. Cette fois, avec les efforts du nouvel élu pour remédier à la situation, les avantages du nouveau modèle seront mis en lumière. Ils seront évidents, car ce modèle conviendra quasiment à tout le monde, des plus hauts échelons de la société aux plus bas. Il fera disparaître les dettes cumulées de l'ancien modèle et sera aussi avantageux pour tous. On ne peut dire à quel moment exactement il apparaîtra, mais on peut affirmer qu'il *apparaîtra* en effet ou qu'il est *déjà apparu*, selon le point de vue.

Ne vous identifiez pas à votre gagne-pain. Même si les finances vous font défaut, la vie vous fournira une autre option ou une autre possibilité. Vous ne pourrez jamais *tout* perdre, car vous perdrez seulement ce que vous possédez aujourd'hui. Vous n'êtes pas arrivés ici avec vos ressources présentes et vous ne partirez pas avec elles non plus. Par conséquent, elles ne vous servent que dans l'ici-maintenant. Cela vaut également pour ceux à qui vous léalerez votre avoir et pour ceux qui croient y avoir droit par héritage. Il en est de même pour tout le monde. Si vous avez perdu une fortune dans ce système, peut-être que votre richesse augmentera dans le nouveau modèle économique. Observez-en donc soigneusement les caractéristiques quand il se présentera. Ceux qui croient aux bénéfices d'une nouvelle réalité les trouveront plus rapidement que ceux qui n'y croient pas.

L'année 2010 et les suivantes

— *Que nous réserve l'avenir immédiat ?*

Il y aura un regain d'intérêt pour la spiritualité, officielle ou non. Les religions établies seront favorisées, du moins au début, car il y a à ce jour un besoin accru de stabilité et de sécurité, où qu'elles se trouvent. Les religions établies saisiront cette occasion d'augmenter le nombre de leurs adeptes et de promouvoir leur cause. La plupart enregistreront donc au moins un gain temporaire. Certaines commercialiseront même leur cause en engageant des agences publicitaires qui embelliront leur discours. Les experts en ce domaine sauront donner à leurs paroles un vernis divin.

Les nouvelles confessions et les branches des religions établies s'exprimeront également, tout comme les mouvements laïques, plus cultivés et plus ouverts, y compris ceux qui se développent à l'intérieur des ramifications du nouvel âge. Attendez-vous à voir apparaître davantage d'écoles de mystères et de centres d'instruction modernes. Tout ce qui peut aider un individu à devenir l'auteur de sa propre vie est bon. Méfiez-vous de ce qui dénigre les croyances d'autrui ou salit les bonnes réputations méritées. Fiez-vous à la voix de l'Esprit qui se révèle intérieurement et se manifeste dans votre vie. L'Esprit n'est pas restreint à la religion ni à la bonne opinion d'autrui ou à son absence. Il resplendit dans la forme et dans l'informe, et il est reconnaissable quand il parle le langage de la Loi universelle.

Votre éveil spirituel s'est produit à l'aube des temps, très longtemps avant cette vie-ci. Il y a dans chaque vie un éveil subséquent, ou une « nouvelle aube », unique aux buts de cette vie particulière. Cette vie-ci ne fait pas exception puisque vous reconnaissez vous-mêmes qu'un éveil y a déjà eu lieu. C'est exactement ce qu'est la dernière ronde d'événements mondiaux, un carrousel virtuel tournant toujours dans le même sens. Chaque tour semble différent du précédent uniquement parce que les fragilités (non les échecs) de la nature humaine le font paraître tel.

Il y aurait encore beaucoup à ajouter sur votre avenir immédiat. Je vous en ai livré quelques éléments dans ces pages. Pour ce qui est de 2010, je vous invite à faire une seule chose, soit à participer à la vie autrement, à poser un regard neuf sur votre monde et sur vous-mêmes.

Interrogez-vous chacun : « *Dans quelle mesure je participe à ma vie ? Est-ce de tout cœur et sans réserve ?* » Répondez à cette question par un chiffre (pourcentage) que vous aurez soigneusement choisi. Choisissez ensuite un autre chiffre pour indiquer ce que vous êtes prêt à risquer pour participer davantage à votre vie. Pensez qu'une sagesse supérieure à votre conscience présente possède le pouvoir de réaliser ce résultat sans aucune action particulière de votre part.

Choisissez 2010 comme l'année où votre vie deviendra votre partenaire absolue. Faites-en votre vérité, de sorte que chaque fois que vous y repenserez, elle sera toujours une vérité porteuse de la pleine mesure de votre être.

Conclusion

Tout comme vous avez accueilli les paroles des règnes que je vous ai offertes, ceux-ci accueilleront bientôt un nouveau règne parmi eux. La prochaine génération de l'humanité sera la première à être considérée comme divine génétiquement. Ces êtres, nés à partir de 2007, atteindront la maturité dans vingt-deux ans. Leur programme de vie sera explicitement pacifique et leur nature sera largement créative. Ils seront ingénieurs et architectes, scientifiques et guérisseurs. Ils voudront guérir le présent et créer le futur. Vous serez étonnés par la couleur de leurs yeux, qui seront nettement violets. Plus tard, vous remarquerez leurs actes, qui influenceront positivement les vôtres tout en confirmant la vie que vous aspiriez à connaître.

Je vous quitte sur les paroles qui suivent.

Il n'existe qu'un seul monde et il contient plusieurs êtres.
Il n'existe qu'une seule race mondiale
et elle est multiculturelle en apparence.

Il n'existe qu'une seule religion mondiale
et elle a à sa tête une *déité de conscience*.
Il n'existe qu'une seule mesure de la prospérité
et elle est enracinée dans la compassion.
Il n'existe qu'une seule ressource terrestre
et elle s'appelle l'Homme.
Il n'existe qu'une seule vérité
et elle est visible à l'intérieur de tout ce qui est invisible.
Il n'existe qu'une seule pensée qui se précipite elle-même
et elle s'appelle l'Esprit.
Il n'existe qu'une seule chose qui se précède elle-même
et elle s'appelle la Lumière.
Il n'existe qu'une seule origine de l'Homme
et qu'une seule solution pour l'Homme,
et c'est de se restaurer lui-même pour échapper
au cycle des naissances et des renaissances.

Les paroles qui précèdent sont *protégées*, c'est-à-dire qu'elles ont toujours existé sous une forme ou une autre. Dans les moments de désespoir, elles ont toujours été à un souffle de l'extinction, mais même le souffle, qui est d'origine sacrée, comporte deux parties et est de nature duelle. Par conséquent, même quand l'espoir abandonne, le destin intervient, et inversement. Bien que ces paroles aient été vénérées et gardées secrètes (protégées) par les fraternités d'initiés, elles ont aussi été offertes parfois aux profanes (les hommes qui suivent d'abord la règle de la loi, puis la loi supérieure) pour qu'ils les comprennent et les conservent comme ils le pouvaient. Ceux qui, tout au long des siècles, les ont mal interprétées les ont prises pour des énigmes et même des malédictions, mais ceux qui osent les adopter y trouvent une règle de vie, car le futur de l'Homme vit également en elles et par elles. Ce que sera ce futur, toutefois, ce à quoi il ressemblera, voilà qui reste à voir.

Ne cherchez donc pas les bonnes nouvelles dans les manchettes du jour, mais en vous-mêmes. Cherchez le bon qui vous habite et utilisez-le pour vous, pour les autres, pour la planète et pour la vie elle-même. Cet outil est aussi vieux que le monde et il vous sera toujours utile. Chaque jour, offrez aux autres et au monde quelque chose de bon. *Offrir votre être,* c'est présenter la qualité ou tendre vers elle. Même lorsque se déroulent des événements à grande échelle, souvenez-vous que la vie est vécue dans les petits moments intimes et personnels. Vous êtes davantage touchés par la respiration d'un papillon que vous n'aviez jamais rencontré auparavant que par le fiévreux débat mondial. Respirez profondément. Respirez, car le souffle contient la force vitale qui possède l'éclat de mille soleils.

Ceux qui rédigent les manchettes internationales sont bien entraînés à susciter une réaction parmi leurs lecteurs. Votre réaction, même si vous ne vous y êtes ni entraînés ni exercés, est souvent d'ordre collectif. Vous pouvez vous entraîner à réagir avec votre conscience supérieure plutôt qu'avec la conscience collective immédiate. Vous ne serez ni moins humains ni moins compatissants en élevant la vibration de votre réaction. Au lieu de pousser un soupir, qui est une exhalation, réagissez par une profonde inhalation et vous verrez presque aussitôt une différence dans la relation existant entre le corps et l'esprit ainsi qu'entre ceux-ci et la collectivité. L'Esprit y verra. Vous pouvez partager le monde avec les autres sans nécessairement partager la même vision du monde.

Je ne peux plus vous offrir de « répétitions » susceptibles d'améliorer votre costume, mais non votre rôle. Je demeure toutefois vouée à l'évolution d'une conscience éveillée qui ravivera votre véritable nature une fois pour toutes. Je vous suis redevable à jamais, immensément et irrémédiablement présente sous vos pieds.

Je vous dis au revoir et à bientôt.

Gaia

Quatrième partie

Invités spéciaux

Le collectif Ashtar

Anna, grand-mère de Jésus

Le collectif Ashtar

Salutations à vous, chers enfants de la Terre,

C'est avec un réel plaisir que nous nous présentons à vous afin d'ajouter un autre volet à cet ouvrage déjà très bien documenté. Celui-ci permet de rejoindre des Êtres à la recherche d'une plus grande compréhension de l'âme, ce qui correspond à notre niveau de service.

Sur terre, vous devez composer avec une densité propre à votre plan de conscience, lequel vous amène aisément à perdre de vue que même si vous habitez un corps physique, vous existez aussi au-delà de celui-ci. Il est juste de percevoir que votre âme vit à l'intérieur du corps, dans chacune de vos cellules. Cependant, elle existe aussi dans un espace de non-temps et de non-lieu que nous nommons l'absolu, où la vie vaste et diversifiée se déploie d'une façon qui dépasse tout entendement.

À partir de vos repères terrestres, il est difficile de comprendre qui vous êtes véritablement. Pour vous, l'idée d'exister sans corps physique ne fait aucun sens. Cette image vous semble si dénaturée et angoissante que votre être incarné refuse de s'abandonner à cette vision. Pourtant, les humains sont d'abord et avant tout des âmes qui ont accepté de vivre une expérience d'oubli dans la matière. Ils l'ont fait dans le but de se rappeler par la suite qui ils sont vraiment. Ils permettent ainsi à tout cet univers de comprendre la sensation d'Amour et d'Union en ayant précisément exploré son opposé, soit la sensation de non-amour et de séparation dans la dualité.

Voilà en des mots simples la définition du but de l'incarnation. Nous savons que pour certains cela éveille davantage de questions que de réponses, mais, en somme, c'est ce que vous avez tous accepté de faire.

Cet écrit nous permet d'abord d'apporter des éclaircissements plus importants sur l'âme, l'esprit et le corps, mais surtout de créer des ancrages pour que les lecteurs qui captent nos mots puissent aussi capter leur essence. Nous vous invitons donc à ressentir qu'en ce moment un pont vibratoire entre votre âme et vous est en train de s'établir pour vous permettre de mieux comprendre la sensation de ce que vous êtes en réalité. Prenez une pause maintenant et ressentez les bras enveloppants de votre âme qui vous entourent.

Bien qu'elle puisse paraître intangible, votre âme est plus près de vous que ne l'est l'oxygène qui pénètre dans vos poumons. Elle est contenue à la fois dans l'air et dans chacune des cellules qui composent vos poumons et votre corps. Alors, où se trouve l'âme? Si elle n'est pas localisée dans un lieu précis, peut-être est-elle partout à la fois?

Notre but est de vous aider à comprendre plus concrètement votre rapport avec l'équilibre, lequel passe nécessairement par une fusion et un abandon à cette énergie nommée âme, qui s'associe à son tour à l'Esprit (duo âme-esprit), pour régir le corps physique et son équilibre dans la matière.

Associé à la conscience, l'Esprit agit dans l'incarnation comme un chef d'orchestre, en unifiant tous les aspects de l'être. C'est la partie collaboratrice de votre être. Ce n'est pas un dictateur, mais un rassembleur. De son côté, l'âme permet à la vie en vous d'être honorée, de se déployer avec beaucoup d'intensité tout en respectant les qualités de chaque aspect.

En unissant l'âme et l'Esprit dans l'incarnation, l'être s'équilibre. Il ne néglige aucune portion, il reconnaît autant les parties blessées que les parties épanouies. Il honore tous ses aspects, leur assurant ainsi une place au sein du même orchestre, l'orchestre de la vie d'un être incarné sur terre.

Nous sommes conscients que vous souhaitez nous inviter à répondre à quelques questions. Quelles sont-elles?

Selon des informations obtenues de sources que je juge crédibles, et contrairement à ce qui circule dans la pensée nouvel âge, Ashtar n'est pas un seul Être, mais plutôt un nom associé à un type de service. Je pense que l'information reçue par certains a été mal interprétée au départ, ce qui a occasionné une confusion par la suite.

Les Êtres qui font partie du collectif Ashtar sont pour la plupart au service de la Terre, et leurs origines diverses sont intergalactiques. Ils sont régis par certains règlements et certaines promesses relevant de la Fédération galactique. Il ne s'agit pas d'une flotte militaire, mais bien d'un Consulat galactique. Ce collectif n'appartient à aucune fraternité ; c'est plutôt un groupe d'une intelligence supérieure qui compte parmi une flotte constituée de plusieurs vaisseaux ayant chacun sa spécialité – la science, la spiritualité, l'environnement, etc.

— *Même si cette description d'un collectif aussi important est plutôt sommaire, est-elle juste ? Pouvez-vous préciser la composante de ce groupe aujourd'hui ?*

Nous décririons ce collectif comme un regroupement d'Êtres de conscience christique agissant au service du Nouveau Monde. Nous venons accompagner les humains sur la voie du retour à la Superconscience. Nous parlons bien de « retour », car cela est votre état d'être naturel. Vous avez volontairement quitté la Superconscience pour explorer la séparation, et tout votre être appelle maintenant un renfort en vue de faciliter le retour vers ce que vous êtes.

Puisque tout est lié, il est intéressant de comprendre que c'est la conscience universelle absolue de chaque humain qui a appelé des Êtres « venus de loin » et vibrant à cet état de conscience. C'est à cet appel que nous avons répondu.

Par voie de résonance, notre présence éveille l'état d'être universel chez vous, car cela éveille les souvenirs enfouis dans vos cellules. Il s'agit en quelque sorte d'une voie d'éveil par juxtaposition, un peu comme un individu qui apprend la musique grâce à l'enseignement d'un musicien.

Il est vrai que des consciences universelles s'associent en ce moment en grand nombre au « vaisseau » Terre pour faciliter son passage vers les sphères plus vibratoires des dimensions de lumière et de conscience.

Toutefois, de nombreuses autres consciences se joignent également à vous. Les Êtres intraterrestres, les élémentaux, les cristaux, les deva, les animaux, les minéraux et le règne végétal sont aussi des collaborateurs très précieux. À cela il faut également ajouter la conscience de l'air, du feu, de la terre et de l'eau, qui sont aussi des Maîtres, dans leurs formes spécifiques, agissant au service de la vie et du retour de la Superconscience.

Vous aurez compris que nous ne possédons pas de qualités ni d'habiletés supérieures aux vôtres. Nos talents et nos dons sont les mêmes, car notre nature l'est aussi. Seulement, puisque nous avons préservé une conscience universelle « non altérée » par notre choix d'explorer la dualité, qui en soi suppose un oubli de vos origines pour mieux y revenir, nous pouvons mieux vous aider à vous rappeler qui vous êtes vraiment.

Quant au nom Ashtar, il faudra le voir à la fois comme une conscience individualisée et un terme générique représentant une collectivité. Nous pourrions l'associer au rôle d'un coordonnateur christique. Il s'agit d'une conscience à la fois individualisée et collective qui rassemble des connaissances et des Êtres individualisés ou planétaires, en référence à des planètes, des constellations et des secteurs universels. Et ces apports énergétiques provenant des quatre coins des multiples univers sont en ce moment rivés sur votre planète non pas pour effectuer des expériences avec les humains, mais plutôt pour ramener ceux-ci vers le souvenir de leur marche dans les étoiles en d'autres temps et d'autres lieux.

Les êtres ont pu capter une conscience individualisée nommée Ashtar, car celle-ci existe. Mais il serait inapproprié de considérer cet Être uniquement comme un individu. C'est avant tout un état de conscience.

Le collectif associé à Ashtar devrait donc être vu comme un rassemblement de consciences universelles d'Êtres ayant préservé leur état universel non dualiste. En ayant conservé leur mémoire universelle, les Êtres de ce regroupement peuvent ainsi mieux aider les humains à se rappeler qui ils sont, et ce, sous la bénédiction de l'entité nommée Ashtar.

— *Selon ma perspective, il y eut une période où plusieurs groupes ont cru que d'immenses vaisseaux viendraient sauver l'humanité... qu'ils seraient élevés vers des vaisseaux et transportés... quand, en fait, nous savons que personne ne viendra « nous sauver » ainsi.*

Même si vous n'en avez pas le souvenir en ce moment, vous avez tous déjà vécu dans des états de conscience où l'amour et l'harmonie étaient au centre de la vie. Cette mémoire est encore très présente en vous. « L'envie d'être sauvé » est vécue comme une nostalgie de cet espace-temps où l'existence était, d'après vos normes, beaucoup plus harmonieuse.

Seulement, vous oubliez que dans cet espace universel d'harmonie un déséquilibre venait ternir la vie, car la famille n'était pas totalement réunie. Sur cette planète nommée Terre, des êtres placés devant des défis importants n'arrivaient pas à retrouver leur lumière. Ils étaient en quelque sorte perdus dans l'ombre d'eux-mêmes, luttant contre ce qui leur semblait être des envahisseurs extérieurs, lesquels provenaient d'aspects d'eux non conscientisés et non accueillis, mais ils n'en étaient pas conscients. Et c'est là que votre amour pour la vie unifiée vous a amenés à répondre à ce que nous pourrions appeler un « appel de renfort ».

En cours de route, de nombreux Êtres des quatre coins des galaxies sont venus apporter leur lumière sur la Terre pour aider à ramener l'équilibre sur cette sphère de vie et, par prolongement, dans tout l'Univers. Puisque celui-ci soutient une vie qui y est totalement unie, les lourdeurs vécues par les humains sur terre affectaient le Tout.

Ces derniers ont longuement entretenu l'idée que leurs ombres étaient des aspects d'eux inappropriés. Ils ont cru qu'il leur fallait s'en débarrasser pour enfin accéder à l'équilibre. Ils ont donc nourri leur lumière dans l'intention qu'elle chasse leurs ombres, ce qui, vous l'aurez compris, a eu précisément l'effet inverse.

Afin de rétablir un équilibre universel, plusieurs Êtres sont venus apporter leur soutien à la Terre et aux membres de leur famille qui y habitaient. Ces Êtres lisent ces mots en ce moment. Ils se reconnaîtront dans cette envie de venir aider leurs frères et sœurs incarnés à se rappeler qui ils sont vraiment. Et voilà qu'une fois sur terre la nostalgie d'un monde meilleur existant ailleurs se confond à l'intention d'amener le paradis sur terre, véritable but de l'aventure humaine.

Plusieurs travailleurs de lumière nourrissent en eux l'impression qu'ils n'y parviendront pas. Ils croient que pour retrouver l'harmonie, leur seule chance est de quitter le plan terrestre ou d'appeler à eux des sauveurs appartenant à un ailleurs. Mais ils oublient qu'ils sont les sauveurs tant attendus. Ces sauveurs sont déjà incarnés sur terre ; ils tiennent ce livre entre leurs mains.

Une fois incarnés, les êtres ont cependant tendance à nourrir l'envie de retourner d'où ils viennent. Se sentant seuls et isolés sur cette planète, ils ont l'impression de ne pouvoir accomplir leur mandat. D'ailleurs, cette sensation est savamment inculquée dans les consciences sociales par vos structures publiques qui veulent vous contrôler. « Diviser pour mieux régner » résume bien cette vision. Ces individus se sentent ainsi trop petits parmi la foule, ressentant une incapacité à agir. Ils ont alors l'impression de ne pouvoir accomplir ce pour quoi ils sont venus. En plus de cette solitude et de cette sensation d'impuissance, ils nourrissent en eux l'impression qu'il serait préférable d'abandonner le navire.

Autour de votre Terre, il y a actuellement d'innombrables vaisseaux. Mais ces consciences qui vous entourent ne viennent pas vous sauver, et elles ne vous observent pas non plus comme si vous étiez les sujets d'une expérience. Elles vous aident à vous rappeler qui vous êtes vraiment. Voilà leur ultime but.

La Fraternité universelle ainsi que les Êtres de l'intraterrestre et de la Terre viennent aider les humains à se rappeler qui ils sont, car tous font partie de la même famille. Lorsqu'un membre s'égare, toute la famille le ressent.

En redevenant sur terre les êtres souverains que vous êtes, vous ouvrez la porte à l'âme, à Dieu, à la Source.

En fait, vous êtes les sauveurs que vous attendez.

Le feu de l'ascension...

— *Vous me disiez récemment « qu'il sera impossible d'ascensionner sans le feu ou la flamme intérieure ». Pourriez-vous préciser ?*

Il faudra associer ce feu au *hara*, à l'énergie du soleil de vos entrailles. C'est le feu qui amène la vitalité de l'Univers dans le corps physique et qui permet à cette puissance d'animer chacune de vos cellules, de reconstruire les organes affectés et de guérir les blessures dans l'incarnation. Ce feu intérieur, ce soleil dans vos entrailles, s'anime lorsque l'Être accepte d'entrer totalement dans la matière, conscient d'exister au-delà de celle-ci, mais choisissant d'abord d'honorer la vie de son corps physique incarné.

Nous ne suggérons pas ici qu'il y ait une sensation d'emprisonnement dans la matière. Un Être trop identifié à son corps ne s'ouvre pas à la présence de son âme, qui existe aussi au-delà de celui-ci. Mais, inversement, un Être trop identifié à son âme et à la vie au-delà de la matière pourrait interpréter son corps comme une prison et vouloir s'en séparer, laissant ainsi un aspect de lui dans le deuil. Même si la séparation n'est pas la mort, l'Être se désincarne progressivement et renonce à l'allumage de son feu.

Ce feu intérieur est à la base d'un mouvement d'élévation énergétique qui conduit les êtres vers le processus d'ascension. Il est à l'origine de la montée de la kundalini dans le corps. Il est aussi associé au feu du respect de soi que plusieurs sont appelés à développer en ce moment.

Le respect de soi amène parfois les individus à ce que nous pourrions qualifier de « sainte colère », un mouvement habituellement associé à l'ombre sur votre Terre. Plusieurs d'entre vous ont imaginé qu'il leur fallait être uniquement amour, paix et douceur pour demeurer sur la voie spirituelle. Ce faisant, ils ont oublié que leur côté plus colérique, plus affirmé et plus incisif leur permet d'abord d'être amour envers eux, soit l'être le plus important de leur vie. Car s'ils ne se respectent pas, ils ne peuvent véritablement respecter les autres.

Se respecter n'est pas une incitation à imposer sa vision aux autres. C'est plutôt une invitation pour que plusieurs réalités puissent cohabiter en parallèle, sans renoncer à son essence et tout en honorant celle des autres. Voilà un équilibre très noble à atteindre.

La sainte colère est un élément à autoriser dans l'incarnation. Au nom de l'amour, les gens ont accepté l'inacceptable. Et progressivement, les libertés individuelles ont été mises de côté au détriment de l'équilibre de la vie. Un pas à la fois, les Êtres ont renoncé au fondement même de la vie, selon lequel chaque expression du Tout est souveraine et libre de ses choix. Ce concept a été si malmené sur cette planète que cela a entraîné la déchéance de nombreuses formes de vie, qui ont perdu leur dignité et leur droit d'exister. Les formes minérales, végétales, animales et humaines sont toutes affectées par cette situation.

Le feu est une énergie qui apporte une forme d'équilibre aux Êtres, les invitant à respecter la vie dans toutes ses facettes, peu importe les formes. S'il n'y a qu'un seul commandement à honorer sur terre, c'est celui du respect de la vie et de la liberté de chaque forme d'expression, peu importe ce qu'elle est.

Sur votre planète, des individus se sont unilatéralement approprié des droits et des privilèges, sous le chapeau de la liberté. Ils ont agi en occultant le fait que cette liberté enfreignait celle des autres. Mais il est maintenant intéressant d'observer que cette expérience permet à ces autres de rallumer leur feu intérieur, ce qui les amène à retrouver leurs réels pouvoirs, ceux qui leur donnent aujourd'hui la possibilité de transformer l'inacceptable en harmonie, redonnant ainsi sa dignité à la vie.

Voilà donc pourquoi ces expériences ont été autorisées par vos âmes. Par l'entremise de votre feu intérieur, vous pouvez retrouver l'apprentissage de votre force et de vos pouvoirs. En honorant ce feu et en acceptant de le présenter au monde, vous vous honorez vous-mêmes. Vous contribuez ainsi à redonner la dignité à toutes les formes de vie sur terre.

Ce feu intérieur est donc au cœur du retour de l'équilibre, amenant ultimement l'ombre et la lumière à revenir au centre. C'est un portail conduisant l'humanité vers l'intégration de la Superconscience sur la Terre.

2010

— *Selon le collectif Ashtar, qu'est-ce que 2010 aura de plus précieux à nous offrir comme enseignements ?*

Selon notre perspective, l'année 2010 sera sous le thème des retrouvailles d'âmes.

Il est juste d'observer que les années précédentes auront été caractérisées par le fait que les Êtres sur la voie de la conscience étaient isolés, séparés, œuvrant chacun de leur côté dans l'intention de s'unir. *L'année 2010 marquera la fin des grandes solitudes.*

Les retrouvailles d'âmes de fraternité similaire auront déjà débuté au passage de 2010, et elles se poursuivront de façon marquée tout au long de l'année, jusqu'à un paroxysme vers l'automne. Les êtres comprendront alors à quel point il était juste de nourrir l'envie de s'unir. Ils comprendront aussi que sur le plan de l'âme, il était préférable de maintenir les séparations jusqu'à ce moment, pour deux raisons.

D'abord, plusieurs personnes ont souhaité créer des unions à partir d'un espace de souffrance et de tristesse, ce qui, en soi, est à constater. Et nous ne jugeons pas. Mais si un être souhaite l'union parce qu'il se sent vide, la création est fragilisée. Il est donc intéressant d'observer ceci afin d'en comprendre les nuances. En voulant créer les unions à partir de la souffrance et de l'isolement ressentis, un vide est alors transmis à l'Univers. L'émotion sur laquelle est basée la création est donc le vide, ce qui limite considérablement le potentiel de manifestation du « plein ». Et l'Univers n'est alors pas invité à « remplir le vide », mais plutôt à l'amplifier, puisque c'est ce qui est contemplé.

À cela s'ajoute le choix de l'âme d'amener l'individu à un plus grand dépassement et à une responsabilisation de son signal individuel, de ce qu'il émet comme intentions conscientes et inconscientes. L'âme n'interfère donc pas avec la conscience incarnée en période d'apprentissage. Elle suggère un nouveau regard, tout en respectant le libre arbitre. Cela s'avère essentiel pour conduire à la maîtrise, puisque dès qu'un être entreprend la voie de la conscience, il ne peut négliger son signal individuel.

Par ce que nous pouvons nommer les « grandes solitudes », les Êtres ont donc été invités à développer leur conscience Je Suis et une sensation plus juste de leur présence à eux-mêmes. C'est cette sensation qui les amène aujourd'hui au rendez-vous des unions.

La seconde raison concerne votre mandat de soutien à l'humanité qui s'éveille. Cet engagement a fait en sorte que sur le plan de vos âmes vous avez ralenti les mouvements d'unions afin de vous assurer qu'il n'y aurait pas d'unions de protection. Car dans un monde plus dense, l'idée de réunir des Êtres de lumière entre eux peut aisément conduire vers la création de cocons de protection incitant les Êtres à s'isoler du reste du monde. D'ailleurs, ces cellules de sécurisation ont déjà été mises en place par le passé [référence aux communes popularisées dans les années 1970] et elles ont naturellement été dissoutes. Leur fondation s'appuyait sur un jugement des structures en place plus lourdes, non sur une envie lumineuse et véritable de s'unir. Elles avaient recréé à l'intérieur ce qu'elles jugeaient de l'extérieur, d'où leur disparition.

Dans ce Nouveau Monde, des rassemblements seront mis en place, mais ils se fonderont sur des envies d'union, d'harmonie et de création commune, non sur des désirs de sécurisation. Comprenez ici que la nuance est fondamentale.

L'année 2010 marquera donc la fin des séparations et le début des unions. Nous avons mentionné que ce processus aura déjà débuté au passage de 2010, mais les êtres vivront cette ouverture, laquelle sera accompagnée de quelques mémoires que ces êtres seront invités à guérir. Certains diront : « Voilà, j'ai rencontré des gens magnifiques, mais j'ai peur qu'ils m'abandonnent. Je ne crois pas être assez lumineux pour être avec eux. » Cela étant, ils seront invités à nettoyer leurs mémoires tout en s'ouvrant à de nouvelles possibilités d'union. L'année 2010 sonnera donc la fin de grandes solitudes.

Sous le thème de la fin de la dualité, des invitations seront alors lancées en vue d'inciter les humains moins conscients à développer une compréhension plus juste de l'ombre et de la lumière, des énergies qui se complètent pour redevenir Lumière de vie dans la matière. Ainsi, les êtres seront prêts à accepter de plus grandes vérités qui, auparavant, leur paraissaient totalement insensées, et ils les accueilleront avec joie. Ils souhaiteront aussi explorer de nouvelles avenues puisque les anciennes auront démontré hors de tout doute leur inefficacité.

L'année 2010 sera donc une année charnière sur le plan de la dualité, laquelle deviendra trinité, soit ombre, lumière et Lumière de vie. La Lumière de vie représente le portail du Nouveau Monde, celui qui ouvre la voie au véritable paradis terrestre.

— *Quels seraient vos recommandations ou notre plus grand apprentissage en tant qu'humanité et comme individus ?*

La préparation la plus juste et noble à effectuer pour ce passage vers l'année 2010 consistera à reconnaître d'abord le partenariat âme-esprit dans le corps physique, car peu importe les démarches qui seront entreprises pour créer le Nouveau Monde, le paradis et l'harmonie terrestre, tant et aussi longtemps que le pont âme-esprit-corps physique ne sera pas rétabli, tous les autres éléments d'une vie équilibrée resteront en suspens et la recherche de l'Être sera futile. Ce dernier pourra aller vers les compensations, de satisfaction en satisfaction, mais celles-ci agiront en surface puisque l'être ne goûtera pas à la satisfaction profonde de l'âme.

Nous invitons les êtres à démystifier leur présence Je Suis, à lui permettre de descendre de son piédestal, de son nuage situé quelque part dans les cieux. Autorisez-la à réintégrer la matière, votre corps physique. Nous disons bien « autoriser », car la conscience en train de lire ces mots est seule responsable de cette arrivée d'énergie dans le corps. Bien que l'âme détienne les clés des pouvoirs dans la matière, elle ne peut enfreindre la liberté de l'aspect d'elle qui habite le corps. Quand un individu choisit de se séparer de qui il est et d'y croire totalement, l'âme tente de pénétrer la conscience pour éveiller sa partie incarnée, mais elle n'enfreint pas son libre arbitre, même si cela entraîne la limitation de son propre déploiement dans la matière.

Il y a donc ici une invitation à démystifier l'âme pour comprendre qu'elle a autant besoin de la collaboration de l'aspect incarné, que celui-ci a besoin de l'âme pour vivre l'équilibre dans la matière. Quand elle est séparée du corps physique, l'âme poursuit son mouvement, mais elle ne peut rejoindre avec autant de force la matière et la Terre Mère Gaia. Elle est limitée dans sa capacité à transformer la vie sur terre, tout comme l'être qui se sépare de son âme est ralenti dans son pouvoir de transformer sa vie incarnée.

La plus grande recommandation que nous puissions formuler en ce moment est d'entreprendre avec sincérité et force ce parcours de réintégration de votre présence Je Suis, votre âme, dans le corps physique. Ce faisant, les portes du Nouveau Monde s'ouvriront à vous et vous redeviendrez dans la matière, dans votre corps physique, un Être universel goûtant à la Superconscience sans jamais avoir besoin de quitter l'incarnation. Ce sont là les pouvoirs que les humains possèdent, enfouis en eux.

L'année 2010 en sera une de grand déploiement de la présence Je Suis sur la Terre.

Anna, grand-mère de Jésus

— J'ai lu dans un de vos messages que l'information transmise à Claire le fut de manière holographique, comme si elle faisait l'expérience de votre histoire par tous ses sens. Je n'ai jamais entendu parler d'un canal recevant de l'information ainsi. Cela a dû être une expérience extraordinaire pour Claire. Pourquoi avez-vous opté pour ce mode de transmission ?

Je te salue, bien-aimée. Avant de répondre à cette question fascinante, laisse-moi tout d'abord t'exprimer ma gratitude pour avoir choisi de traduire mes messages en langue française. Un plus grand nombre de personnes pourront ainsi recevoir les transmissions éveilleuses d'esprits qui passent par mes textes. En fait, et de certaines manières, les fréquences plus élevées et plus harmonieuses qui amènent l'âme à se souvenir peuvent habituellement être mieux captées dans les vibrations de la langue française que dans celles de la langue anglaise. En d'autres termes, le lecteur francophone qui s'ouvre à mon histoire en ayant l'intention de s'harmoniser avec moi sur les plans de la conscience non dualiste y parviendra peut-être plus facilement que le lecteur anglophone. Cela ne veut pas dire que ce dernier passe à côté de quelque chose, mais simplement qu'il doit s'accorder avec plus de justesse encore à la fréquence du texte.

Si mes messages avaient été traduits en araméen, ma langue maternelle, l'occasion aurait été encore meilleure pour le lecteur d'accéder à des royaumes moins dualistes et de capter une signification multidimensionnelle beaucoup plus exacte, car cette langue ancienne est basée sur les fréquences subtiles de la lumière – des fréquences qui facilitent naturellement l'harmonie et l'unité. Comme l'hébreu, sa langue racine, l'araméen est une langue « sacrée », une des rares langues contenant des syllabes porteuses de messages intrinsèques qui traduisent les sons originaux de la création. Le français dérive du latin, une langue qui a conservé en grande partie ces syllabes primordiales porteuses de messages. L'anglais et le français, comme toutes les langues, ont un grand pouvoir de manifester diverses formes interactives sur le plan physique s'ils sont chargés d'énergie vibratoire, que ce soit des pensées gardées à l'esprit, exprimées à l'oral ou écrites.

Le langage, tel que vous le connaissez, manifeste d'abord l'énergie subtile sous une forme physique, mais il peut aussi servir de portail menant aux dimensions situées au-delà des sens physiques. Ces royaumes communiquent et manifestent beaucoup plus rapidement et plus directement en tant que lumière, sons et couleurs. D'une part, la personne peut accéder à ces vibrations subtiles, simultanément présentes dans sa conscience, quand le mental est tranquille et que la conscience focalise sur le moment présent. D'autre part, il est possible d'ouvrir des canaux libérateurs menant à des états d'être de plus en plus harmonieux alors qu'une personne occupe un corps physique. Il est également possible de faire l'expérience de l'Absolu, et ce, au-delà de tous les mots, du temps et de la forme. Je me tiens avec vous à ces portes entre les mondes qui vous permettent d'accéder à la mémoire détenue par l'âme de chaque expérience et de chaque vie que vous avez connues. Quelle que soit la langue du lecteur, quiconque ayant « des oreilles pour entendre » et « des yeux pour voir » peut capter les codes de lumière éveilleurs qui interpénètrent mes mots. De cette façon, je peux parler directement à l'esprit plus élevé du lecteur par le canal de la conscience de l'âme. Nous pouvons alors passer les portes interdimensionnelles dans les deux directions. Le lecteur peut comprendre ce que je veux dire et le but unificateur que je vise, au sens relatif comme au sens absolu. Au-delà de ses concepts mentaux discursifs, il peut SENTIR et vivre le grand amour qu'il est.

Vous le verrez bien, mes messages visent autre chose que la satisfaction d'une simple et pure curiosité dans le cadre d'un divertissement autobiographique. Je ne me présente pas non plus comme une autorité livrant un récit factuel. Mon histoire, telle que je vous la raconte par l'entremise de Claire, n'est pas « plus vraie » que la version de n'importe qui d'autre quant aux détails de l'histoire qui peuvent ou non résonner comme véridiques dans l'esprit du lecteur. De mon point de vue, les détails narratifs pointent simplement vers quelque chose de beaucoup plus puissant, si le lecteur cherche à découvrir sa vraie nature. Et à semblable personne, préparée à accueillir mon récit avec une profondeur d'âme qui lui permet d'entendre au-delà des limitations du langage et des détails historiques, je peux dire avec confiance que le livre *Anna, grand-mère de Jésus* offre des occasions profondes d'être témoin et d'entrer en relation avec moi de manières susceptibles d'accélérer le recouvrement des mémoires de l'âme. En effet, il se pourrait qu'un éveil de conscience se produise et qu'il se manifeste à de profonds niveaux transformationnels et karmiques.

Canaliser la conscience interdimensionnelle

J'aimerais dire quelques mots supplémentaires à tes lecteurs sur la canalisation et la conscience interdimensionnelle.

De nombreuses âmes, sur ce plan terrestre, ont ouvert leur conscience à d'autres plans d'existence. Je souhaite leur présenter ma perspective et leur offrir quelques conseils sur les expériences interdimensionnelles, des conseils, en cette période transitoire, qui pourraient leur être utiles dans l'exploration de ce mystérieux terrain.

Premièrement, il n'est pas exceptionnel d'accéder à une matière interdimensionnelle. Presque tous les gens reçoivent de telles communications par le truchement des rêves, de l'intuition ou des états altérés. Ces portails de conscience en expansion sont souvent induits par des pratiques de méditation qui permettent à la conscience de s'épanouir, par des drogues psychédéliques ou par une situation catalytique survenue spontanément. Une expérience commune à bien des gens, par exemple, est le haut degré d'unité et de béatitude ressenti pendant et après l'orgasme sexuel. Les portails de conscience cosmique peuvent être atteints lors d'un pareil moment d'expansion et d'ouverture quand une intention consciente et la compétence sont au rendez-vous. Se basant sur cette perspective générale, chaque personne est un « canal interdimensionnel » puisque chaque âme est un être interdimensionnel qui a la capacité d'avoir des expériences directes de sa conscience au-delà des cinq sens physiques et du mental conditionné. Cette connaissance directe des royaumes subtils de la conscience est connue sous plusieurs noms, dont la gnose ou ce que j'appelle la conscience de l'âme.

En cette période difficile de l'existence sur terre, la plupart des âmes ont choisi de limiter sérieusement leur perception interdimensionnelle, bien qu'elles vivent inconsciemment de telles expériences simultanées à chaque moment qui passe. Vous pourriez dire que la conscience collective est essentiellement endormie. Cependant, et pour une grande variété de raisons, quelques âmes ont choisi d'éveiller leur conscience de l'âme pendant leur incarnation à une époque qui ne soutient pas particulièrement une telle aventure. Les raisons d'entreprendre ce processus d'éveil et la forme de ce processus varient d'une personne à l'autre. Bien qu'il y ait nombre de variables, il est une chose que ces individus ont en commun. Sur le plan de l'âme, ils ont tous choisi de s'éveiller à une plus grande conscience de leur vraie nature dans cette incarnation. C'est à de telles personnes que je m'adresse, car elles peuvent entendre mon message avec des oreilles interdimensionnelles et recevoir mes explications interdimensionnelles avec un esprit suffisamment clair et un cœur ouvert.

Bien que nous soyons tous des « canaux interdimensionnels », nous devons questionner la valeur de nos expériences expansées et de nos communications. Celles-ci nous aident-elles à exprimer davantage de bonté, d'intégrité et de paix? Du bavardage fugitif et souvent embrouillé des rêves à la conscience la plus lucide d'être l'Absolu (le Bien-aimé), il est clair que nos expériences interdimensionnelles reflètent une vaste étendue de conscience. Elles sont toutes valables. Mais toute expérience de conscience ne nous ramène pas à la maison, où nous pouvons nous reposer dans la splendeur de la quiétude et de la connaissance directe.

Il est important de comprendre ce qui nous motive à examiner les réalités parallèles et à explorer notre terrain intérieur, à guérir les blessures de notre âme et à endosser la responsabilité de nos projections à facettes multiples. Les pièges abondent sur le chemin, que nous soyons frappés par l'intense lumière éblouissante du Bien-aimé ou que nous trébuchions sur les dures pierres de l'ignorance camouflées par les ombres de la peur. Nous avons besoin d'observer fréquemment ce dont nous faisons l'expérience et notre rapport à cette expérience à la lumière d'un examen prudent et honnête, car, une fois ouverts à notre immensité, nous ne serons jamais plus les mêmes personnes. Le fait que nous devenions conscients de notre interdimensionnalité ne signifie pas nécessairement que chaque expérience ou chaque communication a de la valeur, qu'elle est vraie ou sage, ou que nous trouverons le processus d'éveil aussi confortable que l'ego aimerait qu'il soit. Traverser les frontières de l'ego d'un soi perçu comme séparé et s'avancer dans l'Unité nous propulse dans les feux alchimiques de l'Amour. Et c'est là une épée à double tranchant. Nous pouvons devenir plus libres dans nos vies parce que nos esprits sont vraiment illuminés, ou nous pouvons nous leurrer, nous illusionner et devenir plus confus que nous l'étions avant de venir frapper aux portes du Grand Mystère.

Un vaste éventail d'individus s'éveille au plan interdimensionnel. Certaines âmes sont mûres et bien préparées à amener leur rebut karmique à son point de résolution, mais certaines âmes immatures ne le sont pas. Le lot va de ceux qui démontrent une conscience illuminée hautement évoluée et mature sur le plan émotionnel, à ceux qui démontrent une conscience immature, égocentrique et obscure. Au départ, il y a les êtres illuminés et pleinement réalisés appelés les avatars (le Christ, le Bouddha). Puis viennent les âmes bien avancées sur le sentier de la libération spirituelle, soit les maîtres spirituels, les saints et les maîtres de sagesse, des êtres hautement fonctionnels et compatissants. Selon leur degré de réalisation de soi, ces hommes et ces femmes qui vivent leur existence au service des autres maintiennent un état constant de quiétude lucide, embrassant ce qui *est* sans s'en saisir ni le repousser, et demeurant conscients à chaque respiration, chaque pensée et chaque action. Ils n'attirent pas l'attention sur eux, car ils sont satisfaits de mener des vies ordinaires et simples, peu importe comment cette simplicité nous apparaît. Quelques-uns, anonymes, habitent dans une grotte. D'autres font un travail banal, et d'autres encore se plaisent dans des rôles de propriétaires, d'artisans ou de scientifiques. Quelques-uns sont des figures publiques, jonglant avec des horaires complexes et faisant de la scène mondiale leur résidence. Leur luminosité constante et stable, et leur attitude heureuse attirent les âmes qui s'éveillent et cherchent elles aussi à connaître l'Absolu, leur vraie nature. La plus grande joie de ces êtres consiste à apporter l'étreinte éternelle du cœur aimant dans un monde relatif.

À l'autre bout de l'éventail des pèlerins, on retrouve des âmes sensibles, souvent blessées, qui sont éveillées au plan interdimensionnel, mais dont l'ego filtre et déforme les expériences. Souvent, leur perception exagérée, qu'elle soit grandiose ou autodénigrante, sert leur ego plutôt que le plus grand bien de leur âme. Dans leur naïveté ou leur ignorance, elles sont habituellement plus désorientées et effrayées que leurs voisins qui ont peu ou pas de conscience expansée. Au lieu de produire les fruits de la compassion et de la sagesse, leur conscience non ancrée apporte davantage de fragmentation et de mal, que ce mal soit voulu ou non ou que son effet soit important ou insignifiant. C'est là le danger d'ouvrir prématurément les portes de la conscience sans se soucier de la façon dont l'ouverture s'est produite ou se présente. J'encourage ces frères et sœurs à s'abstenir de toute exploration interdimensionnelle supplémentaire ou à encadrer leurs expériences des autres mondes en s'engageant dans des pratiques spirituelles qui les aideront à rester ancrés, ou à s'offrir les conseils d'un bon psychologue. Par une guérison habilement menée et des pratiques dévotionnelles disciplinées, nombre de ces âmes peuvent en venir à apprendre le discernement et à se sentir à l'aise avec leur savoir interdimensionnel. En tant qu'âmes, elles s'enrichiront, elles acquerront de la maturité et pourront ainsi tirer profit de leurs expériences et en faire bénéficier les autres dans cette vie et d'autres à venir.

Ici, je m'adresse spécialement aux initiés qui avancent sur le sentier de l'éveil, soit ceux d'entre vous qui se trouvent quelque part, au milieu de cet éventail de pèlerins. Que votre éveil interdimensionnel ait eu lieu spontanément ou à la suite d'une longue et prudente quête et d'une pratique spirituelle, ou d'une combinaison des deux, il est important que vous receviez des directives claires. Si vous voulez réellement progresser dans votre démarche de réalisation de soi, vous devez prendre le temps de vous adonner à une réflexion intérieure profonde. Au fur et à mesure que vous progressez d'une étape à l'autre, reconnaissants et attentifs, soyez humbles et faites des gestes conséquents. Cela vous servira.

Pratiques interdimensionnelles consciencieuses

J'offre et j'encourage les pratiques consciencieuses suivantes (principalement sous la forme de questions à se poser) en explorant les mystères de la conscience, surtout en recevant des communications interdimensionnelles qui influencent vos choix de vie à court terme et à long terme. Si vous grandissez, votre influence et votre responsabilité grandissent également. Il est important de vous rappeler que vous n'êtes pas isolé des autres. Votre conscience expansée et vos choix basés sur cette conscience touchent la qualité de vie de chacun, où qu'il soit. Afin que vous puissiez développer plus facilement une perspective de témoin à partir de laquelle il vous est possible de voir et d'évaluer vos projections interdimensionnelles, j'emploierai souvent le mot « il » pour désigner le « contact » dans la section qui suit, en parlant d'expériences interdimensionnelles et de tout type de communication. Vous en viendrez à savoir que celui qui *fait* les expériences, par rapport aux expériences interdimensionnelles en soi, ou le communicateur, par rapport à la communication interdimensionnelle, ce « il », est vous, paradoxalement sujet *et* objet, illusoire *et* réel.

1. Le discernement sage et mûr

Lorsque vous recevez une communication, avez-vous l'impression d'accéder à votre propre moi sage, expansé, et compatissant ? Éprouvez-vous une pénétrante sensation d'ouverture, de quiétude et d'humilité ? Si d'autres entités apparaissent aussi, leur présence et leur communication reflètent-elles l'amour, la sagesse et le bon sens ? La communication que vous recevez est-elle alignée sur vos valeurs et vos pratiques de ne faire aucun mal dans toutes vos relations ? La signature de la fréquence et l'information ouvrent-elles immanquablement votre cœur et le portent-elles à s'ouvrir encore davantage, apportant plus de clarté et de perspicacité à votre esprit, et soutiennent-elles l'égalité et une connexion bienveillante avec toute la vie ? Votre attitude est-elle impartiale, pleine d'humour et de légèreté ? Votre guidance interdimensionnelle adopte-t-elle la voie du milieu qui donne des résultats pragmatiques et prévisibles susceptibles d'être partagés avec les autres de façons salutaires et joyeuses ? Pouvez-vous affirmer que *tout* ce dont vous faites l'expérience est vous ? Que vos perceptions et vos personnalisations des énergies reflètent votre évolution de conscience et votre état d'esprit à tout moment dans le temps, peu importe jusqu'à quel point vos expériences interdimensionnelles sont expansées et réelles pour vous ?

OU

Votre moi parle-t-il de manière inintelligible, créant de la confusion dans votre esprit et poussant votre corps à se contracter ? Est-il indiscipliné ou irrespectueux de votre sens de vous-même et de vos frontières ? Est-il en relation avec vous comme s'il était autre que vous et mieux que vous, plus sage ou plus puissant que vous ? Renforce-t-il votre désir de vous échapper de votre vie présente et de ce monde ? Est-il inconsistant, se sentant abruptement à l'aise ou inconfortable, aimant ou dur ? Ressentez-vous qu'il vole trop haut, qu'il est maniaque ou hystérique, ou trop déprimé, dépressif, paranoïaque ? Se prend-il trop au sérieux ou vous pousse-t-il à vous prendre trop au sérieux, à devenir pompeux et à vous mettre sur la défensive ? Vous persuade-t-il de rechercher la grandeur à l'extrême ou exige-t-il que vous passiez à l'austérité extrême ? Vous amène-t-il à vous sentir spirituellement supérieur aux autres ou immunisé contre les conséquences que les autres connaissent ? Fait-il des promesses qu'il ne peut sans doute pas tenir ? Est-il manipulateur en quelque sorte, vous punissant, vous critiquant et vous rendant plus important que vous ne l'êtes ou vous excuse-t-il d'avoir ce comportement avec les autres ? Crée-t-il de la peur et de la confusion ou demande-t-il et justifie-t-il de faire le mal ?

S'il y a quelque indice de certaines ou de toutes ces projections basées sur la peur, je vous en prie ARRÊTEZ. Je vous encourage à prendre une longue pause. S'il vous est impossible de faire une pause ou si vous trouvez difficile de vous dégager de ces énergies ou de ces expériences, CONSULTEZ une personne qualifiée qui est alignée sur une pratique de psychologie transpersonnelle incluant l'aspect spirituel de l'être. Sondez profondément votre âme. Soyez disposé à guérir les zones sombres et les projections de votre ego qui déforment votre réception et votre perception. Avancez avec prudence, si toutefois vous avancez. Souvenez-vous que le mental est un projecteur d'illusions. La clarté et le discernement sont donc nécessaires. Il y a aussi des entités astrales liées à la Terre et encore attachées à leurs penchants et à leurs traumatismes. Ces âmes désincarnées et ces formes d'énergie projetées mentalement sont attirées par les âmes naïves pour nombre de raisons. « *Qui se ressemble s'assemble* », par amour ou par peur. Soyez sage, courageux, compatissant, et sachez dire non quand il le faut. Répondez alors avec une gentillesse aimante, mais ferme. Ne réagissez pas avec peur ou colère. Dites non, même quand ces énergies semblent être des aspects de votre moi qui demandent à être guéris. Faites-vous guider pour savoir comment vous engager efficacement dans pareille guérison et poursuivez seulement si vous sentez qu'il est important de le faire pour votre bien-être. Approchez ces énergies avec calme et adresse, et ce, uniquement lorsque vous êtes totalement ancré dans votre corps et que votre esprit est clair et concentré sur le moment présent !

La suggestion qui suit pourrait vous aider si vous faites l'expérience d'une des énergies ci-dessus mentionnées, basées sur la peur.

- Placez immédiatement l'entité ou l'énergie dans une bulle de lumière et demandez qu'une puissante expression d'amour bien réelle pour vous se manifeste en vous, et alignez-vous sur celle-ci. Vous pouvez choisir une représentation personnalisée, telle que le Christ, Mère Marie, Bouddha, l'archange Michäel, ou une énergie plus impersonnelle comme le soleil, une forme géométrique radiante ou toute autre expression qui vous permet d'imaginer une lumière dorée et chaude vous enveloppant.

- Puis, faites pénétrer cette énergie de lumière dans votre plexus solaire et votre cœur en l'inspirant, jusqu'à ce que vous voyiez, entendiez ou sentiez une présence aimante et pénétrante.

- Maintenant, permettez à l'énergie de l'amour de vous assister afin d'être calme et plus détendu. Sentez l'énergie lourde, basée sur la peur, être emportée loin de vous par cette présence aimante à un endroit où elle peut guérir ou sentez-la se faire absorber complètement dans la lumière par un pouvoir plus grand que celui de votre ego.

- Désengagez-vous de l'expérience et ancrez-vous dans le moment présent en étant attentif à votre corps, à votre respiration et à vos sens. Délassez-vous et sachez que vous êtes en sécurité. Lâchez prise. Pardonnez.

Vous seul dirigez votre expérience. Le libre arbitre humain est toujours honoré. Dès que possible, tenez-vous debout, les pieds nus sur le sol, ou prenez une douche ou un bain. Sentez votre colonne vertébrale devenir forte et droite, votre cœur et votre ventre se libérer de toute tension. Soyez reconnaissant pour la sagesse acquise et la paix que vous ressentez maintenant.

Avec le temps, recherchez des enseignements authentiques sur la façon de méditer et d'élargir votre conscience sans faire usage de drogues ni vous adonner à des cultes ou faire le jeu de manipulations religieuses. Soyez patient et compatissant envers vous-même. Il n'y a rien à atteindre, à arranger ou à faire ; ce genre de pensées crée seulement de l'inquiétude et plus de difficultés. Votre nature profonde est celle du Christ et du Bouddha, grandes Lumières infinies attendant patiemment et avec compassion que vous arriviez, c'est-à-dire que vous vous souveniez que vous êtes et avez toujours été celui que vous recherchez. Quand viendra le moment de « vous connaître vous-même », vous, le maître projectionniste, fournirez le miroir divin. Les agents nettoyants viendront automatiquement ! Ce n'est pas là une théorie conceptuelle, mais une expérience de connaissance interdimensionnelle très réelle. Vous, mon cher ami, êtes l'Amour et la Sagesse incarnés ici sur la planète Terre.

2. *Profonde transmutation de l'ego séparateur (corps/mental/émotions)*

Par sa nature même, la conscience de l'âme, comme le soleil, est un rayon de lumière infinie focalisé sur un point unique, jamais éclipsé, illuminant tout ce qui semble l'obscurcir. La conscience humaine est de nature séparatrice. À l'instar des nuages qui passent, elle paraît assombrir et déformer la conscience de l'âme. Quand un être humain s'éveille à la conscience innée de l'âme, un processus de transmutation s'amorce naturellement et exige un grand amour de soi, du courage et un engagement. Consentez-vous à faire face aux peurs de l'ego et à comprendre les comportements habituels qui vous causent une souffrance sans fin ? Avez-vous un ou des systèmes de soutien, externes et internes, pleins de compassion et dans lesquels vous pouvez investir votre confiance, afin de poursuivre ce processus souvent rempli de défis et qui ouvre votre esprit et votre cœur, vous montrant de manière explicite comment vous vous fermez à l'amour ?

Après un examen intellectuel minutieux, et selon votre savoir intuitif, avez-vous accès à de réels enseignements de sagesse et à des maîtres qui connaissent intimement une voie authentique de transmutation qui mène à la réalisation de la conscience de l'âme ? Votre pleine lumière brille-t-elle davantage à la suite de vos pratiques quotidiennes ? Qu'est-ce qui vous motive à traverser les feux alchimiques qui accompagnent un éveil réel et la réalisation de soi ? Êtes-vous motivé par une recherche de grandeur personnelle et de bonheur temporel ou par une sagesse compatissante fondée sur les vérités éternelles ? Êtes-vous intimement conscient de votre interconnexion avec la souffrance de tous les êtres, la faisant ainsi vôtre ? Avez-vous un fort désir d'amoindrir la souffrance, d'abord en vous-même, puis chez les autres en les assistant dans leur quête de bonheur et de paix ? Êtes-vous engagé à utiliser votre conscience interdimensionnelle expansée pour servir la voie de l'amour qui embrasse tout ?

3. *Méthodes et enseignements sains, lucides et pragmatiques pour ancrer des expériences interdimensionnelles*

Êtes-vous capable d'intégrer vos expériences interdimensionnelles dans votre vie journalière de manières très simples, élémentaires, pragmatiques et enrichissantes ? Votre conscience expansée vous aide-t-elle à vous sentir généralement plus heureux et plus satisfait au milieu du changement constant de la vie et de sa fugacité ? Bien que votre famille et vos pairs puissent mal vous comprendre (comme vous pouvez également mal vous comprendre parfois et mal comprendre votre cheminement), avez-vous des amis qui sont vos égaux spirituels et qui peuvent vous laisser savoir – et vous laissent savoir – que vos connexions interdimensionnelles sont vraiment bénéfiques ? Êtes-vous ouvert à une réflexion honnête et à des vérifications de faits venant de vos maîtres et de vos amis ?

Vous pouvez avoir le bon karma d'attirer un maître authentiquement illuminé (incarné ou non) ou un maître spirituel qui démontre clairement qu'il est éclairé d'esprit et de cœur à un haut degré, ou même plusieurs maîtres de pareil calibre. Si c'est le cas, je vous encourage à ne pas vous empresser de donner votre pouvoir à une telle personne ou à un tel enseignement et à vous accorder beaucoup de temps pour évaluer tout ça. Posez des questions. Les gestes reflètent-ils les paroles ? Le temps passant, le fruit de votre expérience a-t-il un goût sucré, ou amer ? L'autre personne reconnaît-elle votre conscience de l'âme comme un aspect intrinsèque de votre véritable nature ? Êtes-vous encouragé à ne pas faire de vous-même une personne spéciale et à ne pas faire non plus de votre accession à d'autres dimensions, une grande affaire ? Êtes-vous encouragé à ne pas vous *attacher* à un rôle identitaire, comme un « professionnel » de la spiritualité, par exemple, avec une autorité professée ou des diplômes ? Êtes-vous encouragé à ne pas agir comme si vous en saviez plus que n'importe qui d'autre parce que vous êtes un « canal de conscience supérieure » ou que vous occupez une place spéciale auprès de votre maître ? Quand, par ignorance, les autres vous cèdent leur pouvoir, vous abstenez-vous de les relever de leur responsabilité concernant la manière dont ils mènent leur vie, ou de prédire leur avenir ? Si la réponse à chacune de ces questions est oui, êtes-vous consentant à être tenu responsable, sur le plan karmique, des effets de vos conseils et de votre exemple ?

Pour terminer, et c'est là le point le plus important, la source de votre guidance vous ramène-t-elle toujours à la simple joie d'être votre moi divin et ordinaire, vivant et exprimant votre vie unique avec conscience et amour dans le moment présent, les deux pieds fermement plantés sur terre ?

Canalisation holographique

Revenons maintenant à ta question, Martine, et à la canalisation holographique de mes paroles et de ma présence énergétique dans le cadre de la rédaction du livre *Anna, grand-mère de Jésus*. En premier lieu, Claire a incorporé dans son cheminement interdimensionnel, et utilise encore, toutes les directives que je viens juste de suggérer à toute personne qui s'ouvre à son être interdimensionnel. À mesure qu'elle progressait et mûrissait en tant que canal, ses talents naturels d'empathie et de conscience extrasensorielle – la clairvoyance, la clairaudience et la clairsentience – lui ont permis d'accéder à ce que j'appelle « la mémoire holographique de l'âme ».

Toute expérience faite sur le plan terrestre ou hors du plan terrestre, à fréquence élevée (amour) ou basse (peur), se produit de façon simultanée et holographique. On peut y accéder d'une juste manière si on a les compétences nécessaires pour le faire. Dans un sens plus linéaire, les expériences interdimensionnelles suivent une ligne de temps que nous avons collectivement consenti à appeler le passé, le présent et le futur.

Ces expériences qui paraissent séquentielles sont enregistrées de façon holographique ou projetées dans les éthers de cette planète. Je parle ici de l'Akasha, ou Salle des Annales. Les Annales akashiques contiennent les projections mentales les plus subtiles aussi bien que les plus denses. Toutes les projections au niveau interpénétrant le plus subtil sont pure lumière, son et couleur, au-delà du temps et de la forme, selon notre compréhension de ces concepts. Lorsque les énergies les plus subtiles ralentissent leur fréquence vibratoire, elles deviennent des formes géométriques « sacrées », « des lettres de feu » et « des sons porteurs d'un message primordial » – les composantes du langage et de la forme. Le mot parlé ou projeté est source de création infinie, et qui dit création dit fréquences vibratoires. Alors que ces sons subtils s'accordent avec la vibration terrestre du projecteur/de l'observateur, ils s'unissent en diverses formes interactives dynamiques d'après l'intention mentale et l'état émotionnel du « je » qui regarde à travers une lentille perceptrice sujet/objet.

Dans un sens psychospirituel plus général, on peut considérer ces projections comme « l'inconscient collectif » ou les royaumes archétypaux, mythiques et imaginaires. Il est possible pour une personne d'accéder aux Annales akashiques et aux royaumes mythiques si elle a une sensibilité particulièrement aiguisée et une réceptivité et une résonance suffisantes. Quand l'esprit ordinaire accède à n'importe lequel de ces royaumes, les frontières de la différence conceptuelle se mettent à fondre. Ce sont les fréquences d'expansion et de contraction que le voyageur interdimensionnel habile et conscient ressent qui lui permettent de connaître le terrain plutôt que ce qu'il voit ou entend et que son esprit conditionné filtre le plus souvent.

Quand un canal talentueux et compétent est capable de bien pénétrer les plans interdimensionnels de la conscience, sa ou ses capacités d'accéder à ces réalités peuvent devenir si raffinées et exactes qu'il a de plus en plus d'occasions de servir de scribe et de pont entre les mondes. Mis à part l'écriture ou le langage parlé, ses communications peuvent prendre d'autres formes, en passant par les arts et les sciences. Dès lors, beaucoup d'âmes peuvent bénéficier de son service compatissant de traducteur interdimensionnel et d'explorateur.

Pour la plupart des canaux interdimensionnels, l'expérience se présente sous une forme auditive, visuelle ou kinesthésique. Puis, elle est ramenée à un niveau transmissible ou traduite par « on me dit… je vois… je sens… » Ensuite, le canal distille son/ses expériences dans une communication visuelle ou verbale. Dans le cas de Claire, tous ses cinq sens étaient engagés à ces moments où il lui fallait transmettre un caractère d'urgence catalytique. Autrement dit, il y avait une possibilité de « transporter » le lecteur plus directement dans la scène décrite par l'entremise des souvenirs de son âme contenus dans les Annales akashiques. De la sorte, le lecteur dont la capacité de résonance est élevée peut avoir accès à ses Annales akashiques et être « présent » dans mon récit à travers sa lentille perceptrice unique pour recevoir l'information, la guérison et la connaissance désirées. Si le lecteur a aussi l'intention d'éveiller sa conscience obscurcie et de la guérir, il peut, par mes mots et au-delà de ceux-ci, recevoir des énergies de haute fréquence en entrant dans un champ d'énergie de transmutation et d'activation. Ces énergies catalytiques lui sont transmises à des moments appropriés et de manières appropriées, au moyen de ma narration, selon son état de préparation et son intention.

À ces points charnières et hautement dynamiques de ma narration, la physicalité de Claire était en quelque sorte dédoublée. Vous pourriez dire que Claire se bilocalisait. En tant que scribe empathique, elle devenait physiquement consciente de la ligne de temps d'Anna et, pendant que son corps était assis devant l'ordinateur et qu'elle était en train d'écrire, sa pensée et ses sens établissaient le pont entre les deux mondes. Le processus en était un de collaboration, en ce sens qu'elle décrivait ses expériences holographiques par des mots qui provenaient de trois sources convergentes. Grâce à une première source, elle accéda aux expériences holographiques contenues dans mes Annales akashiques en tant qu'Anna. Grâce à une deuxième source, elle accéda aux Annales akashiques des souvenirs de son âme parce qu'elle « fut/est » témoin et participante dans le drame du Christ. La troisième source de mots descriptifs qui ajoutèrent de la matière à *Anna, grand-mère de Jésus* se trouve dans l'esprit de sagesse de la Claire d'aujourd'hui ainsi que dans ses filtres ancestraux karmiques et culturels. Elle a collaboré avec moi tout au long du processus de manière que mes expériences et mon point de vue culturel puissent être compris par l'esprit analytique moderne et par le cœur intuitif qui n'est pas limité par les concepts, le temps ou l'espace. À d'autres moments, Claire transcrivait simplement mes paroles telles qu'elle les entendait. Cette collaboration à une approche auditive ramenée à un niveau transmissible se déroule en ce moment, alors que Claire écrit ce message pour tes lecteurs, Martine.

Les annales akashiques et les lignes de temps

Je cite ici une phrase extraite du livre d'Anna : «… je fais partie de plusieurs conseils [Conseils de lumière]. Nous prenons note de toutes les âmes qui, vivant sur plusieurs lignes de temps, appellent ce matériel à l'existence, mais particulièrement de celles qui seront capables de tenir ceci [cette histoire] entre leurs mains et de le lire. »

— Qu'entendez-vous par « plusieurs lignes de temps » ? Référez-vous aux différentes dimensions ? Est-ce la même chose pour les lecteurs de l'édition française ?

Comment cela se passe-t-il ? Le lecteur peut-il recevoir de l'information holographique même sur papier ?

J'ai parlé précédemment de toutes les expériences qui ont lieu simultanément dans toutes les dimensions et sur toutes les lignes du temps, précisant qu'elles sont enregistrées dans les Annales akashiques. Je fais référence ici à la capacité éclairée des Conseils de lumière de voir de manière holographique les expériences enregistrées de cette Terre de façon omniprésente et omnisciente. Le drame du Christ était un événement charnière dans l'évolution de la conscience sur cette planète. Sur le plan énergétique, l'événement a atteint toutes les lignes du temps et toutes les dimensions du passé, du présent et du futur, et a exercé une action sur celles-ci. La conscience est malléable, et l'histoire peut être récrite. Si on connaît les résultats spécifiques de certains modèles non tempérés provenant d'habitudes, on peut mettre fin à ces habitudes ou les changer. Quand un avatar comme le Christ (Yeshua) ou le Bouddha (de son vrai nom Siddharta Gautama) s'incarne, il provoque la modification des modèles incrustés dans la conscience relativement à la séparation et infuse ces modèles d'une énergie plus englobante et libre de perceptions et de projections dualistes. La vieille réalité qui appelait à la division est ensemencée, et quand les graines sont tout à fait mûres, une réalité consensuelle plus harmonieuse, ou un monde plus harmonieux, peut émerger. La conscience émergente basée sur l'amour permet de faire un bond exponentiel vers une plus grande réalisation de l'unité. En tant que Conseils, nous sommes très motivés à réduire ainsi la souffrance sur cette planète.

Nous voyons collectivement les âmes qui sont accordées au drame du Christ parce qu'elles y ont participé de quelque manière. Nous voyons des livres s'écrire et toutes sortes de médias émerger à cette époque-ci, car les semences christiques qui furent plantées il y a 2 000 ans sont maintenant très mûres. Nous voyons que tout ce qui a été caché, étouffé et déformé au cours des deux millénaires qui suivirent le drame peut cette fois être révélé. Nous voyons une grande guérison et un grand éveil se produire, spécialement chez les âmes en résonance avec l'histoire du Christ et qui sont engagées dans cette histoire par leur karma. Si vous lisez ces mots, il est hautement probable que vous êtes une de ces âmes à qui on avait montré les Annales akashiques du drame christique avant qu'elles ne s'incarnent dans cette vie-ci. On vous a donné l'occasion de choisir comment participer à l'éveil et à la moisson de ces semences que vous et notre famille/communauté essénienne avions déjà plantées.

Puisque vous sentiez les graines en train de gonfler en vous, vous inspirant à être créatifs, vous avez écrit des livres, dirigé des films, repoussé les limites culturelles et institutionnelles, mis en doute les dogmes, fusionné le mysticisme de l'Est et de l'Ouest, libéré les races et les genres, et vous vous êtes débarrassés du lourd fardeau de la peur et de la souffrance d'innombrables manières. L'époque actuelle présente d'extraordinaires occasions, car le « vieux monde basé sur la peur » se meurt ; il est en train de disparaître. Au milieu de ce chaos, un « nouveau monde basé sur l'amour » s'éveille et entre en union. En temps terrestre relatif, la mort et la naissance peuvent prendre des centaines et des milliers d'années, mais en temps cosmique, cela se produit en un clin d'œil. Voilà une époque merveilleuse pour être en vie, une époque qui appuie grandement votre démarche de vous rappeler votre nature christique.

Oui, nous avons vu de manière holographique l'édition française qui s'en vient. Elle existe dans les Annales akashiques et elle va bientôt se manifester sous forme physique. Et, oui, que le livre prenne la forme matérielle de mots imprimés avec de l'encre sur papier ou qu'il soit rendu visible électroniquement sur un moniteur d'ordinateur, les Annales akashiques holographiques en ont l'empreinte énergétique et elles sont accessibles.

2010 et le féminin divin

— *Je pense qu'en ce moment la fréquence du féminin divin s'exprime de plus en plus, et ce, partout dans le monde. Nous entrons dans une période où la manière féminine de créer peut atteindre de nouveaux sommets. Il semble y avoir de nombreuses possibilités en même temps qu'une sérieuse résistance à l'énergie féminine dans le monde. Comment pouvons-nous tous aider à porter cette fréquence aimante jusqu'à un nouveau seuil en 2010 ?*

Comme je l'ai dit déjà, c'est une période extraordinaire pour faire l'expérience de la réalisation de soi au milieu même d'un chaos qui va croissant. C'est un temps où l'amour inclusif de la Mère divine et du féminin divin doit s'exprimer à travers chaque cœur. L'escalade du chaos se poursuivra sans doute jusqu'en 2010, et au-delà. Il s'agit d'un moment puissant où le féminin divin, exprimant sa sagesse et sa compassion en nous et à travers nous, nous incitera à embrasser une vision totalement différente de notre situation. En embrassant totalement notre souffrance collective avec une grande compassion et en décidant de mettre fin aux causes de la souffrance, nous aurons la vision et l'énergie nécessaires pour trouver de nouvelles façons d'instaurer l'harmonie et l'équilibre en nous-mêmes, dans nos familles et dans la communauté mondiale, au-delà de tout ce qui a été exprimé dans la physicalité. Nous devons focaliser sur ce qui est en train de naître alors que le vieux paradigme de séparation se meurt et qu'une vision collective d'une Nouvelle Terre exprimant l'amour universel émerge.

Le message que je transmets dans *Anna, grand-mère de Jésus** est imprégné de la présence du féminin/masculin divin en union harmonieuse. Cette histoire établit un précédent pour harmoniser et fusionner les pôles. Elle offre une sagesse pour savoir comment embrasser les énergies de la naissance et de la mort pendant cette période de grand changement. J'encourage vos lecteurs à voyager avec moi tout au long de ma narration et à se souvenir de la voie de l'union mystique que le Christ et Marie Madeleine ont démontrée. Puissions-nous tous en venir à connaître la paix et à vivre cette paix « qui dépasse toute compréhension ».

Je vous remercie

---

* *Publié en septembre 2009 aux éditions Ariane. Voir les coups de cœur de l'éditrice pour en avoir un aperçu.*

Les Éditions Ariane présentent

Kryeon/Lee Carroll
Le Haut Conseil de Sirius/Patricia Cori
Gaia/Pepper Lewis

Montréal, le samedi 17 octobre 2009

LE PREMIER RASSEMBLEMENT

14 h à 15 h 30 :   **Patricia Cori et le Haut Conseil de Sirius.**
Initiation atlantéenne et méditation
avec le Haut Conseil de Sirius.

15 h 30 à 16 h :   Pause

16 h à 17 h 30 :   **Pepper Lewis et Gaia** - *L'humain en évolution*
Canalisation de Gaia.

17 h 30 à 19 h :   Pause pour le souper.

19 h à 20 h :   **Lee Carroll et Kryeon** – *Les dossiers akashiques*
et la grille cristalline

20 h à 20 h 20 :   Pause

20h 20 à 20 h 50 :   Concert Robert Coxon.

20 h 50 à 21 h 30 :   Canalisation Kryeon

Coût : 100 $ (taxes non incluses).
Traduction simultanée disponible sur place.
Endroit : UQAM / Pavillon Judith-Jasmin – Salle Marie-Gérin Lajoie
Entrée au 405, rue Sainte-Catherine Est, à Montréal
(coins Sainte-Catherine et Saint-Denis)

Sur réservation seulement. S.v.p. contacter :
Les Éditions Ariane
1209, avenue Bernard Ouest, bureau 110
Outremont (Québec) Canada H2V 1V7

Téléphone : 514 276-2949
Courriel : nat@ariane.qc.ca

La Grande Triade

Un voyage de transformation dans les mondes intérieurs le 14 novembre 2009 avec Tom Kenyon et Judi Sion

Cet atelier intensif sera un voyage personnel dans l'une des traditions alchimiques les plus riches du monde, celle de l'Égypte. Et le son jouera un rôle immense dans ce travail. À divers stades de cet atelier, Tom Kenyon canalisera des sons *catalytiques* ou *transformateurs* en utilisant son registre vocal de près de quatre octaves. Ces *codes sonores* produits vocalement stimulent l'activité du cerveau droit, ce qui ouvre les portes de la perception à d'autres domaines d'expérience.

Dans son ascension vers les centres cérébraux supérieurs (symboliquement représentés sous la forme des plans célestes), le *sekhem* (ou force vitale) traverse la *Grande Triade*, le plexus solaire (le pouvoir), le chakra du cœur (la compassion) et le chakra couronne (l'éveil).

Dans la première partie de cette journée, Tom explorera la riche connaissance symbolique de l'alchimie égyptienne et guidera le groupe dans un puissant voyage transformateur le long du *djed*, appelé *Élévation du djed* dans l'alchimie égyptienne. Lorsque les énergies subtiles (ou *neters*) circuleront librement par le *djed*, Tom, en utilisant de nouveau les sons, guidera le groupe dans une exploration intérieure de la *Grande Triade*. Cette puissante méditation par les sons dégage la négativité profondément établie et ancrée des chakras et du corps énergétique subtil (le *Ka*). Il en résulte une augmentation de l'éveil (ou lumière spirituelle).

Dans la seconde partie, Tom présentera le *Holon de l'ascension*, une méthode simple, mais hautement efficace, visant à renforcer à la fois le *Ka* (le corps d'énergie subtile) et le *Khat* (le corps physique). Les effets bénéfiques de cette méthode sont nombreux. Ils incluent une augmentation de la conscience spirituelle et une amplification de la lumière intérieure, qui, selon les Égyptiens, est une clé du processus d'ascension et de transformation du *Ka* en *Sahu*, ou vêtement glorieux.

Voilà un puissant voyage de transformation avec l'un des maîtres enseignants de l'alchimie égyptienne et de la guérison par les sons. Joignez-vous à nous et aux Hathors pour une expérience déterminante.

Coût : 150 $ canadiens (taxes incluses)
Billets en ventes à partir du 1er août 2009
Endroit : UQAM / Pavillon Judith-Jasmin

Sur réservation seulement. S.v.p. contacter :
Les Éditions Ariane
1209, av. Bernard Ouest, bureau 110
Outremont (Québec) Canada H2V 1V7

Téléphone : 514 276-2949
Télécopieur : 514 276-4121

L'histoire du Vaisseau de lumière…

par Tom Kenyon

Alors que je séjournais dans le Languedoc, je partais chaque jour en randonnée jusqu'à une crête. Là-bas, j'entendais continuellement, en mode parapsychique, des sons provenant du pic du Bugarach, qui se trouvait nettement à quelques kilomètres. Il circule bien des récits sur cette montagne, et pour de nombreuses personnes de la région, le mont Bugarach est un port intergalactique.

J'ai commencé à recevoir des impressions d'un grand vaisseau. Un jour, en marchant jusqu'à la crête, j'ai fait la rencontre parapsychique d'un être qui disait venir du vaisseau arcturien stationné sur ce pic. J'ai eu des conversations mentales très vivantes avec cet être, et cela s'est poursuivi pendant plusieurs jours.

Le dernier jour de mon échange avec lui, il a dit quelque chose qui m'a paru une « manœuvre psychologique », et j'ai abruptement terminé notre conversation. Je me suis retourné et j'ai parcouru le sentier qui descendait vers la vallée, puis je lui ai dit que pour que je croie à sa réalité, il aurait à faire quelque chose de physique.

Il m'a répondu : « *Et si je faisais briller le soleil de façon que tu puisses le voir ?* »

Je lui ai dit : « *Peu m'importe, pourvu que cela apparaisse avant que j'atteigne la vallée* », et je suis descendu d'un pas vigoureux. J'étais très contrarié par cette rencontre, et je ne savais pas si elle était « réelle » ou « imaginaire ». En descendant le sentier, je me suis retourné en direction de la crête. Le ciel était complètement couvert de sombres nuages et je ne pouvais pas du tout savoir où se trouvait le soleil. Puis je l'ai vu se dégager un peu. J'étais incrédule. Je me suis mis à marcher plus vite, car selon l'entente, cet être allait dégager le ciel suffisamment pour que je voie le soleil avant d'avoir atteint la vallée.

Effectivement, le ciel s'est éclairci petit à petit dans une zone directement devant le soleil, et j'ai commencé à voir à travers la brume. Au moment où j'atteignais la vallée, il était clairement visible, bien que couvert d'un peu de brume.

Ce soir-là, j'ai de nouveau entendu les sons en mode parapsychique et j'ai décidé d'enregistrer mes impressions mentales. Quand j'ai fini d'enregistrer la piste, ce qui a nécessité de nombreuses heures d'enregistrement multipiste, je l'ai fait jouer pour que l'être l'entende. Il m'a donné son approbation après avoir toutefois suggéré quelques petits changements au mixage.

Tous les sons du CD sont ceux de ma voix. Il n'y a ni filtres ni générateurs de tonalité électroniques, ni instrumentation électronique d'aucune sorte. Le seul effet est une légère réverbération. Les pulsations se produisent quand certaines des 48 pistes vocales se chevauchent d'une manière qui modifie la forme d'onde. Ces pulsations sonores se rapprochent de mes impressions auditives parapsychiques des moteurs du vaisseau, qui sont propulsés par la lumière – d'où le nom, *Vaisseau de lumière*.

Ce qu'il y a d'incroyable, c'est que lors de notre récent voyage dans la région, un photographe et auteur de l'endroit m'a montré une photographie qu'il avait prise du pic du Bugarach. On y voyait un très grand nuage très semblable à l'image que j'avais du vaisseau. Cette image, qu'un illustrateur a dessinée à ma demande, figure sur la pochette du CD.

Le rêve et la réalité
L'histoire du CD des nonnes de Gyantsé

Je me rappelle nettement le moment où l'idée m'est venue. Nous venions de traverser le plateau du Tibet, moins par choix que par nécessité. South China Air avait tout simplement décidé d'annuler ses vols, tôt cette année-là, et nous avions plus de 30 personnes avec bagages, prêtes à faire la tournée du Tibet avec nous. Nous avons donc loué un grand nombre de Toyota Land Cruiser, le véhicule de choix pour traverser cet abîme de sable, de nuages de poussière et de routes périlleuses, et avons roulé de Katmandou à Lhassa, en faisant des haltes inoubliables en cours de route.

La veille, nous avions passé 17 heures en voiture, pour nous rendre du Népal à Gyantsé par le « Pont de l'amitié » (un nom fort mal choisi). Nous devions continuer à rouler pour traverser deux cols à plus de 5 600 mètres, mais le mal des montagnes survient rapidement lorsqu'on n'est pas acclimaté... et nous ne l'étions pas. Nous avons donc dû monter et traverser des cols, puis redescendre à une plus faible altitude avant que le sommeil ne s'installe. Nous ne pouvions donc nous arrêter pour les repas ni pour rien d'autre, sinon pour de rapides pauses pipi au bord de la route.

Impossible pour moi de vous raconter comment votre tête se sent à 5 600 mètres lorsque vous étiez à une hauteur de 1 600 mètres seulement quelques heures plus tôt. C'est l'enfer. J'avais écrit aux gens que nous sortirions dans les cols pour aller danser sur le toit de la Terre. Nous avons plutôt roulé dans ces cols, à peine capables de décoller de l'appui-tête pour remarquer les drapeaux de prières qui marquaient le passage. (J'ajouterai toutefois qu'au retour, après nous être acclimatés à de telles altitudes, nous sommes sortis pour danser.)

C'était donc notre deuxième journée au Tibet, et nous étions censés visiter un monastère et un couvent de nonnes à Gyantsé. Je me rappelle être restée debout dans l'émerveillement et la béatitude devant le sombre

MahaKala de treize mètres de hauteur, l'immense protecteur du dharma au monastère. Nous avions été invités dans sa salle particulière, et le lama avait écarté les milliers de katas qui lui couvraient le visage, afin que nous puissions apprécier sa magnificence. Déjà abasourdis et plutôt épuisés depuis la veille, nous avons amené notre groupe dans un couvent des environs et nous nous sommes assis sur des bancs minuscules, frigorifiés, tandis qu'on nous servait du thé et qu'on préparait une psalmodie. Peu de gens viennent à ce couvent. (Peu d'Occidentaux se hasardent à Gyantsé, et encore moins vagabondent jusqu'à un couvent. La plupart des touristes veulent voir les moines.)

Je me suis donc installée dans mon petit espace et j'ai regardé les figures les plus belles que j'avais vues depuis une éternité. Elles étaient lumineuses. Elles rayonnaient. Elles gloussaient et nous fixaient alors que nous gloussions et les fixions. Et quand elles ont commencé à psalmodier, j'ai été renversée.

C'était mon troisième voyage au Tibet et déjà j'avais entendu les moines du monastère de Ramoche, lesquels étaient initialement à Gyoto. J'avais aussi été témoin d'une cérémonie n'ayant jamais été exécutée devant des Occidentaux par un ancien lama de Drepung, maintenant décédé. Et j'avais été enchantée de visiter Nechung, le monastère de l'Oracle du dalaï-lama à Lhassa. Mais ces femmes m'ont soulevée en quelques secondes et m'ont emportée dans des espaces où seule la voix de Tom m'amène habituellement. Alors que j'étais assise à les écouter jouer des longues trompes aussi bien que n'importe quel moine, ainsi que du tambour, j'ai été saisie par la passion d'une idée, une idée que j'étais capable de réaliser et qui consistait d'ailleurs à faire quelque chose d'inédit.

Lorsque nous sommes revenus à l'autobus pour une autre longue journée de route pour arriver à Lhassa, Tom, qui est le bouddhiste parmi nous, s'est tourné vers moi et a dit : « *Eh bien, j'espère que j'ai réglé ma dette et que je n'aurai plus jamais à revenir au Tibet.* »

Vous devez comprendre que nous adorons le Tibet, plus que tout autre pays que nous avons visité. Et c'est le plus difficile à traverser. Je suis presque en train de m'habituer à mes expériences de mort imminente au

Tibet, même si je ne les tiens jamais pour acquises. Elles sont pénibles, et je passe des journées à me laisser aller et venir entre la conscience et l'inconscience, tandis que nos guides envisagent de me remettre dans l'avion. Lorsque vous êtes atteint de la maladie des montagnes, la seule façon d'en sortir est de descendre, et comme j'ai alors l'impression de souffrir d'un empoisonnement alimentaire combiné à la maladie des montagnes, j'ai des moments intermittents de délire pendant des jours.

Avant même de me reprendre, je me suis entendue lui dire : « *Eh bien, tu vas me manquer. Je vais revenir enregistrer les voix des nonnes. Qui sait qu'elles psalmodient et qu'elles m'emmènent dans des espaces où je ne suis jamais allée auparavant ? Je veux que le monde sache que des femmes psalmodient tout aussi magnifiquement que les hommes.* »

Sans un moment d'hésitation, il a dit : « *Alors, je reviendrai avec toi.* »

C'est ainsi qu'est né un rêve et qu'une promesse a été faite.

Tom a son propre travail séculier, et je l'aide à le faire. Telle est la plus grande part de notre vie séculière, d'un point de vue extérieur. Il enseigne tout aussi bien chacun des courants de l'alchimie interne. Cela veut dire qu'il enseigne le bouddhisme tibétain, l'hindouisme, le taoïsme, la haute alchimie égyptienne et le christianisme ésotérique avec une profondeur et une facilité déconcertantes. De plus, il enseigne la guérison par les sons, et c'est l'un des pionniers de cet art.

Je l'ai vu s'asseoir avec des tulkous et rire sur d'autres plans, volant dans toutes les dimensions. Je l'ai vu ramener par les sons un vieux lama des régions de la mort. Je l'ai entendu dans des cathédrales en forme de dôme à Kiev et dans les salles d'université à Moscou. Comme le son est l'universel qui n'a besoin d'aucune traduction, j'ai senti que l'appel à promener des sons autour du monde, un appel auquel nous avons répondu, était une entreprise valable. Cette année sera notre cinquième tour du monde. Impossible de voyager autant et de rester les mêmes. Impossible. On perd les frontières nationales, mais on acquiert des frontières personnelles.

Ce que nous savons, et qui est évident pour nombre de personnes qui étudient avec nous, c'est que notre travail véritable, celui de l'âme, concerne l'équilibre entre le masculin et le féminin, l'intérieur et l'extérieur.

C'est ce domaine qui fait l'objet du plus grand besoin dans le monde actuel, à mon avis du moins. La Terre a un besoin criant d'équilibre.

Depuis que nous avons senti notre amitié intime se transformer en passion amoureuse, il ne m'est jamais venu à l'esprit que Tom se percevait sur la voie solitaire de l'éveil spirituel en prenant part à l'un des systèmes alchimiques les plus anciens. Nous nous étions chacun engagés dans une voie de vérité totale, et je tenais pour acquis ce que sait chaque femme, à savoir que la voie véritable qui mène à l'éveil s'inscrit dans la relation. Il ne m'était pas venu à l'esprit que les femmes ne savent pas que la relation est une voie alchimique.

Ainsi, quand Madeleine a commencé à venir vers nous et nous a donné le texte de son manuscrit (*Le manuscrit de Marie Madeleine*, Éditions Ariane), ce fut le « clou dans le cercueil » de la voie solitaire de Tom, pour ainsi dire. Elle nous a présenté un système alchimique des temples anciens d'Isis dans lequel système la relation, selon elle, « est la voie la plus rapide et la plus dynamique menant à la Divinité ».

Depuis lors, en 2000, nous avons transmis ses enseignements au moyen des mots, du son et de notre vie commune. Et pour moi, notre véritable travail dans le monde consiste à vivre cette relation, à en faire un exemple.

Puis je suis devenue une féroce protectrice de l'égalité. Le déséquilibre me fait l'effet d'une traînée d'ongles sur un tableau noir. Il grince dans les oreilles de mon cœur. Je ne peux tolérer sa présence. (Et je suis de plus en plus explicite à propos de mon refus de tolérer l'injustice. À preuve, mon nouveau surnom, Hell Cat.)

J'étais donc là dans l'autobus, en face du couvent des nonnes de Gyantsé, et je me suis aperçue que personne ne savait même que dans tout le Tibet des femmes méditent, prient et psalmodient pour la protection et le bien-être, et ce, pendant des heures et des heures, chaque jour de la semaine, depuis des mois, des années et des vies, à l'insu de tous. On ne connaît que les moines qui le font. Mais le rayonnement de ces femmes avait éclipsé tout ce que j'avais jamais vu dans n'importe quel monastère.

En rêvant d'enregistrer les voix des nonnes du Tibet, j'avais trois buts.

Le premier était de montrer clairement que les nonnes psalmodient avec autant de puissance, d'éloquence et de magnificence que les moines. Je voulais élever les voix des femmes jusqu'à celles des hommes. J'avais l'intention de faire un petit pas de plus vers l'équilibre.

Mon deuxième but était de renverser une tradition occidentale de longue date qui consiste à prendre sans rien donner en retour. Notre fille Adrianne envisageait d'étudier l'ethnomusicologie lorsqu'elle a eu le choc d'une prise de conscience qui lui était insoutenable ; elle a donc changé de discipline. Elle s'est rendu compte que les Occidentaux vont dans un pays et prennent les remèdes. Nous prenons les plantes. Nous prenons les sons. Nous prenons les chants. Puis nous rapportons tout cela et nous écrivons des articles sur les chants. Et nous déposons un copyright sur ces chants. Ensuite, nous mettons les remèdes dans nos médicaments et les brevetons. Et nous volons les droits de naissance, la planche de salut des autres pays. Oh, et pendant qu'on y est, nous introduisons chez nous des cancers comme l'avidité et le matérialisme. Adrianne a choisi de ne pas participer à cela. Pour ma part, j'ai toujours été indignée par ce syndrome occidental qui consiste à prendre sans rien donner en retour. J'ai fait le vœu de trouver un jour une façon de faire ma petite part pour renverser la tradition, en quelque sorte.

Nous allions retourner tous les profits aux femmes qui ont créé les sons, les nonnes de Gyantsé.

Mon troisième but, en enregistrant ces voix qui m'avaient tellement impressionnée, était de créer un système de soutien pour ces femmes. Je ne pouvais cependant soulever les problèmes politiques qu'entraînerait la rédaction de ce texte. Ce ne serait tout simplement pas sécuritaire pour les gens concernés. Mais les choses ne vont pas bien au Tibet. Les impôts sont si élevés que les familles ne peuvent soutenir leurs proches dans des monastères et des couvents. C'est tout ce que je peux révéler par écrit. Il y a si peu de soutien. Si peu de nourriture. Si peu de chaleur. Si peu de chaussettes* chaudes et de bonnes chaussures. Si peu de manteaux. Ces gens se tiennent au chaud grâce à leur feu interne. Il y a à peine davantage.

---

* Au moment où vous lirez ces lignes, les nonnes ont maintenant les pieds bien au chaud. Par l'entremise de la fondation *Passion Compassion*, 50 paires de chaussettes ont été livrées personnellement par Tom et Judi lors de leur récent voyage au Tibet.

Mon rêve était donc que tous les profits de la vente du CD, *The Nuns of Gyantse*, soient retournés aux nonnes qui nous avaient donné ces sons. Ainsi, plutôt que de voir l'Occident se contenter de prendre encore, nous redonnons pleinement non pas un petit pourcentage, mais tout.

Tom et moi avons une petite entreprise sans but lucratif, la Sound Healing Foundation, pour laquelle ce projet est devenu idéal.

Deux ans après que j'eus rêvé de retourner enregistrer les voix des nonnes, nous sommes revenus au Tibet avec un autre groupe, accompagnés en plus de trois ingénieurs du son, trois vidéographes et un photographe, et nous avons filmé et enregistré dans certains des monastères et couvents les plus importants du Tibet. Chacun des ingénieurs du son a défrayé ses coûts de déplacement, tout comme les vidéographes, afin que tout notre financement puisse être consacré à la création du CD. (Aucun montant n'a été prélevé des fonds offerts pour soutenir ce projet, et ce, afin de transporter des gens au Tibet. C'est une chose immense de pouvoir préciser ce point dans un monde où la plupart des dons recueillis sont consacrés à l'entretien de l'OSBL [Organisme sans but lucratif].)

Bien des gens de partout dans le monde, surtout des États-Unis et du Canada, ont fait des dons en argent pour aider à réaliser ce projet, et nous les remercions. Ces gens sont renommés pour leurs dons sur bien des plans.

Je ne m'en suis pas aperçue à l'époque, mais j'ai découvert, depuis, que c'était la première fois que des nonnes en train de psalmodier dans leur couvent étaient enregistrées professionnellement au Tibet, et en direct. En outre, cet enregistrement n'est pas en train de moisir dans le département de musique de quelque université aux murs couverts de lierre, où personne ne l'entendra. Il est à la disposition de chacun de vous, et je vous invite à en apporter un exemplaire chez vous et à le faire jouer pour vos amis afin qu'ils puissent goûter les sons, en leur rappelant que les rêves peuvent se réaliser et que les nonnes psalmodient aussi bien que les moines !

Nous avons tenté d'entrer au Tibet l'an dernier pour retourner les profits aux nonnes, mais comme vous le savez peut-être, cette région était fermée aux visiteurs occidentaux. Alors, en 2009, nous sommes décidés à y entrer une fois de plus pour apporter tous les profits des ventes de ce CD aux nonnes de Gyantsé.

La seule façon de nous assurer que l'argent leur parviendra est de le leur remettre en mains propres, et nous le ferons de nouveau. Nous espérons mettre sur pied un système de livraison qui n'exigera plus que Tom et moi subissions les rigueurs d'un voyage au Tibet, mais nous ferons le nécessaire.

Veuillez songer à acheter un exemplaire et à vous asseoir avec une bonne tasse de thé, de préférence sans beurre de yak, et à laisser les voix des nonnes de Gyantsé vous emmener dans les *sambhogakaya*, le domaine du son et de la lumière purs.

Nous ne sommes que deux, Tom et moi, sans personnel à temps plein, et si cela vous émeut, songez à demander à votre disquaire local de mettre en vente ce CD, *The Nuns of Gyantse*, et à en déposer un exemplaire dans votre monastère local. Aussi longtemps que ces gestes généreront des profits, nous ferons en sorte que l'argent retourne aux nonnes de Gyantsé. Et si vous souhaitez faire un don à la Sound Healing Foundation, il sera bien utilisé. Nous avons dû retirer notre site Web l'an dernier, après avoir reçu un appel indiquant que le site pourrait être un point chaud politique dans l'atmosphère actuelle. Nous espérons le rouvrir sous peu, mais vous pouvez nous rejoindre à l'adresse suivante : info@soundhealingfoundation.org.

Que les bénédictions de tous les plans soient avec vous.

Judi Sion

La Sound Healing Foundation est une entreprise sans but lucratif approuvée par le gouvernement fédéral américain.

(Note personnelle : Tom et moi consacrons également 20 % de notre revenu personnel, provenant du nouveau CD *The Kalachakra of Great Compassion*, à l'œuvre de l'ancienne abbesse du couvent de Lhassa, aujourd'hui en exil aux États-Unis. Celle-ci a un petit OSBL au bénéfice de nonnes, de femmes et d'enfants, appelé Tibetan Women's Crossing. Voir au www.tibetanwomenscrossing.org.)

Les coups de cœur
de l'éditrice...

Anna, grand-mère de Jésus

*L'histoire extraordinaire d'une femme
qui a changé le monde en donnant naissance à une lignée spirituelle.*

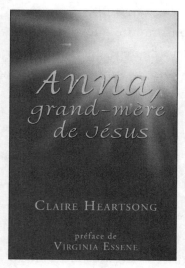

Certains livres vous comblent à tel point qu'ils restent avec vous longtemps une fois votre lecture achevée. C'est le sentiment que j'ai eu en lisant *Anna, grand-mère de Jésus*. Je cherchais depuis longtemps un bon roman initiatique et j'ai alors trouvé une histoire véritable sous cette forme… L'idéal, quoi ! Avez-vous déjà lu l'histoire d'une personne qui a vécu plus de 600 ans ? Plusieurs livres de cette possibilité de vivre aussi longtemps mais jamais je n'ai pu lire une histoire aussi complète. C'est tout simplement remarquable.

Dans cet ouvrage, Anna révèle comment elle a utilisé la régénération cellulaire pour vivre plus de 600 ans. Elle divulgue les pièces manquantes de l'histoire – sa véritable identité ainsi que celle de Marie et de Jésus, les endroits où ils ont voyagé, les gens qu'ils ont rencontrés, et l'importance du rôle de la communauté essénienne dans tout le drame de l'époque. Elle parle également des initiations requises de sa part ainsi que de Marie et de Jésus, mais aussi de la façon d'amener le principe du Divin féminin dans notre quotidien afin de compléter notre parcours initiatique en tant que disciples d'aujourd'hui.

Parution le 15 septembre 2009
ISBN 978-2-89626-063-8

Conscience pure et Méditation véritable

(livre et CD)

Si vous êtes sérieux à propos de votre parcours spirituel…
deux voies vers l'Éveil en un seul livre.

Enfin, enfin, enfin. Un livre d'éveil qui nous montre que nous avons TOUS la possibilité de nous éveiller. En ce sens, l'auteur dit : « *Ce livre*

vous est destiné et vous concerne. Il traite de votre Éveil. Mes paroles visent à vous ébranler pour vous éveiller, non pas à vous dire comment mieux rêver. Ne croyez pas que l'Éveil soit la fin. Il est la fin d'une quête, de celui qui cherche, et le début d'une vie vécue depuis votre nature essentielle. »

Adyashanti nous amène, comme très peu d'autres auteurs, à comprendre non seulement la nature de notre illusion ou de notre « rêve », mais surtout, que seul le mental rêve. Le mental crée cet état altéré de réalité… une réalité virtuelle en fait.

J'aimais tellement ses propos que j'ai voulu que vous lisiez ce qu'il avait à dire à propos de la méditation véritable. Toutefois, je ne voulais pas vous faire attendre encore une autre année avant que vous puissiez lire sur le sujet. Alors, j'ai décidé de publier deux livres en un seul.

Je constate qu'il y a quelquefois tellement de complications à méditer que plusieurs en sont rebutés ou abandonnent en cours de route. Adya simplifie énormément tout le processus. Il tente de nous faire abandonner notre désir de contrôle. Selon lui, lorsque nous laissons tomber toutes les techniques, le concept même de nous, en tant que méditant, nous ouvre la voie vers l'art de la méditation véritable. Dans ce sens, il dit :

« *On nous enseigne que l'Éveil est difficile, que de s'éveiller de l'illusion de la séparation nécessite des années. En fait, il s'agit de s'éveiller du rêve de la séparation et de passer à la vérité de l'Unité. Aller du mental contrôlant à la méditation véritable… est en soi une transition révolutionnaire.* »

À lire absolument. D'ailleurs une amie m'a dit récemment suite à sa lecture : « J'ai finalement trouvé mon maître à penser. »

L'emballement à son sujet continu. Un autre ouvrage, s'intitulant *Après l'éveil* va paraître au printemps 2010 du même auteur. Celui-ci discute en détail de la façon que l'on doit vivre ce parcours vers l'Éveil. Il ne s'agit pas de nous séparer de la réalité de la vie quotidienne, mais au contraire, de développer une attitude d'acceptation et d'ouverture totales devant chaque émotion, chaque situation et, surtout, envers chacune des personnes que l'on côtoie.

Paru en mai 2009
ISBN 978-2-89626-057-7

Comment lire les dossiers akashiques

Accéder aux archives de l'âme

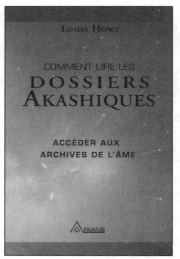

En ce qui me concerne, les dossiers akashiques sont d'une extrême importance dans notre cheminement actuel. Kryeon en parle énormément, Lee Carroll l'enseignera éventuellement et nous avons la possibilité maintenant d'y avoir accès. L'énergie est mûre pour qu'on travaille avec cet outil spirituel remarquable.

C'est le premier livre du genre qui permet de parcourir ces éternels dossiers de l'âme. Mais je suis certaine qu'à mesure que l'on avancera dans le temps, d'autres ouvrages seront disponibles. Imaginez découvrir la vérité de qui vous êtes vraiment et ainsi arriver à l'apprécier pleinement… et à vivre chaque instant en étant totalement satisfait de votre vie !

Jadis réservée à quelques initiés doués, cette source infinie de sagesse et d'énergie de guérison est maintenant présentée aux lecteurs qui cherchent des réponses à toutes sortes de questions : Comment me libérer à jamais de mon passé ? Quelles sont mes raisons de vivre ?

Linda Howe dit ceci : « *Le moment est venu d'assumer notre propre autorité spirituelle en accédant directement à cette source éclairante.* » Je suis tout à fait d'accord.

Paru en août 2009
ISBN 978-2-89626-067-6

Les relations et le but supérieur

Trouver sa famille spirituelle, son but et sa mission dans le monde

La vie n'est-elle pas qu'une suite infinie de relations ? Relations avec nos conjoints, nos enfants, nos parents, nos collègues de travail, la société, les inconnus que l'on croise, les amis que l'on côtoie, mais surtout la relation avec soi-même. Rien n'est plus fascinant, et difficile, que de maintenir un équilibre dans tous les aspects d'une relation… quelle qu'elle soit. Toutefois chaque relation a un but supérieur et c'est ce but que l'on doit trouver.

Cet ouvrage ne traite pas seulement des différentes relations que l'on sera inévitablement amené à vivre. Il nous indique comment les établir, les maintenir, les équilibrer et les achever. Les Êtres de lumière qui nous conseillent mentionnent ceci :

« *Les relations et le but supérieur* est un livre de révélations. Il dévoile un nouvel aspect du potentiel et de la raison d'être de vos relations les plus importantes, et de la manière de les comprendre. Ce livre ne traite pas de méthodes visant à venir à bout de vos relations ; son but est plus élevé. Il porte sur la découverte de votre mission de vie et vous prépare à reconnaître ces individus qui sont destinés à en faire partie et à vous unir à eux. Il s'agit d'aller vers un état de reconnaissance, d'union et d'achèvement en compagnie d'autres individus, qui satisfait les plus grands besoins de votre âme et la raison de votre présence sur terre. »

Paru en février 2009
ISBN 978-2-89626-055-3

À propos de Lee Carroll

 Après avoir obtenu un diplôme en études commerciales et en économie de la California Western University, Lee Carroll met sur pied une entreprise spécialisée en techniques audio à San Diego, laquelle prospère pendant une trentaine d'années. En 1989, il s'engage sur sa voie spirituelle : c'est le début des enseignements Kryeon.

Timidement, les premiers écrits sont d'abord présentés au milieu métaphysique de Del Mar, en Californie ; le reste appartient à l'histoire. Au total, douze ouvrages de métaphysique ont été publiés en dix ans. Plus de 800 000 exemplaires de de la série Kryeon et des *Enfants indigo* ont été imprimés dans le monde, en vingt et une langues, dont le français, l'espagnol, l'allemand, le chinois, l'hébreu, le danois, l'italien, le grec, le coréen, le hongrois, le russe, le japonais, le portugais, le roumain et le turc. Dans le monde francophone seulement, plus de 150 000 exemplaires de la série Kryeon ont été vendus.

En 1995, Lee a été invité à présenter Kryeon aux Nations unies (ONU) à New York, devant un groupe mandaté par cette organisation, la Society for Enlightenment and Transformation (S.E.A.T.). La présentation a été si bien accueillie qu'il y est retourné quatre fois par la suite pour transmettre son message d'amour, soit en 1996, en 1998, en 2005 et en 2006 ! Ces rencontres se tiennent aux étages supérieurs, dans les aires de travail de l'édifice des Nations unies, non loin de l'Assemblée générale. Elles sont réservées aux délégués aux Nations unies et aux invités de la société.

Voici quelques titres parus aux Éditions Ariane :

- *La graduation des temps*
- *Aller au-delà de l'humain*
- *Alchimie de l'esprit humain*
- *Partenaire avec le Divin*
- *Messages de notre famille*

- *Franchir le seuil du millénaire*
- *Un nouveau don de lumière*
- *Les enfants indigo*
- *Célébration des enfants indigo*
- *La levée du voile*

À propos de Patricia Cori

Originaire de la région de la baie de San Francisco, Patricia Cori a activement participé au mouvement nouvel âge depuis l'émergence de celui-ci au début des années 1970. Elle n'a cessé d'utiliser ses facultés de clairvoyance dans son travail de guérison et de soutien, et elle a consacré sa vie à l'étude du mysticisme, de la philosophie, des civilisations anciennes, de la guérison métaphysique, de la spiritualité et de la vie extraterrestre.

Enseignante dévouée, Patricia aide de nombreuses personnes à découvrir leurs facultés naturelles de guérison, à élever leur conscience et à intégrer les fréquences supérieures qui baignent notre espace alors que le système solaire tout entier se prépare à son ascension. Par-dessus tout, elle s'est donné pour mission de motiver les gens à passer à l'action, à surmonter leur peur et leur sentiment d'impuissance, et à devenir des membres plus responsables de nos sociétés planétaires et universelles.

Patricia Cori est également bien connue dans le circuit des conférences internationales grâce aux cours, aux séminaires et aux ateliers qu'elle offre partout dans le monde. Sa mission consiste à être la voix du Haut Conseil de Sirius et à faire usage du remarquable don qu'elle a d'aider les autres à raviver et déclencher l'expression de leur pouvoir intérieur. Elle a publié aux Éditions Ariane le livre *Le Haut Conseil de Sirius* en août 2007.

Pour en savoir plus à son sujet, consultez son site Internet :
www.sirianrevelations.net

À propos de Pepper Lewis

Pepper Lewis est une intuitive naturelle, une *channel* douée et une auteure réputée. Elle est également conférencière et professeur de métaphysique. Ses messages canalisés sont uniques et distinctifs et elle les transmet à un public grandissant partout dans le monde.

Parmi les plus populaires, on compte des transmissions produites par la *conscience* même de notre planète, la Terre Mère, que l'on connaît sous le nom affectueux de Gaia. Ces messages paraissent fréquemment dans une diversité de publications, dont le *Sedona Journal of Emergence*. Ils sont aussi fort appréciés sur plusieurs sites Internet.

Pepper est souvent invitée à des émissions radiophoniques et Internet, dont le *Great Shift*, avec le révérend Fred Sterling. Elle participe également à plusieurs conférences en compagnie de Lee Carroll/Kryeon et de son équipe.

Elle est fondatrice de *The Peaceful Planet* (La planète pacifique), un organisme visant à traiter notre monde et notre environnement d'une manière qui dégage et projette l'équilibre, l'intégrité, la paix et l'harmonie. *Peaceful Planet* offre des produits et des services inspirants, conçus pour donner du pouvoir, seconder et instruire. Séminaires, conférences et ateliers sont offerts selon les disponibilités.

Pour en savoir plus à son sujet, consultez son site Internet :
www.thepeacefulplanet.com

A propos de Claire Heartsong

Laura Anne Duffy-Gipson a reçu le nom de Claire Fontaine Heartsong en 1990, lors d'une initiation importante avec Jésus et Maître Saint-Germain. Depuis 1986, elle poursuit ses initiations. Aujourd'hui, sa vie est consacrée au divin féminin, à l'harmonie, à la liberté et à l'unité avec toute vie. Pour elle, une des façons de réaliser cette harmonie est par l'entremise du cœur du divin féminin et de la relation consciente.

Actuellement, Claire travaille étroitement avec Anna, la grand-mère de Jésus, et prépare déjà une suite à l'histoire d'Anna. Ce deuxième volume traitera de la vie de cette dernière dans le sud de la France jusqu'au moment de sa transition à Avalon, en Angleterre.

Pour raconter cette histoire, Claire « entrera » de façon holographique à l'intérieur des dossiers de dix-huit personnages clés ayant participé au drame concernant Jésus et Marie Madeleine. Ces personnes uniques portent chacune une vibration particulière, mais leur message est similaire.

Vous pouvez communiquer avec l'auteure par le truchement de son site Internet, à l'adresse www.claireheartsong.com

À propos de Martine Vallée

L'intérêt de Martine pour le domaine spirituel et tout ce qui s'y rattache a toujours été très grand, et ce, depuis son adolescence. Deux ouvrages l'ont beaucoup marquée vers l'âge de 17 ans : *La vie des maîtres*, de Baird Thomas Spalding, et *La vie après la vie*, de Raymond Moody. Elle a toujours cru au pouvoir des mots et à leur capacité de transformer ceux qui les lisent.

Depuis plusieurs années, elle s'est engagée envers l'humanité à connaître et à explorer la voie de la connaissance pour ensuite la partager. Sa grande passion demeure l'humanité et, surtout, ses lecteurs, qu'elle considère comme sa famille spirituelle. L'année 2009 a marqué sa quinzième année au cœur du monde de l'édition.

Plusieurs projets humanitaires lui tiennent à cœur. En ce sens, elle envisage de créer un mouvement d'envergure qui mettra de l'avant plusieurs projets ayant une incidence directe sur la vie de milliers de personnes. Par ailleurs, Martine croit fermement que le retour du divin féminin, présent en chaque femme et chaque homme, est la réponse à la transformation planétaire.

De son point de vue, la plus grande force qui existe actuellement est celle de l'amour, de la compassion et de l'intention pure réunis. Ensemble, ces éléments créent inévitablement une quatrième force tout à fait unique qui a le potentiel d'apporter rapidement les changements nécessaires à la transformation planétaire. Le rôle de chaque humain ne peut être sousestimé, car chacun possède cette quatrième force et a donc la capacité et la responsabilité de la mettre de l'avant.

Vous pouvez lui écrire à :
martine@ariane.qc.ca
martinevallee@qc.aira.com

À propos de Simon Leclerc

Fasciné depuis son tout jeune âge par la vie dans le firmament étoilé, Simon Leclerc a toujours été attiré vers ce qui existe au-delà de la réalité physique terrestre. La vie après la vie (ou la mort), la réincarnation, l'âme, l'esprit ont toujours occupé une place centrale en lui. Mais c'est véritablement dans les années 1990, alors qu'il était au début de la vingtaine, que son ouverture à la spiritualité s'est effectuée concrètement. Une série d'événements insolites, des rencontres significatives et la lecture des livres *La vie des Maîtres*, de Baird Thomas Spalding, et *Le livre blanc*, de Ramtha, sont venus éveiller en lui la conviction que l'univers est bel et bien conscient et rempli d'amour..

Bachelier en publicité-marketing, il a eu un parcours professionnel qui l'a amené à œuvrer pendant près de dix ans au développement des affaires dans le domaine des technologies de l'environnement, à faire de la consultation en entreprise et à enseigner la publicité auprès d'organisations commerciales.

C'est en 2007 qu'il a choisi de quitter le monde des affaires pour se consacrer à temps plein à l'enseignement de la *psychologie de l'âme*, une approche spirituelle qu'il a créée, en lien avec le collectif de la Fraternité universelle qui l'accompagne.

Son élan, associé à celui des autres travailleurs de lumière de la Terre, vise à implanter une véritable fraternité humaine fondée sur l'équité et l'amour entre tous. Par son parcours et ses visions humanitaires, il cherche à éveiller chez les êtres la conviction qu'ils font partie d'un univers conscient et amoureux qui héberge la vie en abondance. Cette vie nous invite à nous ouvrir au fait que nous sommes d'abord et avant tout de nature universelle.

Vous trouverez tous les détails de ses activités à l'adresse
www.psychologiedelame.com.

Tom Kenyon

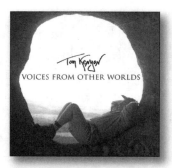

Voices from Other Worlds : Certifié pur et organique. Du Tom Kenyon à son meilleur. Sur ce CD, plusieurs lignées · shamaniques y sont représentées. Les tambours et un bol de cristal sont les seuls instruments utilisés. Sur ce cd, vous retrouvez également un extrait de Vaisseau de lumière (Lightship)

Lightship : Ce Cd est un outil psychoacoustique très puissant qui pourra vous amenez à faire l'expérience de d'autres réalités profondément enfouies en vous

Sound transformation : Les sons de cette collection ont été enregistrés « live » lors de différents ateliers donné par Tom Kenyon, partout dans le monde.

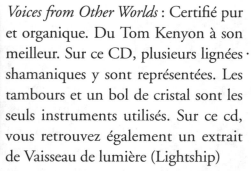

The Nuns of Gyantse : Bienvenue aux sons sacrés des nonnes de Gyantse. Enregistrer « live » lors de cérémonies et de rituels au monastère. Tous les sons sont de sources naturelles.

Musiques composées et interprétées par Louis Lachance

harmoni collection

C'est avec une joie immense que je vous offre à nouveau mon imaginaire créatif en musique. J'aimerais exprimer toute ma gratitude à Martine Vallée, qui m'offre, à chaque année, cette belle opportunité de faire connaître ma musique par l'entremise de ses publications. Merci !

Pour cette nouvelle édition, j'ai composé deux nouvelles pièces musicales. « **Délivrance** » est inspirée d'un témoignage de Martine Vallée sur l'éveil des mémoires cellulaires.

Aussi, la pièce « **Hommage à Gaïa** » évoque par sa douceur la splendeur et l'amour universel qui réside au cœur de chacun de nous. C'est une célébration de l'unification du divin à notre humanité qui évolue vers l'ascension.

L'album
harmoni soleil
sera disponible dès
l'automne 2009

Les musiques de ailia

sont disponibles dans tout le réseau des librairies du Québec, chez la plupart des disquaires ou directement chez **ADA**, par Internet : www.ada-inc.com
☎ (450) 929-0296

Pour la France et la Belgique :
D.G Diffusion,
par Internet : www.dgdiffusion.com
☎ 05.61.000.999

Pour la Suisse :
Transat,
☎ 23.42.77.40

Merci !

ARIANE Éditions

présente

le samedi 16 octobre 2010

à Toulouse

Au-delà de 2012

Vivre en équilibre dans un monde en mutation

Le thème de la conférence vise à mieux comprendre – afin de mieux participer – les années de transition entre 2012 et la période de grands progrès sociaux et spirituels prévus d'ici une trentaine d'années. Ces années de transition présenteront des défis majeurs à chacun, car des bouleversements fort importants auront lieu à tous les niveaux de la société. Les conférenciers apporteront une vision et des outils favorisant un meilleur équilibre psychologique et spirituel dans ce monde en mutation profonde.

Les conférenciers

Gregg Braden : Fractales dans le temps
Pierre Lessard / Maître Saint-Germain : Manifester ses pouvoirs spirituels
Patricia Cori : Haut Conseil de Sirius / Les relations à venir entre humanités
Philippe Bobola : Science de la pensée / Influencer notre futur
Lee Carroll : Transition et opportunités
Rasha : Illusions du passage
Drunvalo Melchizédek : Montée de la kundalini planétaire féminine
Michael Roads : Relations renouvelées entre humains et esprits de la nature

(Les quatre derniers conférenciers seront présents par le truchement d'entrevues filmées exclusives à cet événement.)

Le *channeling* du Maître Saint-Germain abordera, en particulier, l'éveil en sol français. De plus en plus de gens sont conscients d'une mouvance spirituelle qui se développe dans le sud de la France. Il y a eu les cathares, Marie Madeleine et Jésus, et d'anciennes civilisations venues dans cette région pour ancrer une vibration particulière. Qu'en est-il au juste de ce passé ? Quels sont les développements à venir ? Comment y participer ?

Dimanche 17 octobre

Réactivation d'une mouvance spirituelle en terre de France
Événement guidé par Pierre Lessard / Maître Saint-Germain

Chacun des participants de la journée de samedi est invité à se joindre à nous dans un endroit en pays cathare afin de stimuler le vortex, actuellement en développement, d'un renouveau spirituel dans le sud de la France. Nous pensons que de cette région naîtra un mouvement qui influencera éventuellement l'Europe.

Pour toute information, écrire à Marc Vallée :
marc@ariane.qc.ca
Tél. : 514.276.2949

Billets en vente à partir du 1er octobre 2009

Quelques exemples de livres d'éveil publiés par Ariane Éditions